161 388726 8

D0714885

Two week loan

Benthyciad pythefnos

LA PLURALIDAD NARRATIVA. ESCRITORES ESPAÑOLES CONTEMPORÁNEOS (1984-2004)

ÁNGELES ENCINAR Y KATHLEEN M. GLENN (EDS.)

LA PLURALIDAD NARRATIVA. ESCRITORES ESPAÑOLES CONTEMPORÁNEOS (1984-2004)

BIBLIOTECA NUEVA

Diseño de cubierta: José María Cerezo

© Los autores, 2005
© Editorial Biblioteca Nueva, S. L., Madrid, 2005
   Almagro, 38
   28010 Madrid

ISBN: 84-9742-447-6
Depósito Legal: M-24.512-2005

Impreso en Rógar, S. A.
Impreso en España - *Printed in Spain*

Índice

INTRODUCCIÓN, Ángeles Encinar y Kathleen M. Glenn 11

CAPÍTULO PRIMERO.—IGNACIO MARTÍNEZ DE PISÓN: CONTANDO EL FIN DE LOS BUENOS TIEMPOS, José-Carlos Mainer 23

CAPÍTULO II.—GENEALOGÍA ESQUIZOFRÉNICA E IDENTIDAD NACIONAL EN *MALENA ES UN NOMBRE DE TANGO* DE ALMUDENA GRANDES, Rosalía Cornejo-Parriego 43

CAPÍTULO III.—MERCEDES ABAD O EL ARTE DE CONTAR, Janet Pérez 61

CAPÍTULO IV.—UNA HISTORIA FANTASMAL: *SOLDADOS DE SALAMINA* DE JAVIER CERCAS, Robert C. Spires 75

CAPÍTULO V.—EL MUNDO ANTITÉTICO DE *PLANETA HEMBRA* DE GABRIELA BUSTELO, Marta E. Altisent 89

CAPÍTULO VI.—MELODRAMA, LABERINTO Y MEMORIA EN LA NOVELÍSTICA DE JUANA SALABERT, Álvaro Romero Marco 107

CAPÍTULO VII.—BELÉN GOPEGUI ENTRE LA BÚSQUEDA Y LA DENUNCIA DE LA REALIDAD, Biruté Ciplijauskaité 119

CAPÍTULO VIII.—ENTRE LA IRONÍA Y EL DESENCANTO: LA NARRATIVA DE ÁNGELA VALLVEY, Luis García Jambrina 133

CAPÍTULO IX.—EN BUSCA DEL SECRETO DE LA NARRATIVA DE LUISA CASTRO, Ángeles Encinar 149

CAPÍTULO X.—EL PASADO NO ESTÁ MUERTO: LA MEMORIA HISTÓRICA EN LA NOVELA DE GUERRA *EL NOMBRE DE LOS NUESTROS* DE LORENZO SILVA, Silvia Bermúdez 163

Capítulo XI.—La nostalgia del futuro: amnesia global y hábitos de consumo en *Tokio ya no nos quiere* de Ray Loriga, José F. Colmeiro 177

Capítulo XII.—Silencios que cuentan: la narrativa de Marcos Giralt Torrente, Kathleen M. Glenn 189

Capítulo XIII.—Las máscaras del escritor: las primeras novelas de Juan Manuel de Prada, Epicteto Díaz Navarro 203

Capítulo XIV.—Los *Solos* de Care Santos: «variaciones» sobre un tema, Ana Rueda 219

Capítulo XV.—Espido Freire: (Re)Lectura y (Sub)Versión de los cuentos de hadas, Concha Alborg 243

Capítulo XVI.—Una tradición rebelde, Jordi Gracia 255

Capítulo XVII.—Dos proyectos narrativos para el siglo XXI: Juan Manuel de Prada y José Ángel Mañas, Germán Gullón 267

Bibliografía 283

A Fernando, Irene, Eva y Alberto,
porque siempre están a mi lado.

A Stephen

Introducción

ÁNGELES ENCINAR Y KATHLEEN M. GLENN

Al mirar hacia atrás en busca de una visión de conjunto de la narrativa española de los últimos quince o veinte años, lo que salta a la vista de forma inmediata es la pluralidad. En primer lugar, conviven autores de distintas promociones[1]. A los mayores, con una obra sedimentada y reconocida como es el caso de Miguel Delibes, Carmen Martín Gaite, Juan Marsé, Esther Tusquets o Juan José Millás, por mencionar algunos nombres de distintas procedencias generacionales, se suman aquellos cuya producción, iniciada en la década de los 70, se ha realizado sobre todo a partir de los años 80, Javier Marías, Rosa Montero y Antonio Muñoz Molina, por ejemplo, y un nutrido grupo que se ha dado a conocer principalmente en los años 90. El presente volumen se centra en estos últimos narradores, un total de diecisiete escritores nacidos a partir del año 1960, inclusive, cuya obra hasta ahora no ha recibido la atención crítica que merece[2]. Almudena Grandes e Ignacio Martínez de Pisón nacieron en 1960, Mercedes Abad en 1961, Gabriela Bustelo, Javier Cercas, Juana Salabert y Roger Wolfe en 1962, Belén Gopegui en 1963, Ángela Vall-

---

[1] José María Izquierdo (295), que emplea el término «generación», distingue cinco generaciones literarias en activo. La del 36, según él, consta de Gonzalo Torrente Ballester, Camilo José Cela y Miguel Delibes; la del medio siglo de Carmen Martín Gaite, Ana María Matute, Rafael Sánchez Ferlosio, Juan Goytisolo, Juan Marsé y Francisco Umbral; y la del 68 de Esther Tusquets, Manuel Vázquez Montalbán, Julián Ríos, Eduardo Mendoza, Félix de Azúa, Juan José Millás y Soledad Puértolas. Los «Escritores de los años 80» que menciona Izquierdo son Alfons Cervera, Juan Madrid, Andreu Martín, Javier Marías, Rosa Montero, Arturo Pérez-Reverte, Jesús Ferrero, Julio Llamazares y Antonio Muñoz Molina. Y bajo la rúbrica de «Narradores novísimos de los años 90» enumera 28 escritores nacidos entre 1959 y 1971.

[2] Huelga decir que por varias razones, entre ellas la edad y el momento en que empezaron a publicar, algunos de los autores han sido más estudiados que otros.

vey en 1964, Luisa Castro y Lorenzo Silva en 1966, Ray Loriga en 1967, Marcos Giralt Torrente en 1968, Juan Manuel de Prada y Care Santos en 1970, José Ángel Mañas en 1971 y Espiro Freire en 1974[3]. Es un grupo bastante heterogéneo[4]. La falta de uniformidad que para algunos es síntoma de pobreza y señal de que la botella literaria está medio vacía, es para otros —y nos incluimos entre ellos— signo de riqueza y vitalidad, y de que la botella está, al menos, medio llena.

Esta misma variedad es razón para no aplicar a este grupo de escritores el término «generación literaria», término que por regla general implica una estética compartida, sin olvidar que se trata de una denominación de dudosa validez. Los comentarios de Jordi Gracia, realizados hace ya algún tiempo, son ilustrativos en este sentido:

> Existe la impresión de que se sucedan, o estén sucediéndose en los años 80 y 90, tres generaciones distintas, que a lo mejor son sólo dos y, presumiblemente, quizá no son más que una sola de horquilla muy ancha: la que sale del franquismo y aún no ha cerrado su ciclo de vigencia alta pero sí ha incorporado a sus redes, sus modos y su estética los nombres nuevos de valor que han ido apareciendo en las dos últimas décadas [...] Los autores citados se ven mejor en una lógica continua que en segmentos diferenciados por criterios generacionales [...] Son narradores que más tarde o más temprano han vivido la adaptación de España a un sistema democrático y plenamente capitalista (Gracia, 237).

Por tanto, preferimos hablar de «grupo» e insistir en que existen dentro de éste distintos subgrupos. No sólo hay diferencias estéticas e ideológicas entre los autores sino que algunos se dedican preferentemente a la novela, otros —además de narradores— son poetas, como Castro y Wolfe, y muchos de ellos se han dedicado a la prosa ensayística. Algunas de las escritoras, aunque nieguen escribir nove-

---

[3] Toda nómina de autores resulta incompleta y la nuestra lo es por varias razones. Los ensayos sobre Felipe Benítez Reyes (1960), Luis Magrinyà (1960), Benjamín Prado (1961), Juan Bonilla (1966) y Lucía Etxebarria (1966) que habíamos propuesto no se han llegado a realizar, desgraciadamente. Y debido a límites de espacio y a los intereses de quienes han colaborado en este libro, no ha sido posible incluir estudios de la obra de, por ejemplo, Gonzalo Calcedo (1961), Andrés Ibáñez (1961), Ramón Reboiras (1961), Nuria Barrios (1962), Martín Casariego (1962), Paula Izquierdo (1962), Francisco Casavella (1963), Pedro Ugarte (1963), Carlos Ruiz Zafón (1964), Eloy Tizón (1964), Ignacio García-Valiño (1968) y Blanca Riestra (1970).

[4] Pero no en términos lingüísticos. Sean de donde sean —Freire nació en Bilbao, Castro en Foz (Lugo), Abad en Barcelona y Santos en Mataró— todos escriben principalmente en castellano. Debido a su fecha de nacimiento grandes representantes de otras literaturas peninsulares tales como Manuel Rivas (1957), Bernardo Atxaga (1951), Quim Monzó (1952) o Carme Riera (1948) no han sido estudiados aquí.

las feministas, se identifican con el feminismo y otras no. A Loriga, Mañas y Wolfe se les encasilló como «Generación X» en un primer momento pero su obra ha evolucionado de manera distinta. Aunque todos los escritores nacieron antes de que muriera Franco, los mayores ya eran adolescentes en 1975 mientras que la más joven, Espido Freire, tenía tan sólo un año. España experimentó una gran transformación entre 1960 y 1974 y el ambiente cultural de los que crecieron durante la posguerra es distinto de aquél de quienes lo hicieron durante la transición o la democracia, y a la diferencia cultural se suman, por supuesto, diferencias individuales de temperamento y gustos literarios. Grandes y Martínez de Pison, nacidos en 1960, varían bastante entre sí, como también se diferencian los cuatro nacidos en 1962: Bustelo, Cercas, Salabert y Wolfe.

Se suele identificar la episteme posmoderna como la dominante del último cuarto del siglo XX y se asocian con ella la desconfianza respecto a las grandes verdades universales, la descalificación o cuestionamiento de la razón y la desorientación del sujeto, que ya no es de identidad fija y unitaria[5]. Según Edmund Smyth, el posmodernismo se caracteriza por «fragmentation, discontinuity, indeterminacy, pluralism, metafictionality, heterogeneity, intertextuality, decentring, dislocation, ludism» (9), y muchos de estos rasgos se manifiestan en la obra de los narradores que estudiamos.

Evidente también es la narratividad, el gusto por contar historias interesantes y presentar personajes bien perfilados que captan la imaginación de los lectores. Este fenómeno no es exclusivo de estos escritores; ya era obvio en la obra de Eduardo Mendoza y Arturo Pérez-Reverte, por ejemplo, y típico de la novela clásica del siglo XIX. La novela que mejor encarna esta narratividad es *La sombra del viento,* escrita por Carlos Ruiz Zafón (1964) y publicada en el 2001. Sus 576 páginas —y esta extensión recuerda a las novelas de Victor Hugo, Charles Dickens o Clarín— son un canto a la literatura. Ruiz Zafón combina diversas modalidades narrativas, tales como la novela histórica, la comedia de costumbres, el relato de intriga y el folletín. Este hibridismo es típico de los últimos años y se nota también en *Soldados de Salamina,* libro que ha marcado un hito en la narrativa actual hasta el punto de que se ha empezado a hablar del «efecto Cercas»[6]. Esta novela además es expresión de un fenómeno importante: el reconocimiento de la necesidad de contrarrestar los silencios pactados en la transición y recuperar la memoria histórica.

---

[5] La bibliografía sobre el posmodernismo ya es extensa. Véanse, por ejemplo, Hassan, Hutcheon, Jameson, Lyotard, McHale *(Constructing Postmodernism* y *Postmodernist Fiction)* y Smyth.

[6] Otro libro publicado en 2001, *Cosas que ya no existen* de Cristina Fernández Cubas, es ejemplo notable de hibridismo.

Cercas califica su novela de «relato real» y en ella ficcionaliza un hecho histórico y también a sí mismo al dar a su narrador el nombre de Javier Cercas (nos recuerda lo que hizo Martín Gaite en *El cuarto de atrás,* cuya narradora-protagonista se llama C.). La ficción y la realidad se entremezclan en *Soldados de Salamina* y en su acertada adaptación cinematográfica[7].

Joan Oleza ha señalado que «A la altura de la mitad de los noventa [...] una serie de novelas [...] han consolidado estéticamente una renovada exploración novelesca de la realidad y provocado el resurgimiento de nuevas —y probablemente posmodernas— formas de realismo» (41). En las obras analizadas en este volumen se manifiesta un realismo de variados registros: psicológico, intimista, poético, sórdido, humorístico, lúdico, de compromiso ético o ideológico, que incorpora la reflexión literaria, la denuncia social y elementos fantásticos. Pluralidad, de nuevo.

Otro hecho que salta a la vista es que ha habido un *boom* de autores jóvenes, algunos bastante precoces, y que muchos son mujeres. Lo que Rafael Conte ha denominado «la feminización del mercado» es un fenómeno de las últimas décadas y la obra de escritoras ha despertado gran interés entre los críticos, especialmente en Estados Unidos, y entre lectores[8]. Y tanto escritores como críticos se quejan de la creciente comercialización del libro, las presiones del mercado y la mercadotecnia de algunas editoriales aunque algunos autores —y enseguida viene a la mente el nombre de Lucía Etxebarria— han demostrado gran destreza en «vender» cierta imagen de sí mismos (véase Tsuchiya, 79)[9].

La pluralidad se manifiesta de nuevo en los colaboradores de este libro, españoles y norteamericanos que ejercen en universidades de España, Estados Unidos, Canadá y Holanda y que emplean en sus ensayos diversas aproximaciones críticas y teóricas: textuales, posestructurales, posmodernas, psicoanalíticas, feministas y de estudios culturales, entre otras. Algunos de los ensayos enfocan un solo texto, otros examinan más de uno o la obra de más de un escritor. Empezamos nuestro libro con los estudios monográficos, ordenados según la fecha de nacimiento del autor, para seguir con los que abordan a más de uno. Las diferencias ideológicas y estéticas que existen entre los escritores estudiados tienen su paralelo entre algu-

---

[7] El director David Trueba incorpora imágenes de archivo, y algunos de los sobrevivientes de la historia real se interpretan a sí mismos en el filme.

[8] Las mujeres, se repite con insistencia, leen más que los hombres y las atraen particularmente novelas escritas por mujeres. Según un estudio reciente de hábitos de lectura y compra de libros, el 56,9 por 100 de las mujeres lee libros, frente al 50,1 por 100 de los hombres («Las españolas leen»).

[9] En *Contemporary Spanish Women's Narrative and the Publishing Industry* Henseler explora las presiones del mercado literario sobre la escritura de la mujer.

nos colaboradores, que discrepan entre sí y valoran de distinto modo autores, obras y tendencias literarias. Huelga decir que las ideas expresadas en cada ensayo, como en esta introducción, son de la(s) persona(s) que las formula(n). En su totalidad, los ensayos contribuyen al debate actual sobre cuestiones de género literario y sexual, de la identidad (cultural, sexual, nacional) y la tensión entre memoria y olvido, temas que seguramente seguirán discutiéndose durante este nuevo siglo.

Desde la publicación de *La ternura del dragón* en 1984 Ignacio Martínez de Pisón se ha ido destacando como uno de los narradores españoles más relevantes. En aquel primer libro ya se manifestaban muchas de las constantes de su obra: la importancia del tema de la familia, las relaciones entre padres e hijos, la compasión hacia sus personajes y una estética basada en el realismo, todas ejemplificadas a la perfección en esa extraordinaria novela que es *Carreteras secundarias,* cuyo protagonista adolescente y su(s) viaje(s) de aprendizaje recuerdan a Holden Caulfield del clásico norteamericano *The Catcher in the Rye.* En una entrevista concedida a raíz de la publicación de *El tiempo de las mujeres* en 2003, Martínez de Pisón hizo una declaración de principios narrativos: «Reivindico el placer de contar historias. Luchar contra el aburrimiento es la primera misión de la narrativa y me siento afín a esta tradición. Después de tantos años, he descubierto que soy un escritor realista, y me encanta. El novelista no tiene que ser especialmente brillante; tiene que tener el don de la narración y comprender a los personajes» (Mora). Principios a los que ha seguido fiel libro tras libro. En su ensayo, José-Carlos Mainer pasa revista a la narrativa de Martínez de Pisón desde su primer libro hasta el más reciente para dejar constancia de los temas que constituyen el núcleo de su prosa.

Un estudio reciente sobre Almudena Grandes lleva el subtítulo de «sexo, hambre, amor y literatura» (Carballo-Abengózar) y el hambre de amor, sexo y comida más la pasión por la literatura sí caracterizan su narrativa, que abunda en personajes femeninos que han mantenido relaciones problemáticas con sus madres —por falta de amor o comprensión— y, en consecuencia, intentan compensar el desamor de su infancia dándose con avidez al sexo y a la búsqueda de amor. Las novelas de Grandes han provocado reacciones muy variadas. Mientras unos críticos hablan de sentimentalidad y exceso de extensión (*Los aires difíciles* tiene 593 páginas y *Malena es un nombre de tango,* 552) otros elogian su facundia y su creación de personajes femeninos. La idea de que «It's Love that makes the world go round!», frase coreada jocosamente por personajes de Lewis Carroll y Sir William S. Gilbert en *Alice's Adventures in Wonderland* e *Io-*

lanthe, es tomada muy en serio por las cuatro protagonistas de *Atlas de geografía humana,* para quienes el amor es lo único que da sentido a la vida. Rosalía Cornejo-Parriego señala que los trabajos sobre la narrativa de Grandes se han centrado en cuestiones de género y subjetividad femeninas y arguye que no se ha prestado atención suficiente a la reflexión histórica en su obra, aspecto que Cornejo-Parriego explora en su estudio de *Malena es un nombre de tango.*

Unos años antes que Grandes, la barcelonesa Mercedes Abad había ganado el Premio La Sonrisa Vertical (1986) por un libro de cuentos y desde entonces ha escrito otras tres colecciones de narraciones y una novela, además de artículos periodísticos, adaptaciones teatrales y guiones radiofónicos. El erotismo sigue haciendo acto de presencia en sus relatos, junto con un humor cáustico, a veces cruel, y una preferencia por personajes y situaciones exageradas que ponen de manifiesto una visión paródica del ser humano y de la vida. Janet Pérez destaca como constantes de la ficción de Abad, narrativa que Pérez considera posfeminista y pos-posmoderna, la presencia del absurdo, la temática erótica, un tono desenfadado e irónico y un lenguaje muy variado. Pérez también señala diferencias significativas entre la literatura erótica escrita por mujeres y la escrita por hombres.

Premios adjudicados por lectores, libreros, escritores y críticos han llovido sobre *Soldados de Salamina,* la última novela de Javier Cercas. Mario Vargas Llosa la ha calificado de «un libro magnífico» y George Steiner ha afirmado que debería convertirse en un clásico; ya va camino de serlo. Conviven en él personajes de ficción y persona(je)s como Rafael Sánchez Mazas y Roberto Bolaño que tienen una realidad extraliteraria o tal vez fuera más exacto decir una realidad doblemente literaria ya que los dos fueron novelistas y como tal creadores de (seres de) ficción. La novela contiene una descripción del proceso de su propia redacción y de las dificultades de ésta en un acto que nos recuerda, de nuevo, *El cuarto de atrás.* Una inclinación hacia la reflexión metaliteraria también es visible en obras anteriores en las que Cercas, profesor de Literatura Española en la Universidad de Gerona, ha satirizado el mundo universitario y quienes lo habitan. Robert C. Spires, tomando como punto de partida de su ensayo unas ideas del filósofo Gianni Vattimo y la socióloga Avery Gordon, analiza *Soldados de Salamina* como «una historia fantasmal» en la que lo inventado es lo que da trascendencia a la obra.

Gabriela Bustelo pasó su infancia en Washington y es probable que esta experiencia la inclinara a estudiar Filología Inglesa. Se ha dedicado a la traducción y, entre otras, ha vertido al español obras de Mark Twain, Rudyard Kipling y Oscar Wilde. Sus novelas están salpicadas de anglicismos, además de referencias literarias, cinematográficas y musicales. (Su trabajo en una compañía discográfica es otra expresión de su afición por la música.) La noche madrileña es telón de fondo y también centro de atención de su primera novela, *Veo, veo*. Para Marta Altisent la segunda, *Planeta hembra,* es una «fábula cibersexual» que parodia la ciencia ficción y la heterotopia lesbiana.

Nacida en París, Juana Salabert es autora de novelas, relatos y un libro de viajes. Le interesan historias de lucha frente a la opresión y sus novelas *Velódromo de Invierno* y *La noche ciega* denuncian la persecución nazi a judíos franceses además de la crueldad y sinrazón de la fratricida guerra española. Ha insistido en que no escribe para consolar y suele enfocar lo que ella llama las «zonas oscuras» de sus personajes. Lo hace con perspicacia y en un tono desgarrado en el volumen de cuentos *Aire nada más*. El haber crecido entre dos lenguas, la francesa y la castellana, quizás explique su empleo de galicismos y cierta grandilocuencia cuando escribe en castellano. Álvaro Romero Marco sitúa su novelística en el ámbito del intimismo literario y enfoca la búsqueda de identidad de sus personajes.

En el prólogo a su tercera y penúltima novela, *La conquista del aire,* Belén Gopegui hace referencia a autores que «quiere[n] apelar todavía a la inteligencia» —ella sin duda figura entre ellos— y añade después que «emoción y conciencia, razón y sentimiento, el mito y el logos» (9, 11) constituyen el territorio de lo novelable. Su narrativa se distingue por su amplitud de miras y peso intelectual, su seriedad artística y compromiso ético, y con razón Gopegui goza del mayor respeto crítico. De una sólida formación cultural, ella no hace concesiones al público sino que lo lleva a reflexionar sobre el mundo en que vive y los valores que rigen en éste. A diferencia de muchas de sus coetáneas, no se especializa en los temas del amor y el desamor ni en los personajes femeninos. En su ensayo Biruté Ciplijauskaité estudia la preocupación de Gopegui por las distintas facetas de la realidad y cómo se acerca a ésta en sus novelas.

Nacida en La Mancha y residente fuera de España durante años, Ángela Vallvey es autora de novelas y libros de poemas. Al publicar *No lo llames amor* declaró ser «un pistolero nihilista que dispara a diestro y siniestro y, cuando no queda nada que se mueva a su alrededor, apunta contra su propia cabeza y aprieta el gatillo sin un titubeo. Las mujeres, sólo por serlo, no iban a librarse de mi pequeña masacre metafórica. No hay misoginia en mi intención, sino afán crítico» (Romeo). Ha disparado contra los libros de autoayuda, que parodia en *Los estados carenciales,* y en *A la caza del último hombre salvaje,* su «versión perversa» de *Little Women* de Louisa May Alcott, satiriza el tema victoriano de la búsqueda de esposo. En su repaso de la narrativa de Vallvey, Luis García Jambrina destaca los temas recurrentes y el papel del humor, rasgo fundamental de su obra.

Luisa Castro alterna la narrativa con la escritura poética (en castellano y en gallego), en la que se inició muy joven, publicando su primer libro de poemas cuando tenía diecisiete años, y ha sido galardonada por ambos aspectos de su obra (Premios Azorín, Hiperión y Rey Juan Carlos I). Sin que sean autobiográficas, sus tres primeras novelas recrean libremente experiencias y vivencias de su infancia y juventud en Galicia y después en Madrid. En *Viajes con mi padre,* su libro más reciente, memorias, autobiografía y novela se conjugan. Ángeles Encinar pone énfasis en las constantes de la narrativa de Castro e ilustra cómo se manifiestan en *El secreto de la lejía.*

Lorenzo Silva, escritor polifacético, es admirador de la novela negra norteamericana y en particular de la de Raymond Chandler, de quien asegura haber aprendido mucho. Ha escrito varias novelas policiacas protagonizadas por la pareja de la Guardia Civil formada por el sargento Rubén Bevilacqua y la agente Virginia Chamorro cuya relación profesional y personal resulta cada vez más compleja. Silva también es autor de narrativa para jóvenes y ha visto premiadas las distintas vertientes de su obra. Se autodefine como un escritor no para literatos sino para lectores y ve como característica de su escritura una curiosidad por las personas que viven fuera de la normalidad. Los relatos de las hazañas de su abuelo en la guerra de Africa despertaron su interés por Marruecos, interés reflejado en textos de viaje sobre este país y en *El nombre de los nuestros,* que revisita el género de las novelas de guerra y más exactamente, como puntualiza Silvia Bermúdez, el de las novelas de la guerra africana. Bermúdez llama la atención al renovado cultivo de la novela histórica en España y sugiere que este fenómeno puede entenderse como «un deseo de afianzar la identidad» después de las grandes transformaciones sociales que ha experimentado el país. La preocupación por la memoria histórica y la recuperación literaria del pasado enlaza el ensayo de Bermúdez con el de Spires sobre Cercas y el de Colmeiro sobre Loriga.

Se ha señalado la novela *Lo peor de todo* (1992) de Ray Loriga como el principio de lo que se ha dado en llamar «joven narrativa», caracterizada por «vidas intensas, lenguajes procaces, actitudes provocadoras, sexo, drogas, música rock o referencias continuas al mundo audiovisual» según el encabezamiento de un artículo de Andrés Padilla (8). El núcleo del grupo lo forman Loriga, José Ángel Mañas y Benjamín Prado y la reacción crítica hacia él ha variado, siendo muy positiva por parte de Germán Gullón y bastante negativa por parte de muchos otros. De los tres autores mencionados, Loriga y Prado son quienes han madurado más como escritores y han merecido creciente atención. Ignacio Echevarría, exigente y poco entusiasta con respecto a la «joven narrativa», ha reconocido el valor de la obra más reciente de Loriga. En *Trífero,* que representa un giro en la trayectoria del autor, se revelan sus dotes humorísticas. *Tokio ya no nos quiere,* situada en un futuro cercano y con ingredientes de ciencia ficción, versa sobre la pérdida de la memoria. En su análisis de esta novela José F. Colmeiro enfoca los síndromes de la amnesia histórica y la pérdida de identidad, metáforas de una crisis cultural contemporánea y expresión de «la propia problemática relación de España con su pasado».

Licenciado en Filosofía por la Universidad Autónoma de Madrid, Marcos Giralt Torrente es autor de un volumen de cuentos, *Entiéndame,* y de *París,* galardonada con el Premio Herralde de Novela. El relato «Nada sucede solo» ganó el Premio Modest Furest i Roca 1999 y otros relatos suyos han sido publicados en revistas y antologías de narrativa breve. Entre enero del 2002 y febrero del 2003 Giralt Torrente vivió en Berlín invitado por el Berliner Künstlerprogramm, del Deutscher Akademischer Austauschdienst. Para el escritor, «la literatura, como la filosofía, es un vehículo de conocimiento, pero sustituye la lógica científica por grandes dosis de intuición e imaginación» (citado en Rodríguez). Después de introducir unas consideraciones generales sobre los silencios literarios, Kathleen M. Glenn estudia la función que éstos desempeñan en la colección de cuentos y en la novela de Giralt Torrente.

Dos citas breves dan idea del estilo y personalidad de Juan Manuel de Prada: «A Marcel y Emily, por el tiempo perdido y borrascoso» (la dedicatoria del relato «Sangre azul») y el celiano agradecimiento «Gracias, sobre todo, a la legión creciente de mis odiadores: sin vuestro estímulo, quizás me hubiese quedado en el camino» *(Las máscaras del héroe,* 13). Prada ha leído mucho —le gusta exhibir sus lecturas y hacer guiños al lector—, y se inclina por la ironía, el sarcasmo y la fanfarronada. También es celiana su obsesión por la muerte y el sexo[10]. Según él, en su literatura hay una lucha constante «entre los instintos más bajos y más abyectos» y «la aspiración de algo más puro y enaltecedor» (Astorga). Prada suele hacer literatura de literatura y una afición por escritores olvidados, bohemios y perdedores caracteriza, en particular, sus primeras obras. En cuanto a su última creación, *La vida invisible,* la define como una novela gótica de nuestro tiempo. Epicteto Díaz se fija en los aspectos temáticos y estilísticos y las resonancias literarias que caracterizan las novelas de Prada.

Los cinco volúmenes de cuentos publicados por Care Santos —el último, *Matar al padre* (2004), ha obtenido el Premio Narra-

---

[10] En un encuentro digital respondió a la pregunta «¿De dónde viene su gusto por el erotismo bizarro [...]?» así: «De mi temperamento un tanto atormentado y agónico. Para mí el sexo es fundamentalmente metáfora de la muerte, de ahí que lo revista de tintes sombríos» («Juan Manuel de Prada»). Prada prodiga comentarios sobre sí mismo en entrevistas y encuentros.

tiva Breve del Ateneo de Sevilla— dan buena cuenta de la ferviente inclinación de la autora hacia este género y, de forma muy específica, resaltan su preferencia por el espacio híbrido de los «ciclos de cuentos». Sin embargo, también ha dado muestras de su interés por la extensión larga y el genocidio armenio se convierte en germen de la evocación histórica dibujada en *Trigal con cuervos*. El mundo más actual está muy presente en sus ficciones juveniles, su novela más reciente, *Aprender a huir,* y en sus colaboraciones asiduas en suplementos culturales. Ana Rueda estudia el libro de relatos *Solos* donde encuentra una simbiosis de formas literarias y musicales.

De joven, Espido Freire se dedicó al canto y después estudió Filología Inglesa en la Universidad de Deusto. Gustavo Martín Garzo ha visto semejanzas entre sus novelas y las de las hermanas Brontë o Henry James. Dentro de la narrativa española quizás Adelaida García Morales sea la escritora con quien presenta ciertas similitudes. Freire afirma no sentirse vinculada a ningún grupo literario. Se aparta del hiperrealismo urbano para cultivar un realismo onírico y sus personajes, sobre quienes pesa la fatalidad, se mueven en un mundo mágico y fantasmagórico, de obsesiones, misterio y de atmósfera decadente y perturbadora. Concha Alborg sitúa la obra de Freire dentro de la tendencia contemporánea inclinada a desmitificar los cuentos de hadas tradicionales y, después de repasar los ensayos en que la autora expone sus ideas al respecto, comenta una de sus novelas y una colección de relatos.

A Roger Wolfe, nacido en Inglaterra, también se le asocia con los «X». Ha cultivado la poesía, el ensayo, el relato, la novela y el diario pero sea cual sea el género elegido, se destacan las obsesiones del autor, su rechazo a la vida contemporánea, el afán de arremeter contra todo y un lenguaje coloquial y con frecuencia malsonante. Jordi Gracia discute en qué sentido y hasta qué punto se puede considerar rupturista la obra de Loriga y de Wolfe.

Cuando se publicó *Historias del Kronen* en 1994 se destacó el talento de José Ángel Mañas para caracterizar a sus personajes por su lenguaje y la reproducción de la jerga —y de las juergas— de los jóvenes. Mañas ha seguido fiel a este realismo lingüístico, al culto a la imagen, a un ritmo trepidante cinematográfico (varias de sus novelas han sido llevadas al cine) y a un énfasis en el desencanto, desorientación y deriva de una generación que «pasa» de todo. Varias etiquetas se les han aplicado al escritor y a su obra —«joven narrativa», «neorrealismo», «Generación X»— pero a raíz de la publicación de *Ciudad rayada* Mañas declaró que «el punki» es el género literario en el que desea ser enmarcado. Germán Gullón, después de evaluar el panorama literario español actual e insistir en la necesidad de que los novelistas tengan «un compromiso social [...] con lo que pasa en nuestro tiempo», comenta brevemente la narrativa de Prada y Mañas.

Se ha repetido en numerosas ocasiones el riesgo claro que supone reflexionar sobre lo más reciente. Sí, lo es: la cercanía tiene sus desventajas (no sólo ésa de que los árboles no dejan ver el bosque) y dificulta una visión imparcial; sin embargo, ofrece la oportunidad de aventurarse por el bosque, empezar a trazar senderos por él y desbrozarlo. Explorar un nuevo territorio es arriesgado pero también emocionante y permite descubrimientos que en años posteriores a lo mejor necesitan revisarse. Otros ojos y otras miradas se fijarán en aspectos distintos. Las aproximaciones críticas son precisamente eso: aproximaciones. La historia y crítica literarias siempre son provisionales y están sujetas a revisiones.

Para concluir, queremos expresar nuestro agradecimiento a los profesores que nos han acompañado en esta aventura, tanto como a los escritores cuya obra han analizado. Sin todos ellos, no existiría este libro.

También deseamos reiterar nuestra más sincera gratitud a Saint Louis University, Madrid Campus, por su apoyo a la investigación y su valiosa ayuda que han posibilitado la realización de este volumen.

OBRAS CITADAS

ASTORGA, Antonio, «Juan Manuel de Prada baja a los infiernos de la culpa con *La vida invisible*», *ABC*, 10-IV-2003, http://www.abc.es/cultura/noticia.asp

CARBALLO-ABENGÓZAR, Mercedes (2003), «Almudena Grandes: sexo, hambre, amor y literatura», en *Mujeres novelistas. Jóvenes narradoras de los noventa*, Alicia Redondo (coord.), Madrid, Narcea, págs. 13-30.

«Las españolas leen un 6% más que los hombres», *El Mundo*, 19-V-2003, http://www.elmundo.es/elmundolibro/2003/05/19/protagonistas/1053340868.html

GOPEGUI, Belén (1998), *La conquista del aire*, Barcelona, Anagrama.

GRACIA, Jordi (2000), *Los nuevos nombres: 1975-2000. Primer suplemento*, Barcelona, Crítica.

HASSAN, Ihab (1987), *The Postmodern Turn. Essays in Postmodern Theory and Culture*, Columbus, Ohio State University Press.

HENSELER, Christine (2003), *Contemporary Spanish Women's Narrative and the Publishing Industry*, Urbana, University of Illinois Press.

HUTCHEON, Linda (1988), *A Poetics of Postmodernism. History, Theory, Fiction*, Nueva York, Routledge.

IZQUIERDO, José María (2001), «Narradores españoles novísimos de los años 90», *Revista de Estudios Hispánicos*, 35, págs. 293-308.

JAMESON, Fredric (1991), *Postmodernism, or, The Cultural Logic of Late Capitalism,* Durham, Duke University Press.

«Juan Manuel de Prada», *El Mundo,* 26-IV-2003, http://www.elmundo.es/encuentros/invitados/2003/04/692/index/html

LYOTARD, Jean-François (1984), *The Postmodern Condition. A Report on Knowledge,* Geoff Bennington y Brian Massumi (trads.), Minneapolis, University of Minnesota Press.

MCHALE, Brian (1992), *Constructing Postmodernism,* Londres, Routledge.

— (1987), *Postmodernist Fiction,* Londres, Methuen.

MORA, Rosa, «Ignacio Martínez de Pisón: "Soy un escritor realista, y me encanta"», *El País. Babelia,* 1-II-2003, pág. 6.

OLEZA, Joan (1996), «Un realismo posmoderno», *Insula,* 589-590, enero-febrero, págs. 39-42.

PADILLA, Andrés, «Nuevas voces, divino mercado», *El País,* 30-X-1999, págs. 8-9.

PRADA, Juan Manuel de (1996), *Las máscaras del héroe,* Madrid, Valdemar.

RODRÍGUEZ, Emma, «Marcos Giralt Torrente presenta hoy *París,* obra ganadora del Premio Herralde», *El Mundo,* 13-XII-1999, http://www.elmundolibro.com

ROMEO, Félix, «Ángela Vallvey: "Me gusta mutar como un virus"», *ABC,* 19-V-2003, http://www.abc.es

SMYTH, Edmund J. (ed. e intro.) (1991), *Postmodernism and Contemporary Fiction,* Londres, Batsford.

TSUCHIYA, Akiko (2002), «The "New" Female Subject and the Commodification of Gender in the Works of Lucía Etxebarria», *Romance Studies,* 20, 1, junio, págs. 77-87.

Capítulo primero

Ignacio Martínez de Pisón: contando el fin de los buenos tiempos

José-Carlos Mainer
Universidad de Zaragoza

> Las tardes son largas en las cafeterías de los hospitales, y seguramente ya hace rato que ambos nos estamos preguntando lo mismo: ¿Qué es lo que hacemos aquí? ¿A qué estamos esperando?
>
> Ignacio Martínez de Pisón,
> *La fuerza de la gravedad.*

De los temas de fondo

¿Tratan siempre de lo mismo los novelistas? ¿Cada relato es otra vuelta de tuerca a un único tema, por más que el escritor parezca proponerse (e incluso anuncie) metas diferentes? Hay que desconfiar de las generalizaciones que se formulan por modo de axioma («toda novela es...») y, sin embargo, ésta no es de las más desdeñables. Y hay que temer a los tópicos que, con ecos más o menos borgesianos, nos llevan a convenir que la literatura siempre habla de lo mismo y que esto viene a ser sustancialmente poca cosa. Pero tampoco deja de encerrar una verdad profunda esa observación.

No hablamos, por supuesto, de los componentes aleatorios que definen y especifican cada producción artística, sino de cierta percepción de fondo, de una impresión (muy sólida, sin embargo) que sólo capta la segunda lectura y, mejor aún, la navegación demorada a lo largo de una trayectoria. Unas veces, esa unidad moral la demuestra el hecho de que hay grandes narradores de una sola novela, precedida de ensayos fallidos y armoniosamente rodeada de toda una obra menor que la sustenta como centro vertebrador de un único proceso: Marcel Proust sería, en este caso, el modelo más obvio. No faltan los cronistas de un único territorio, físico y moral, como lo fueron William Faulkner, o Juan Benet, o Juan Rulfo (o de una única huida, como lo fue, en cierto modo, el caso de Ernest Hemingway y puede que de Pío Baroja). En otras ocasiones, las búsquedas y los correspondientes encuentros revelan los pasos de una progresiva madurez e irisaciones sucesivas del tema persistente: el Juan Marsé que explora los modos de frustración en la Barcelona de sus primeras novelas lleva en gestación el hallazgo de *Si te dicen que caí,* que es como una luz que organiza sus antecesoras, a título de primeros pasos. Y *Si te dicen que caí,* foco incesante de una memoria implacable, anuncia ya las modulaciones, los juegos de mentiras y verdades, de fantasías y realidades, en que se complacen *El embrujo de Shanghai* o *Rabos de lagartija.* Otras veces, la variedad es tan amplia que parece impedir cualquier generalización, pero aquel modo de navegación al que aludía revela, al cabo, la trama; Galdós, por ejemplo, contó muchas cosas pero, en el fondo, siempre la misma: la deficiencia de la educación y la voluntad como menoscabo de los jóvenes, la fragilidad del deslumbramiento amoroso como sustento del matrimonio, el espejismo de los sueños y de la libertad.

Es posible que la fuerza de un escritor llegue a residir en la densidad de este núcleo duro de su obra. Ignacio Martínez de Pisón (Zaragoza, 1960) ya tiene en su haber hallazgos morales numerosos, que están presentes desde el comienzo de su trabajo. Algunos pertenecen a la configuración material de su mundo narrativo, como es el caso de su deuda con las estrategias del cuento: es un constructor de novelas a partir del cuento, cuya presencia implícita se percibe unas veces en la escena compuesta meticulosamente en torno a unos fetiches reveladores (en un escritor que, como buen cuentista, es alérgico a las descripciones panorámicas), y otras en la revelación de los personajes a partir de anécdotas que tienen mucho de unidades narrativas cerradas. Su último y más trabajado relato, *El tiempo de las mujeres,* es —y volveré sobre ella con más detalle— una suerte de novela confluyente o coral, un decamerón zaragozano de los primeros años 80 que maneja y sofrena elementos que podrían corresponder a una colección de relatos breves sobre el tema. Quizá por virtud de esa imaginación narrativa, que gusta proceder a partir de instantáneas muy vivaces, es también fiel a un modo de enunciación del relato: dejar hablar a las voces de los implicados, unas veces directamente, otras, supliéndolas con su voz de narrador pero siempre en la cercanía cómplice de la perspectiva que adopta. Lo que, a su vez, supone la concepción de la novela como un desvelamiento paulatino de la complejidad: le gusta que los argumentos desplieguen los misterios aplazados, el anticipar para luego remachar. Y, por último, a este narrador que cuenta con nitidez y confianza en sí mismo, casi como quien relata un sucedido o un chiste, le encanta también el humor como excipiente, lo que es una opción muy pensada: revela cierto desencanto ante las posibilidades de la certeza, ante el paso devastador del tiempo, ante lo inevitable de los fracasos, ante la notable distancia que separa nuestras palabras más enfáticas (pensemos, sin ir más lejos, en aquellas en que se complace Lozano, el padre del narrador de *Carreteras secundarias)* de la realidad que casi siempre intentamos camuflar con ellas.

No son muy distintos de estos los rasgos generales que observaba Ramón Acín en 1992, a la altura de la segunda novela larga del escritor: «La intensidad psicológica y la perversión mental centradas en unas relaciones establecidas sobre la dominación donde asoma la perspectiva agria del sadismo; presencia del azar y la casualidad y, sin embargo, hermanados a una férrea lógica que además suele aparecer cuestionada; enfrentamiento del mundo exterior e interior rozando las fronteras que delimitan la realidad y la fantasía», además de otros conceptos que dan título a las secciones de su estudio («Procesos de aprendizaje: simulación, huida y espacios cerrados» o «Actores en busca de su identidad») (Acín, 107-131). Con algunas matizaciones y discrepancias por mi parte (que el lector irá viendo), el diagnóstico puede sustentarse más de diez años después.

PRIMEROS PASOS, PRIMERAS CONQUISTAS

La ternura del dragón es una primera y precoz novela con todos los inconvenientes de serlo, pero también con la ventaja de poder observar *in statu nascendi* algunas de las cosas de las que he venido hablando. No deja de ser llamativo, y puede que un poco ingenuo también, que la novela se conciba como imagen literaria desde un principio y el autor no disimule el juego (gratuito, como todos los juegos) que siempre supone escribir. Seguirá haciéndolo siempre. El arranque lo fija con claridad machacona, perpetrando un manifiesto abuso de referentes sustantivos («novela» por dos veces, «leyenda») y un par de adjetivos tan imprecisos como delatores («magnífico», «fascinante»): «Entrar en casa de sus abuelos fue para Miguel lo mismo que entrar en una novela, porque sólo en una novela era imaginable encontrar aquel mundo magnífico, fascinante como un mundo de leyenda» *(La ternura del dragón,* 7). Impresión que ratifica, en la página siguiente, la primera visión de las habitaciones de la casa que «era como si ante sus ojos alguien pasara con rapidez las páginas de un libro mágico». Y, por supuesto, el muy calculado final de ese libro imaginario (y de la novela misma), cuando Miguel, el protagonista, se prepara para ir a estudiar a Inglaterra (y para enterrar el mundo de su infancia): «Cerró los ojos, unió los labios en un gesto ambiguo. Una breve brisa agitó los visillos con sonido de páginas inquietas» *(La ternura del dragón, 172)*. ¿Quiere decir («cerró los ojos, unió los labios») que una novela es *ver y callar,* y que el mundo es siempre un libro? Posiblemente.

Sin embargo, importa mucho que, al cabo, buena parte de esa impresión se venga abajo, como en los cuentos fantásticos donde el paraíso inicial se transforma en encierro. Seguramente, en el escritor casi adolescente batallaban todavía la propensión a la fantasía benévola y la llamada del desengaño más turbio. En tal sentido, el personaje de la abuela, por ejemplo, desarrolla un lado poético —su curiosa relación con las plantas— que, a la postre, acaba en una simbiosis vegetal monstruosa, del mismo modo que su inicial aire benigno acaba por transformarse en una presencia enemiga, cuando se descubre su cruel relación con el abuelo. También en éste, en el dragón titular (el porqué del título se desvela en la página final), se advierten desajustes entre la orgullosa superioridad con la que lo conocemos y la fragilidad que le sobreviene; la evolución que va del referente admirado al viejo arbitrario e impotente, víctima de una rebelión doméstica, es quizá demasiado abrupta. Pero puede que todo se deba a la presencia indisimulable de modelos literarios a los que siempre parecen amoldarse los personajes y que proceden todos de las lecturas voraces de Miguel: quien haya sido lector de las novelas que se citan —*El hombre invisible,* de Verne, u *Oliver Twist,* de Dickens, o *La isla del tesoro,* de Stevenson— seguramente conoce muy bien cómo los personajes pueden ser profundamente ambiguos y cambiar de admirables a abominables en la óptica de sus narradores. Veinte años después, Martínez de Pisón no renuncia a dejar otras huellas de lecturas juveniles en la concepción moral de su mundo: recordemos que Lara, la protagonista femenina de *El doctor Zivago,* y Emma, la heroína de la novela de Jane Austen, tienen una importancia excepcional para la Paloma de *El tiempo de las mujeres.* En las novelas del autor, leer es, más que un modo de vivir, un ejercicio de premonición acerca del destino.

Pero quizá lo más importante de esta novela resulta ser el encuentro de un universo que se cifra en una concreta mansión: la casa es paraíso y reclusión, misterio y cotidianeidad, propiedad ajena (porque ha estado poblada y lo sigue estando por *otros)* y pertenencia conquistada, todo a la vez. En el comienzo, está siempre la casa, ámbito cerrado pero polimorfo, con características de laberinto por descubrir, que aquí se exageran con cierta ingenuidad. La casa está, por supuesto, llena de emblemas de un pasado que fue prestigioso y que hoy es puro deterioro: «Un deslumbrante uniforme general [*sic*], una colección de copas doradas. No parecía haber un rincón sin muebles en aquella casa inmensa. Incluso en el pasillo había una vitrina con abanicos, pistolas, con libros antiguos repletos de blasones».

Pero también de valores que están investidos de autoridad: «Dos retratos de militares con botones dorados y deslumbrantes medallas, y, en la mesilla, junto a la lamparita, una estampa del Papa y otra de la virgen. Pero lo que antes atrajo la mirada de Miguel fue aquella águila sobre el armario, aquella águila dispuesta a emprender en cualquier momento su vuelo solemne» *(La ternura del dragón, 8-9)*.

El pasado habla siempre de orden, jerarquía y sombría amenaza, pero el dilatado espacio de la casa permite también construir en sus entrañas un mundo más habitable y cercano. O despojar a la mansión, mediante la incursión profanadora, de su ominosa severidad, como hará nuestro héroe cuando deambule por las estancias vacías del último piso. Y una casa es la representación de aquella otra imposición que se llama familia: seres distintos e iguales que llegan a tu vida, te limitan, te interrogan y usurpan territorios de tu dominio. Frente a lo autoritario y arcaico de la institución familiar, Miguel y los personajes infantiles y adolescentes de Martínez de Pisón saben erigir siempre un pequeño universo de fetiches, estrechamente vinculado al mundo de las colecciones y los consumos infantiles: aquí serán los caramelos *sugus,* los numerosos tebeos de Tintín, o aquel «Refresco del Siglo» o el número uno de «El Periódico de la Libertad de España» que Miguel y su primo Agus deciden manufacturar y comercializar *(La ternura del dragón, 81-84).* Son, a la postre, los pequeños espacios inmunes que el adulto —que nunca deja de ser el niño que fue— recordará con delectación agridulce.

Cabría pensar que el tema natural de un relato escrito por un adolescente (Martínez de Pisón tenía poco más de veinte años cuando escribió *La ternura del dragón)* ha de ser la infancia, todavía tan cercana. Pero no creo que sea esto lo único que explica nuestra novela y la reiteración del tema en otras que el escritor ha abordado con pluma y sensibilidad más maduras. Diríase más bien que el autor describe este mundo de la infancia (su infelicidad y su insatisfacción) como una compleja metáfora de una sociedad y de un país (los del final del franquismo), que también están atenazados por las carencias y la inmadurez, como por la amenaza de dominación y canibalismo. Es una impresión que obtenemos del cine de Carlos Saura en lo que toca a la guerra civil (pensemos en *La prima Angélica,* 1973) y del de Manuel Gutiérrez Aragón en lo que concierne a los primeros años de postguerra (pensemos en *Demonios en el jardín,* 1982). Y la que vertebra de un modo muy unitario el primer ciclo de relatos de Juan José Millás *(Cerbero son las sombras,* 1974, y *El jardín vacío,* 1981), o lo que aparece como una dramática requisitoria contra toda forma de secuestro emocional en los textos de Leopoldo María Panero (pienso en su perversa y angustiosa visión del mito de Peter Pan en forma del guión cinematográfico «Hortus conclusus», en *El lugar del hijo,* 1976).

En casi todos los casos, los autores esbozan un mundo donde hay un niño (una conciencia menesterosa, mejor) que está marcado por la pérdida dolorosa de un referente —usualmente, el padre— y, a la vez, por una fuerte presencia simbólica de esa pérdida que exige penitencias y sacrificios y, sobre todo, prohibe hacer preguntas. Tampoco Martínez de Pisón es ajeno a esta fascinación negativa. Quizá su mejor exploración de la mala conciencia ante el padre es el cuento que tiene el hermoso título de «La ley de la gravedad», en la serie *El fin de los buenos tiempos* (1995), incluido ese ¿perverso o autoinculpatorio? final en que el narrador asesina un gatito blanco, posiblemente para hacer más explícita la culpa que le ronda. Y el relato donde mejor ha expresado nuestro autor el convencionalismo y la violencia que, amalgamadas y semiocultas, presiden la vida familiar e invaden el terreno de lo individual sea en «Foto de familia», epónimo de la colección de 1998: el hermano obediente y bondadoso, gerente del negocio familiar, pelea para que todos los descendientes figuren en la foto familiar, incluidos su hermana Julia y su compañero Jorge, pero, a la vez, empieza a conocer su propia esclavitud y aprende la ácida lección de muerte que, sin saberlo, dicta su padre, sentenciado por un cáncer (la versión hilarante de los peligros de la fetichización en toda relación de familia viene en el cuento «Ahora que viene el frío», de la misma serie: el regalo abominable —una «rebequita» regalada por su cuñada Menchu al narrador— se transforma en un objeto de mal agüero que trae la desgracia a quien lo usa; a la par, las hermanas Menchu y Blanca, esposa ésta del protagonista, riñen por culpa de un malentendido en la testamentaría familiar).

La solapa de la primera edición de *La ternura del dragón* sugiere al lector una de esas explicaciones personales que aborrecen, y con toda la razón, los partidarios de la autonomía del texto: habla (y se refiere al propio ciudadano Ignacio Martínez de Pisón) de un padre que fue comandante de Artillería y que murió muy pronto; de una «familia más inclinada a las armas que a las letras» y de «otra de las tradiciones familiares» que le llevó a estudiar en el colegio jesuita de Zaragoza. Pero los textos son, efectivamente, autónomos o, cuando menos, mendaces, y el padre muerto de *La ternura del dragón* fue, por lo que cuenta el abuelo de Miguel, un rebelde pertinaz, aunque quizá no tanto como dice la leyenda. La introducción del referente político temporal (invariable en los sucesivos relatos de Martínez de Pisón, como se irá viendo) está, sin duda, entre lo más fallido de la novela: no es malo que el padre ausente venga aurcolado de una fantasía de insumisión y escaso sentido común (Clarín, por ejemplo, esbozó una progenie semejante en la vida de Ana Ozores, que tiene una importante función explicativa en *La regenta),* pero la caracterización no viene asistida aquí por un mínimo de verosimilitud en la composición.

Tampoco resulta muy creíble la tertulia de rojos averiados que mantiene el abuelo y, menos todavía, la amistad con un «Federico», que resulta ser... García Lorca. La relación amorosa del abuelo con la criada era un buen tema que surge demasiado abruptamente y que pedía ser tratado con mano más sutil. Todo se hace, en suma, para erigir en medio del relato un pequeño cenotafio de nostalgia por otra España posible, lo que, a la altura de 1984, ya olía un poco a puchero de enfermo (Antonio Muñoz Molina, que tiene cuatro años más que Martínez de Pisón, lograría, sin embargo, un monumento memorable en *Beatus ille,* dos años después de nuestro relato). La imagen de la madre, guapa, periodista, decidida, se dibuja de modo mucho más impresionista pero, por eso mismo, acaba por ser mucho más eficaz literariamente. Lo más importante de estos fallos es que señalan, precisamente, los retos más significativos del escritor futuro: construir personajes a través de su ausencia, dibujar las difíciles relaciones de un hijo con un padre (¡y más cuando éste ha muerto!) y presentar la vida como el escenario de un pacto laborioso entre el sueño y la realidad, entre los estragos del tiempo y lo incierto del futuro.

En 1985, un año después, Anagrama publicó los relatos de *Alguien te observa en secreto,* al parecer remitidos espontáneamente por el autor, según dice la contracubierta. El avance literario sobre *La ternura del dragón* es considerable, pese a la exigüidad del tiempo transcurrido entre ambos libros. Los títulos de los relatos son marcadamente cortazarianos y la concepción del relato breve se acerca, en efecto, a la que el argentino había definido en «Algunos aspectos del cuento», un texto de 1962 que el joven escritor español pudo leer en *Cuadernos Hispanoamericanos,* en 1971. Recordemos que allí se predica que «un buen tema atrae todo un sistema de relaciones conexas, coagula en el autor, y más tarde en el lector, una inmensa cantidad de nociones, entrevisiones, sentimientos y hasta ideas que flotaban virtualmente en su memoria o su sensibilidad». Y que un cuento es un «secuestro momentáneo del lector» por la virtud de «un estilo basado en la intensidad y en la tensión, un estilo en el que los elementos formales y expresivos se ajusten, sin la menor concesión, a la índole del tema [...] Lo que llamo intensidad en un cuento consiste en la eliminación de todas las ideas o situaciones intermedias, de todos los rellenos o fases de transición que la novela permite e incluso exige» (Cortázar, 367-385).

Los ojeadores de originales de Jorge Herralde acertaron de pleno con quien sería autor fijo de su catálogo. Los relatos más cortazarianos, más fieles al relato de escritura opaca y deriva fantástica, son dos. El último y epónimo del libro entero encierra en sus páginas una elaborada figura de mujer fatal (Bárbara), una extraña y masoquista historia de amor, la insólita profesión de entomólogo de Manuel, su protagonista (¿se pensaba en Vladimir Nabokov?), y remata en un extraño y literario asesinato. El tercero, «Otra vez la noche», con su inquietante protectora de murciélagos, tiene también un parentesco con la zoología simbólica del argentino. En «Alusión al tiempo», la espesa construcción de un ejercicio de *voyeurismo* por parte de un anciano solitario se emparenta con «Alguien te observa en secreto», donde Manuel es otro *voyeur* de Bárbara, aunque busca otro desarrollo más original y abierto: en la vida todos somos observadores y observados, porque «la vida se rige por las leyes únicas e inalterables del teatro. La vida, como el teatro, precisa de actores que repitan en el tiempo las mismas frases, los mismos gestos, la misma muerte, y de público que sufra, se conmueva y llore ante esa muerte de un ser análogo y casi humano» *(Alguien te observa en secreto, 62).* Y la situación es infinitamente intercambiable, hasta dejarnos, como sucede en el narrador, una angustiosa impresión de irrealidad.

Teatro, hemos dicho... No parece casual que «El filo de unos ojos», primero y más valioso de los cuatro relatos de *Alguien te observa en secreto,* haya podido ser llevado al escenario sin mengua de su fuerza expresiva, porque su situación de partida es un conflicto esencialmente dramático que no hubiera disgustado a un autor de comedias del Absurdo. A primera vista, el parentesco y el afecto que unen a los dos primos y la vuelta del narrador a la casa que fue de su infancia (aunque haya cambiado tan notablemente) podría parecer una continuación del mundo de *La ternura del dragón.* Y la confrontación de las ideas de ambos muchachos sobre la cultura moderna se presenta como una divertida sátira de las opciones estéticas de los años 80 —frivolidad postmoderna frente a racionalismo intelectual—, pero ambas cosas no son sino dos sendas equivocadas para el lector que, sólo al final, comprueba que confluyen para evidenciar la debilidad del recién llegado y su docilidad ante la intolerable apropiación de su espíritu por parte del primo. Cuando el narrador acepta jugar con un incauto vendedor la comedia opresiva y siniestra que su primo ha representado tantas veces con otros vendedores, termina la novela. Los ejercicios de 1985 dejaron secuelas. La vampirización de un personaje por otro, la mujer vista como Lilith atractiva y fatal, la profunda soledad y la impotencia de quien observa, son otros tantos temas que estos relatos de 1985 conquistaron para el mundo literario de Martínez de Pisón. Los veremos reaparecer.

NOVELA DE APRENDIZAJE Y VEJAMEN DE LA MADUREZ

Esas adquisiciones son muy patentes en *Nuevo plano de la ciudad secreta* (1992), relato extenso que sobrepasa con holgura el formato de «novela corta» (o mejor, de «cuentos largos») que se exploró en el libro de 1985. ¿Ha cambiado también el autor el paradigma «narración de despedida de la infancia» por el esperable de «novela de aprendizaje», como apunta el siempre sagaz redactor de las contracubiertas de Anagrama? En cierto modo así es, y lo dejaba entender ya la estación intermedia de 1985, donde aparecían el fingimiento, la obligación laboral y la relación con la mujer como signos irrefutables de la entrada en la edad adulta. La adopción del relato en primera persona es otra seña inequívoca de la naturaleza del nuevo empeño, que, sin embargo, se complace en arrancar demoradamente en el tiempo dorado de la infancia, con el inevitable acompañamiento de una mansión encantada, igualmente poblada de muebles, objetos simbólicos y recovecos propicios para la exploración. En ese limbo dorado de la espontaneidad se produce la primera carencia —la del padre— pero también la primera invitación a la debilidad —la figura de una madre tan impulsiva como frágil; un hermano tullido, Javier, y un tío carnal, Luis, que tampoco es un ejemplo de acometividad— y la primera herida del deseo: el descubrimiento de la prima Alicia. Y, si se quiere, también la primera premonición de que siempre se regresa al hueco que han abierto los afectos y las lealtades, o que, al menos, siempre lo hacen así los débiles: de todas las fantasías de infancia de Martín Salazar, la más hermosa y significativa es la historia de la tortuga que los niños marcan con pintura blanca y sueltan en libertad para luego buscarla, o para verla regresar al cabo de unos días, como si la libertad sólo fuera un paréntesis ilusorio en la costumbre.

Como su quelonio pertinaz, Martín es también el hombre que siempre es fiel y siempre regresa. Lo hace, por ejemplo, cuando tras su servicio militar, piensa establecerse en Barcelona y ve hundirse la posibilidad de trabajar con su tío Luis. Y le posee entonces «el miedo a la soledad y al desvalimiento», del que ya ha tenido un aprendizaje en los recuerdos de infancia que abren el capítulo «La idea del miedo». Pero esa conciencia de su limitación es algo más, que expresa muy bien, en ese mismo espacio, una inmersión de autorreconocimiento que tiene como testigo el sucio espejo del lavabo de la estación (y que, por cierto, juega a fondo con el autorretrato del escritor): «Pasé largo rato observándome [...]. Estudiaba los ángulos suaves de mi rostro, la frente lisa, los reflejos del neón en mi pelo pajizo y mi cutis, la barba aún rala, el amplio arco de las cejas que me daba un aire de aturdido e inexperto. La minúscula cicatriz de mi mejilla —recuerdo de una caída de un camión militar— era como un inútil trofeo de guerra en el escaparate de una juguetería» *(Nuevo plano de la ciudad secreta,* 61). Por eso precisamente escribe, porque es una defensa contra el miedo y porque sólo el miedoso es capaz de atesorar vívidamente los pasos de su vida (pero, en realidad, Martín Salazar dibuja y aquella va a ser, al cabo, la forma de su emancipación económica y, a la vez, la realización de su secreto deseo de estabilidad: incansablemente dibuja una meticulosa ciudad imaginaria —la «ciudad secreta» titular— que es el vivo testimonio de su pérdida, la añoranza de algo que sea, a la par, refugio donde hallarse y laberinto donde perderse).

La ciudad soñada es interminable, sin duda. Pero la literatura también lo es como ámbito de una memoria que tampoco tiene fin. No parece cosa baladí que Martín recuerde a su bisabuelo Ismael Urrutia que construyó una casa (¡cómo no!) y decidió escribir sus memorias, «lo que debía de haberle ocupado no más de ocho o diez meses». Pero luego decidió que valía la pena levantar acta circunstanciada de la gente importante que había conocido, y más adelante, de todo aquel que se hubiera cruzado en su vida, importante o no, «y ello se convirtió en una obsesión que fue creciendo en su interior hasta devorarle». A la postre, se volvió loco y «hubo que retirarle todos los papeles y cuadernos para que no tuviera donde escribir, y a los pocos días aparecieron todas las paredes del gabinete cubiertas por esos extraños signos en los que él supuestamente cifraba su memoria» *(Nuevo plano de la ciudad secreta,* 162-164). En su punto de partida, la historia tiene algo del borgesiano Funes, el memorioso, el hombre devorado por la nitidez espantosa de sus recuerdos, y está marcada en su desarrollo por el recuerdo de un don Quijote navarro al que parientes oficiosos privan de su alimento espiritual. Pero también alude claramente a la relación de la vida con la escritura y la del presente con el pasado. Se dibuja lo que ya no se tiene; se escribe la historia pasada de lo que se poseyó a medias y ya nunca se volverá a tener. Por eso, desde su aparición como la prima atrevida (e iniciadora sexual) hasta el melancólico final del relato (sobre el que habrá que volver), Alicia es una de las más complejas, divertidas y fascinantes criaturas de la narrativa española reciente. Tiene algo de mujer fatal y otro tanto de frívola, un mucho de egoísta y no poco de cierto sentido arbitrario de la generosidad, una mezcla inextricable de cálculo y desorden que la enlazan con los personajes femeninos del cine de François Truffaut (pienso en las heroínas de *Jules y Jim* y de *La sirena del Mississippi)* y, que la emparentan, aunque de lejos, con las descarriadas y voluntariosas heroínas de Galdós (es inevitable pensar en una Fortunata que supiera dominar las situaciones).

Lo más llamativo de Alicia es su coherencia moral (en el marco de la espontánea amoralidad que profesa), a pesar de tantos avatares, porque nunca deja de ser el ideal femenino de Martín Salazar y, en el fondo, porque los lectores siempre compartiremos su fatalista punto de vista, su espera al pie del teléfono al que Alicia llamará de un momento a otro. Inasequible a la usura del tiempo, sobreviviente de todos los desastres, Alicia es el amor de su vida... ¿Qué puede ser más coherente? Lo absurdo es, a cambio, la existencia de los demás, siempre sometida a cálculos y prevenciones... La experiencia vital que Martín sobrelleva a título de madurez está marcada por el abuso de confianza y el engaño al que los demás le someten. Lo utiliza su hermano lisiado, Javier. Lo utiliza su tío Luis, destacado personaje de la familia cercana que vive un mundo de falsedad radical, de disimulo y engaño, siempre a punto de quebrarse. La precariedad y el desamparo caracterizan siempre al grupo familiar, trampa vital más o menos escondida en la que siempre cae el más generoso y, por ende, el más débil.

Pero es que también el mundo laboral se nos presenta aquí bajo las especies de la simulación y el fraude. Martín comienza su vida de trabajo como vigilante en unos grandes almacenes, incómoda situación porque también el vigilante es vigilado y, en su caso personal, todavía se riza el rizo al mantener una relación amorosa con su compañera Nieves y ocultarla a los ojos de Alicia, que le ha encontrado casualmente en el almacén y que, para colmo, es una cleptómana habitual en las grandes superficies comerciales: no cabe pedir una situación más compleja de duplicidades y equívocos. Aunque, en cierto modo, la situación se repita, al final de la novela, al casarse Alicia con «el calvito Ernesto» y convertirse Martín en lo más parecido a un amante de vodevil. O cuando Martín trabaja como ayudante del mago turco Petroff y participa en sus supercherías, que, un día, querrá usar en su propio beneficio. Una vez y otra, tenemos la impresión de que la novela esboza una suerte de picaresca moderna y que ese afán de las gentes por identificar el trabajo con alguna astuta forma de engaño viene a ser el desconsolador tributo de la inocencia infantil a lo que llamamos madurez. En tal sentido, el paulatino éxito de Martín con sus dibujos lo acerca a un paradójico ideal de vida menos culpable, más decoroso: convertir su imaginación y la realización de sus íntimos deseos en un buen medio de ganarse la vida. De ahí que este relato tenga un final feliz, un *lieto fine,* matizado por las rebajas que impone la ironía. Salazar, que ha logrado la autonomía económica con holgura, lo hace regresando de algún modo a la creatividad infantil, y logra un aceptable acomodo con la felicidad doméstica casándose con una muchacha que le ama... pero viviendo frente por frente a Alicia, el amor de toda su vida.

Carreteras secundarias (1996) es una novela más *construida* y hábil, aunque quizá carece del aroma de entusiasmo y melancolía de la que acabo de reseñar. Fue un relato que nació para la popularidad (lo que no es un demérito *a priori,* sino quizá una comprobación de que funciona el horizonte de expectativa del que habla la *Rezeptionästhetik)* y lo demostró la excelente adaptación cinematográfica de 1997 que hizo Emilio Martínez Lázaro y cuyo guión es del propio Ignacio Martínez de Pisón. Tiene algo de revelador que el filme atenúe algunos perfiles más ásperos del relato y, en general, busque esa emotividad simplificadora de lo *entrañable* que parece dominar la estética de los noventa. Puede que el encanto juvenil de la actriz Maribel Verdú haya influido, pero el personaje de Paquita ya no corresponde a una *hippy* estrafalaria y entrada en carnes sino una divertida y alocada chica de provincias que le ofrece al narrador su mejor regalo de cumpleaños: un beso en la boca. Y cabe también que la densidad como actor de Antonio Resines haya pesado lo suyo para componer un Lozano menos ridículo, más patético (el mejor registro del personaje del filme), y para propiciar un final menos equívoco y algo más sentimental, sobre el que volveremos. De modo inevitable, el filme ha hecho desaparecer también la voz adolescente e irritada del narrador-protagonista que cumplirá sus quince años en la página 113 y que se dirige a unos lectores potenciales en forma de una requisitoria permanente. No es ya el adulto que se instala en el muchacho que fue, sino el propio chico quien nos conmina continuamente con sus fórmulas de narrador oral, que además usa del tuteo universalizado de nuestro tiempo: «Ya habéis visto», «os preguntaréis», «no penséis», etc. No solamente tenemos presente durante la lectura la forma interior de alegato, sino que —como sucede en el *Guzmán de Alfarache* (y quizá el recuerdo picaresco no se haga a humo de pajas...)—, el narrador puede llegar a ilustrar con un apólogo la exactitud de uno de sus asertos: que su padre y Estrella Pinseque están haciendo el ridículo y que, por extensión, enamorarse sea siempre una tontería, se acompaña, a modo de *exemplum* edificante, de la historia de la señorita Violeta y de su alumno Pemartín, que acaban siendo denunciados a la dirección del colegio por el hermano del propio interesado, celoso de él.

Nuevo plano de la ciudad secreta se narraba desde un presente melancólico pero confortable y conducía a un remate que tiene tanto de capitulación como de incurable pertinacia por parte del protagonista. Pero el final de *Carreteras secundarias* sólo puede ser provisional porque, en rigor, no han cicatrizado las heridas que en Felipe han producido la capacidad de autoengaño, la vulnerabilidad, la permanente trampa en la que vive el hombre débil que es su padre. Al leer la novela por vez primera, la asocié de inmediato a uno de los primeros relatos de Patrick Modiano, *Les boulevards de ceinture* (1972), donde también un adolescente busca a su padre y, al paso, retrata el turbio mundo sentimental del París ocupado por los nazis: un universo del que no se sabe a ciencia cierta si el padre buscado es cómplice, o víctima, o ambas cosas. Uno y otro libros patentizan con sus propios títulos la voluntad de reflejar una peripecia itinerante y la convicción de hacerlo lejos de las rutas más céntricas: ya sean los bulevares periféricos que separan el núcleo de París de las ciudades de su entorno, o las carreteras que unen las urbanizaciones creadas por el turismo playero en la España del desarrollismo. Y si, en *Les boulevards de ceinture,* esa peregrinación es símbolo de la herida abierta por una culpa que la Francia de hoy arrastra desde 1940-1945, la confrontación de los Lozano en nuestra novela viene a ser también la cifra de una época, de los años intermedios del decenio de los setenta, un momento histórico en el que todo fue inestable y un poco funambulesco. Y, seguramente, también culpable por omisión.

Como es habitual, un friso de fetiches nos sitúa en el tiempo real de la historia. La colección de recortes acerca de los transplantes de corazón, efectuados por el doctor Barnard en Sudáfrica (el primero ocurrió en diciembre de 1967) y del secuestro y posterior incorporación al Ejército Simbiótico de Liberación de la heredera Patricia Hearst (que sucedió a principios de 1974) son los dos emblemas de las ilusiones del momento: algo que parecía pertenecer a una novela de ciencia ficción y una transmutación californiana que correspondía estrechamente a la larga resaca moral de 1968. En otro plano, el recuerdo de series televisivas como *Embrujada* y *Kung-Fu* remite en derechura a la versión más trivial de algo no menos sesentayochesco (el interior familiar norteamericano, visto con cierta crítica, y la mezcla de aventuras del Oeste, artes marciales y espiritualidad budista), tanto como el recuerdo de la tromboflebitis de Franco nos avisa de los cambios que se avecinan.

Pero quizá el símbolo que adquiere mayor peso es el coche de Lozano. La silueta singular y exótica del «Tiburón» (como se llamó en España al Citroën DS, que los franceses asociaron, sin embargo, a la forma más familiar de la zapatilla) refleja, mejor que ninguna otra cosa, una rara combinación de exhibicionismo, vanguardia y pretenciosidad (el DS ya no era una novedad a la fecha): toda una tarjeta de presentación para Lozano. El padre de Felipe es esencialmente un hombre inseguro y no es casual que tema lo que puede ocurrir tras la muerte de Franco; en realidad, teme cualquier alteración que pueda contagiarse a un estatus que tiene por signo la precariedad. Todo es ficción, como lo es la imagen de las urbanizaciones vacías y las playas solitarias fuera de la temporada: un escenario que han abandonado sus actores y por el que merodean los dos héroes (en un momento de su enfurruñado discurso, el joven Felipe se da cuenta de que ambos cumplen el destino andariego de don Quijote y Sancho: «Nuestra historia es la de un largo error, una torpeza, una historia tan antigua como la de don Quijote y Sancho. Y lo único claro es que estábamos solos, como esos dos hombres» *(Carreteras secundarias,* 147). A un escenario vacío, corresponde una escenificación... Repetidas veces, el discurso de Felipe acusa la reiteración casi ritual de todas las fórmulas con las que se elude la enunciación de la verdad: para Lozano todos los lujos son «asiáticos» y una comida en un restaurante (que nadie sabe cómo pagará), el pretexto de impartir una lección de cómo comer correctamente con la cuchara *(Carreteras secundarias,* 174).

El muchacho aborrece la mixtificación y por eso, detesta a las dos amantes del padre, personajes ambas de sus propios sueños absurdos: Estrella Pinseque se empeña en ser cantante (¡con ese apellido, que corresponde a un topónimo local que suele ser usado por los zaragozanos en sentido burlesco!) y Paquita, a la que ha conocido en Almacellas (Lérida), uno de los lugares más desangelados de la geografía provincial, cree ser una modernísima *hippy.* Como casi todos los chicos de su edad, nuestro narrador es un misógino impenitente, lo que en nuestro caso se agrava por los celos que tiene del padre y también por mero afán de sobrevivencia, el mismo que le lleva a afirmar su autoridad ante los presuntos enemigos con un rotundo «cómeme la polla» *(Carreteras secundarias,* 29). En el fondo, asistimos a los mecanismos de defensa del *outsider* y del largamente insatisfecho: a nuestro Holden Caulfield errante le mueve el afán de estabilidad, la necesidad de afecto (por eso quiere tener un perro), y el legítimo deseo de tener un héroe a su lado. Y no un patético histrión cuyas profesiones oscilan entre la estafa (los falsos locutorios telefónicos que instala o la reventa de las pertenencias de los soldados americanos de la base aérea de Zaragoza) y la fantasía pintoresca (vende tierra para cultivar champiñones, actúa como comisionista en la venta de gasolineras, es representante de un chocolate en polvo que se llama Forzacao). Pero ya sabemos, desde *Nuevo plano de la ciudad secreta,* que todo lo que concierne al mundo del trabajo asalariado pertenece a la órbita de la ficción y está en la cuerda floja del ridículo: no menos inútiles y singulares que los de Lozano son los oficios que ejerce Felipe en su breve etapa laboral, mientras el padre purga sus delitos en la cárcel: vende relojes de dudosa credibilidad, es auxiliar en una peluquería canina.

El final de la novela —de una espartana concisión— es tan ambiguo como el de *Nuevo plano de la ciudad secreta.* Sin dejar de ser ridículo, el intento de suicidio (¡su último negocio!) ha ennoblecido al padre. Felipe lo sabe pero acepta su mala excusa: «Yo asentí en silencio y le cogí la mano. Le cogí la mano izquierda y la apreté con todas mis fuerzas contra mi pecho, y por un momento casi creí que tenía ganas de llorar» (254). Y aquí vendrá la última y jactanciosa admonición a los lectores: «Ya sabéis que nunca lloro.» Y también vendrá el encuentro con la normalidad —¡alquilar un apartamento veraniego en pleno verano!— que, por supuesto, comporta el aburrimiento: «Yo me aburrí mucho aquel verano pero puedo decir que mi padre fue feliz. Bastante feliz» *(Carreteras secundarias,* 255).

El planteamiento de *María bonita* (2000) heredó la misma situación de indefensión, que se resuelve también en la áspera protesta del narrador-protagonista, pero ahora se moduló en una voz femenina. Conjeturo que Ignacio Martínez de Pisón pasó del adolescente misógino y avulgarado de *Carreteras secundarias* a la conciencia en carne viva de una muchacha de trece años por razones de peso: seguramente, porque piensa que en la sociedad de hoy, y de modo más destacado en la España que remata su Transición, las mujeres atesoran una mayor entidad moral y afectiva, son más listas y sensibles, más perspicaces para captar la dimensión moral del mundo que las rodea. Y es muy posible que lo mismo haya pensado Juan José Millás al escribir *La soledad era esto* (1990), José María Guelbenzu al abordar *El sentimiento* (1995), y Álvaro Pombo cuando hizo *Donde las mujeres* (1996). Las tres novelas (y la nuestra) son confesiones de parte acerca de la convicción de una superioridad femenina sobre lo masculino, lo que tampoco es nuevo en España; ya Miguel de Unamuno, tan ajeno aparentemente a cualquier veleidad feminista, construyó en *La tía Tula* un complejo personaje cuya base es, precisamente, el ejercicio de un poder benéfico y de armonización de la mujer sobre la familia. Y reflexionó con agudeza acerca de la importancia de las mujeres en la organización de la vida en las sociedades urbanas. Ellas quizá no entienden los mapas, como hacen los hombres, pero contestan mejor a las preguntas, como reza el título de un libro reciente y popular que se suele vender en los grandes almacenes...

La novela está, otra vez más, espesamente tupida de signos de época que la identifican en nuestro *tempo* sentimental, como las migas que arrojaba Pulgarcito marcaban la senda segura que volvía a casa. Aquí está Marisol y sus filmes folclórico-sentimentales para la productora de Cesáreo González, que son el alimento espiritual de María. Y, por supuesto la canción que Agustín Lara dedicó a María Félix, a la que alude el título y que nos parece oír, con su ritmo de vals criollo y su espesa sexualidad ranchera, a lo largo de todas las páginas. Pero también se recuerda aquel televisor Vanguard, que Pepi quisiera comprar... con la paga extraordinaria del 18 de julio, y la gran novedad que fueron los restaurantes de comida italiana, y la impresión de María al probar la primera *pizza*, a la que le invitó su tía Amalia. El dato histórico es ahora la proclamación de don Juan Carlos como Príncipe de España y como sucesor de Franco, a título de rey. Y también, de nuevo, el lugar físico del ¿paraíso? ¿prisión? infantil es tan revelador como puede serlo la añorada casa veraniega de *Nuevo plano de la ciudad secreta* o las fugaces y aborrecidas residencias veraniegas de *Carreteras secundarias:* la colonia obrera Cadafalch, venida más que a menos y situada entre Alcalá de Henares y Madrid.

María es el primer protagonista del autor que tiene padre y madre vivos, pese a lo cual también precisa reafirmarse sobre su exiguo horizonte vital. Si en *Nuevo plano de la ciudad secreta* resalté la importancia del autorreconocimiento de Martín en el espejo del urinario público de la estación, aquí adopta una función similar el descubrimiento por María de su primera menstruación: la niña ha advertido la delatora mancha roja en las sábanas y sale al cuarto de estar donde su padre dormita ante la televisión y su madre cose un tapete de ganchillo; ante la escena, siente una sensación de despecho y se encierra en el baño («entonces mi madre gruñó desde el cuarto de estar: ¿se puede saber qué estás haciendo?») y decide ocultar el acontecimiento («iba a coger una de sus compresas del armarito pero me lo pensé mejor. ¿Realmente tenía interés en que mi madre acabara enterándose y se estableciera entre nosotras algún tipo de conversación íntima que, al parecer, mantienen las madres con sus hijas cuando éstas, como decían mis compañeras, abandonan la niñez para convertirse en mujeres?»). «Me juré a mí misma —concluye la escena— que se lo ocultaría, que durante todo el tiempo que me fuera posible le haría creer que aún era una niña. Esa sería mi pequeña venganza» *(María bonita,* 91-92). María no es ni guapa ni seguramente inteligente pero de un modo oscuro no quiere ser como revela aquella escena doméstica. Su padre es un obrero sin suerte ni demasiada iniciativa, antifranquista por convicción (aunque de un modo que no se explica demasiado bien), perseguido más por su mala sombra que por sus responsabilidades, y sólo cobra su mejor entidad emotiva cuando alcanza una dimensión que tiene algo de cómico y que, a la vez, refleja la borrosa identidad de los personajes paternos en las novelas del autor: cuando se convierte en un fantasma vagante que, pasando la jornada laboral fuera de casa, oculta su expulsión del trabajo a la familia. La madre es una matriarca —más intencional que real— poco inteligente, tenaz y obstinada, víctima de todos los prejuicios y, como el Lozano de *Carreteras secundarias,* de sus propias frases hechas. Algún día tuvo una vida mejor, pero un matrimonio obligado la llevó a su actual situación. Nada de la vida familiar, en suma, es grato. Y la boda desastrosa del hermano, Josemi, que repite la de los propios padres, como el final de la colonia y la llegada a un impersonal barrio obrero de los alrededores de Madrid, ratifica la pobreza del horizonte vital de María.

La desenvuelta tía Amalia es otra cosa. En ella se encarna ahora ese vivir picaresco, imaginario, fantástico y laboralmente nulo que siempre obsesiona al autor: las maneras de vivir a través de la ficción (con un añadido de autoengaño) y mediante expedientes tan imaginativos como abocados al desastre final. Amalia y su compañero Alfonso de Aranaz son estafadores y, en su abigarrado mundo de cachivaches en subasta, reaparece el gusto por las acumulaciones de objetos caducos (pero representativos de otro tiempo de comodidades y jerarquía) que ya conocimos en las casas originarias de *La ternura del dragón* y en *Nuevo plano de la ciudad secreta,* así como en la casa de los abuelos de *Carreteras secundarias* (y lo volveremos a ver en la casa que centra y organiza *El tiempo de las mujeres).* En las novelas de Martínez de Pisón el tiempo de la abundancia es siempre el pasado. Y el tiempo real sólo comporta amenazas para los usurpadores. Lo son Amalia y Alfonso y, a través del testimonio —inocente pero no falto de agudeza— de María, conoceremos los pasos de su fracaso, pero también los de su personal desilusión: nunca podrá incorporarse a ese mundo de trampa y diversión (contra el que no tiene ningún escrúpulo moral, por cierto), ni será como una hija para su adorada tía. El final, como otras veces, reviste la forma de un pacto a la baja, como hemos visto hasta ahora (y, de modo muy especial, en *Carreteras secundarias):* quizá ella ha tenido la culpa de la caída de la pareja de estafadores y de que Amalia no pueda ser «libre, millonaria y feliz» pero, a cambio, «noté entonces que mi madre me agarraba por el hombro y me estrechaba con suavidad contra su cuerpo, y noté también que su cuerpo estaba caliente, y aquel calor antiguo y espeso, casi animal, me recordó ciertas tardes de la infancia, cuando yo todavía la quería y me gustaba hacer mermelada con las fresas que los niños de la colonia robábamos en un huerto cercano. El olor de aquellas fresas cociéndose en agua con azúcar se me hizo presente por un instante brevísimo. Luego, sin poderlo remediar, me eché a llorar. Era una mañana de febrero del año setenta y dos, el peor mes del peor año de mi vida» *(María bonita,* 153).

El tiempo de las mujeres es la mejor, la más extensa y la más compleja de las novelas del autor, pero también es —en el mejor de los sentidos— la misma novela. Confirma, por supuesto, el interés de Martínez de Pisón por la enunciación femenina de la experiencia familiar. Y por la verbalización *en caliente* del testimonio, aunque, en este caso, la perspectiva única de novelas anteriores se trueque en la alternancia regular de las voces de las tres hermanas, María, Carlota y Paloma. La estrategia de solapamiento del mismo material narrativo bajo distintas perspectivas comporta una multiplicación de implicaciones. Y además, permite dibujar *in absentia* a la madre, quizá el personaje más encantador de todo el libro, porque el autor lo ha hecho heredero de la irracionalidad empecinada de las madres de María y de Martín Salazar, sin la adustez y los prejuicios de la primera, además del carácter resoluto e inventivo de madre de Miguel en *La ternura del dragón,* sin recoger su inconstancia.

No es fácil, sin embargo, decir cuál es la focalización dominante. María procede, en derechura, de la niña no muy agraciada, obstinada y sensible de su homónima de *María bonita*. La aceptamos como narradora principal y más precisa, pero, significativamente, la narradora del futuro, la dueña de un más amplio porvenir, ha de ser Paloma, el personaje que más significativa y deliberadamente crece a lo largo del relato (y, en tal sentido, participa de la vitalidad y capacidad de supervivencia del Felipe de *Carreteras secundarias*). Que el título elegido sea «el tiempo de las mujeres» confirma que el cambio de perspectiva de género no fue un capricho de la novela anterior; aunque estas cuatro mujeres (si contamos a la madre) dependan tanto de los hombres, son ellas las que actúan con más intensidad, las mejor dotadas para sobrevivir a las derrotas y, por supuesto, las de experiencia emocional más rica. Carlota encarna el principio tradicional de lo femenino: pasa de la religiosidad más fetichista a la ninfomanía sin solución de continuidad y sus fantasías eróticas se basan en la exhibición y en la entrega; por eso también es la única de las hermanas que conoce la maternidad. Encarna, de algún modo, la irresponsabilidad y la generosidad que son prendas de sentimiento popular: participa activamente en las algaradas fascistas del grupo de su marido, Fernando (retrato muy fiel de la inestabilidad y la estupidez de un buen sector de los hijos del Régimen), pero luego pasa, con idéntica devoción, a integrarse en las filas del Partido Socialista. Paloma es, a cambio, un ser complejo: su descarrío erótico es la consecuencia directa de su desamparo y, de hecho, no hay experiencia —desde la búsqueda de su libertad a la ruindad de sus amores— que no acabe por enriquecerla de algún modo. Sabe, como anota en ese diario que aparece y reaparece, que «la madurez consiste en tener algún secreto que guardar. Yo antes no tenía y ahora cada vez tengo más» (*El tiempo de las mujeres*, 247). Y es la que entiende que «la mirada de una madre no es una mirada normal» porque es la percepción simultánea de toda la vida del hijo, de ella misma en este caso: «La recién nacida a la que había amamantado durante casi dos años, la niña de carita redonda que ceceaba al hablar, la flacucha que jugando con unas tijeras se había destrozado el flequillo, la que no paraba de llorar mientras le escayolaban el brazo roto, la que en la noche de reyes se negaba a irse a la cama, la que muerta de miedo tuvo que ser rescatada de unos autos de choque, la que se mareaba en todos los viajes, la que probaba a escondidas su barra de labios y su colorete» (*El tiempo de las mujeres*, 291). Ya sabemos que el autorreconocimiento de un personaje es el inicio ritual de la infelicidad y la madurez: Paloma será escritora y este apunte es el final más feliz del libro. Y, en cierto modo, es también un guiño metaliterario: la historia que hemos reconstruido al hilo de las voces diversas tendrá quizá su cronista único.

Pero es muy difícil regatear la simpatía a María —la más fea, la menos promiscua— que es lúcida, previsora, valiente y trabajadora, casi como su homónima evangélica. Y que es la celosa Antígona de la vida de familia, tan averiada... Es la más consciente del reparto de papeles («yo ya sólo fui la lista, Carlota, la simpática y Paloma, la guapa»), a la vez que parece la vestal de aquello que, en un título admirable, Natalia Ginzburg llamó el «léxico familiar» («supongo que en todas las familias acaban creándose códigos de este tipo, y ahora me acuerdo de la época, años después de lo que hasta ahora he contado, en que mi madre tenía un montón de pretendientes y de que nosotras los definíamos con claves que nadie más podía descifrar. Así, por ejemplo, el típico idiota para el que nuestra madre no era nuestra madre sino nuestra hermana mayor decíamos que era un hermanitas» [*El tiempo de las mujeres*, 70]). María desempeña con denuedo funciones domésticas, incluso en la oficina del «tío» Delfín; es la que recuenta las pertenencias del padre muerto (137) y la que accederá a una relación erótica con el «tío» Delfín, que tiene mucho de incesto pero también de mero pragmatismo.

A cambio, los hombres que habitan el tiempo de las mujeres son particularmente débiles. Del padre, sabemos —en el comienzo mismo del relato— que murió en una casa de mala nota. El abuelo es un ser tan inofensivo como egoísta, que solamente se afana en coleccionar los regalos que ofrecen las campañas de propaganda comercial. Delfín es un solterón maniático y manejable que pasará por las camas de dos de sus «sobrinas», sin mayores consecuencias traumáticas para ambas ni particular entusiasmo por su parte. Él y el padre fueron subasteros, con lo que reaparece en mitad del relato la inevitable identificación del trabajo con el engaño. En un significativo descenso a los infiernos familiares, María se asocia a Delfín para ser también subastera, lo que hará con pericia. También la Historia, en los años que van de 1979 a 1983, tiene mucho de funambulesco y de paródico: Paloma vivirá el 23 de febrero de 1981 en Barcelona, acompañando al radical Jordi en su alocada huida del país; Carlota, como ya sabemos, la vive en Zaragoza, donde Fernando y sus amigos se empeñan en presentarse en la Capitanía General como sublevados espontáneos y luego disparan contra la Casa del Pueblo de un barrio alejado.

Para las mujeres, y especialmente para María, la realidad más sólida está en otra parte: en la milagrosa preservación de la casa familiar, Villa-Casilda, con el torreón redondo que ha sido escenario de sus juegos. Y que es el museo de una memoria que sirve para ocultar el presente: la casa es el refugio y la coartada de una vida en común que persevera pese a todos los pesares. Cuando Villa-Casilda sea subastada, conoceremos la esperpéntica caja de recuerdos de la madre: dientes de leche de sus hijas, grabaciones de sus canciones infantiles, un mechón que cortaron del cabello del padre en su lecho mortuorio e incluso restos del cordón umbilical de las niñas («me decía a mí misma —piensa María— que era como cuando en un tren ocupas uno de esos asientos que no miran para adelante sino para atrás y por la ventanilla ves no lo que viene hacia ti sino lo que pierdes, un paisaje que escapa y desaparece [*El tiempo de las mujeres,* 338-339]).

Tampoco falta, por supuesto, el automóvil como emblema: en este caso, se trata de un Simca 1200, aquel vehículo robusto y amazacotado, con vago aire de *rubia* y provisto de un motor de escasísima potencia, símbolo de una vida familiar algo más desahogada pero todavía tradicional en el fondo y también escasamente dotada de energía motriz. Conocemos a la familia de las mujeres yendo a buscar el coche del difunto, que quedó aparcado junto a la casa de citas donde murió; se cierra el relato cuando María pierde el control del vehículo y las cuatro se estrellan sin mayores consecuencias que la pérdida del viejo trasto. Y nuevamente el final, en la pluma de María, evoca la seguridad del pacto a la baja que la testigo ha firmado con la vida. La madre ha logrado hacer andar el Simca siniestrado y lo ha llevado hasta la nueva casa: «Que poco nos importaban entonces los pequeños problemas de nuestras pequeñas vidas y cuánto la felicidad de nuestra madre. Sin duda, aquél había sido uno de los grandes días de su vida» *(El tiempo de las mujeres,* 375; confróntese con la felicidad del padre de Felipe en *Carreteras secundarias,* contemplada con resignada ternura por parte del hijo).

OBRAS CITADAS

ACÍN, Ramón (1992), «Ignacio Martínez de Pisón», *Los dedos de la mano. Javier Tomeo, José María Latorre, Soledad Puértolas, Ignacio Martínez de Pisón, José María Conget,* Zaragoza, Mira.
CORTÁZAR, Julio (1994), *Obra crítica,* 2.ª ed., Jaime Alazraki, Madrid, Alfaguara.
MARTÍNEZ DE PISÓN, Ignacio (1985), *Alguien te observa en secreto,* Barcelona, Anagrama.
— (1996), *Carreteras secundarias,* Barcelona, Anagrama.
— (2000), *María bonita,* Barcelona, Anagrama.
— (1992), *Nuevo plano de la ciudad secreta,* Barcelona, Anagrama.
— (1984), *La ternura del dragón,* Mieres, Casino de Mieres.
— (2003), *El tiempo de las mujeres,* Barcelona, Anagrama.

CAPÍTULO II

Genealogía esquizofrénica e identidad nacional en *Malena es un nombre de tango* de Almudena Grandes

ROSALÍA CORNEJO-PARRIEGO
UNIVERSITY OF OTTAWA

[Me] pregunté [...] si [...] debería compadecerme a mí misma por vivir en un país donde los esquizofrénicos andaban sueltos por la calle.

Almudena Grandes, *Malena es un nombre de tango.*

Diluir la estructura sólida de una identidad española mítica y quimérica. Romper sus fronteras históricas y desplazamientos semánticos de culturas y comunidades negadas. Deshacer el entuerto de una larga historia de mentiras y oprobios. Reconocer una realidad histórica española entre fronteras de identidades conflictivas pero no excluyentes, atravesando formas plurales de vida, creencias y conocimientos. Todo ello significa también recuperar, reconstruir y desarrollar una perdida tradición cosmopolita en lugar de castiza, polémica en lugar de intolerante, y crítica en lugar de dogmática. La otra España.

Eduardo Subirats, *Después de la lluvia.*

La aparición en 1989 de la novela erótica *Las edades de Lulú* constituyó un verdadero fenómeno editorial responsable en gran parte del llamado «boom» de la literatura erótica española y catapultó a su autora, Almudena Grandes (1960), a la fama[1]. Desde enton-

---

[1] *Las edades de Lulú* recibió el XI Premio de literatura erótica de la Sonrisa Vertical. Respecto al fenómeno editorial, véanse los estudios de Bermúdez, Tsuchiya, Morris y Charnon-Deutsch y Henseler.

ces, Grandes ha publicado cinco novelas más —*Te llamaré Viernes* (1991), *Malena es un nombre de tango* (1994), *Atlas de geografía humana* (1998), *Los aires difíciles* (2002) y *Castillos de cartón* (2004)— y una colección de cuentos —*Modelos de mujer* (1996)— que la han situado entre los mejores novelistas españoles de la actualidad. No obstante, el éxito aplastante de *Las edades de Lulú* y, por supuesto, su polémica representación del erotismo femenino han eclipsado el resto de su producción, sobre la que escasean estudios críticos. Quizá también se deba al camino marcado por su primera novela, el que los pocos estudios existentes sobre su narrativa se centren en cuestiones de género y subjetividad femeninos. Esta perspectiva, aunque fundamental, puede ser reduccionista si ignora la importante reflexión histórica que ofrece la obra de Grandes y que no se ha enfatizado lo suficiente[2]. Por ello, mi trabajo pretende explorar precisamente la crítica y reflexión históricas presentes en su tercera novela, *Malena es un nombre de tango*.

La apariencia «light» y superficial de esta obra, cuyo argumento gira en torno a unos amores adolescentes imposibles que, de forma un tanto inverosímil e hiperbólica, determinan toda la vida de la protagonista, es engañosa. De hecho, a través de la narración de la historia familiar de la protagonista, formada por dos líneas genealógicas antagónicas, además de por toda una serie de rupturas, silencios y secretos en cada una de éstas, *Malena* realiza un recorrido que abarca desde la República hasta la España global, pasando por la guerra civil, la dictadura y la transición. Esta imbricación de historia personal y política, le permite a la novela de Grandes abordar importantes cuestiones sobre la identidad nacional española y a nosotros, analizar la familia de Malena como espacio real y simbólico, privado y público a la vez, en el que se plantean posibilidades de redefinición tanto de las identidades individuales como de las colectivas. En este trabajo se estudiará, en primer lugar, en qué medida la familia de Malena, plagada de contrastes y contradicciones, es producto y expresión de la fragmentación y las profundas escisiones que caracterizan la política y sociedad españolas del siglo xx. Por último, se analizará la apuesta de *Malena* por una redefini-

---

[2] No obstante existen algunas excepciones. Moreiras-Menor enfatiza en el caso de *Las edades de Lulú*, «su profunda, aunque poco obvia, relación con la memoria histórica» (41). Rodríguez sitúa *Malena,* junto con *El sueño de Venecia* (1992) de Paloma Díaz-Mas y *Dins el darrer blau* (1994) de Carme Riera en el contexto de «una nueva escritura femenina que revitaliza elementos raciales, religiosos, sociales y sexuales oprimidos en el pasado y en el presente de la historiografía española» (78). Cibreiro, por su parte, analiza *Atlas* destacando que «su doble postura ético-estética expone la interconexión fundamental entre sexualidad e identidad colectiva en la narrativa hispánica contemporánea» y añade más adelante que «el factor socio-político constituye un elemento clave en la narrativa de Grandes, en general» (133, 142).

ción identitaria y las premisas en que deberá basarse dicha redefinición.

Las dicotomías vertebran la novela. Por una parte, existen continuos juegos de espejos a través de los cuales se enfrentan modelos de mujer opuestos como Malena y su hermana Reina, su madre y su tía Magda, la abuela paterna (Soledad) y la materna (Reina), la esposa legítima (Reina) y la amante (Teófila) de su abuelo, la abuela Soledad y su hermana Elenita. Se oponen incluso las criadas Paulina y Mercedes, defensoras de la abuela Reina y del abuelo Pedro, respectivamente, lo cual implica, a su vez, posiciones políticas antagónicas (a favor y en contra de Franco). Por otra parte, observamos una división entre hijos legítimos e ilegítimos, entre personajes amorales o inmorales y los de moralidad convencional, entre lo que Fernando Valls denomina ortodoxos (las tres Reinas) y heterodoxos (Rodrigo, abuelos Pedro y Jaime, abuela Soledad, tía Magda, tío Tomás, Malena y su padre, Jaime) o, para utilizar los términos empleados en la novela, entre los buenos y los de la «mala sangre» o «sangre podrida». Pero, más allá de esta confrontación de individuos, observamos la oposición entre colectivos sociales y conceptos de nación: *Malena* nos presenta la España de los terratenientes y la de los criados, la republicana y la franquista, la de los perdedores y la de los ganadores, la de la democracia y la de la dictadura, la rural y la urbana, y distingue, asimismo, entre los españoles de toda la vida y los «nuevos españoles» producto de la inmigración. De este modo, la familia de Malena reproduce la familia nacional que se caracteriza por sus divisiones, fragmentación y rasgos esquizofrénicos. En definitiva, la novela de Grandes retoma la cuestión inacabada de las dos Españas presentando el contraste entre una España inmovilista y estática, ficticiamente homogénea y otra, fluida, plural y heterogénea.

Se ha convertido casi en un lugar común, lo cual no le resta validez, el referirse al carácter esquizofrénico que poseen la cultura y la sociedad españolas, debido, en parte, a la llegada acelerada de España a la posmodernidad sin haber pasado por una modernización plena al modo de otras naciones europeas. De ahí que con frecuencia se señale la ambigüedad de la modernidad española, dada la coexistencia de modernidad y posmodernidad junto a formas culturales arcaicas. Helen Graham y Antonio Sánchez, por ejemplo, afirman: «It is precisely this rapidity, alongside an increasing heterogeneity, that gives Spanish society its vertigo-inducing postmodernist identity. It is a world where the archaic and the modern coexist» (410). Eduardo Subirats, por su parte, habla de «Una modernidad ambigua, que al mismo tiempo quería saborear los frutos del progreso tecno-industrial, y reservarse los privilegios de una tradición colapsada de casta» *(Después de la llu-*

via, 67)[3]. En *Malena,* la convivencia del caciquismo —ejemplificado por el abuelo materno de la protagonista, prototipo de patriarca terrateniente con su caterva de hijos legítimos e ilegítimos— y la posmodernidad urbana de la *movida* —de cuyos excesos participa Malena— nos hablan, sin duda alguna, de un escenario nacional escindido donde conviven varios niveles de desarrollo y coexisten distintos marcos cronológicos y paradigmas culturales. Pero es sobre todo el tema de la mujer en *Malena* el que mejor ilustra esa España esquizofrénica. Si como señala Catherine Davies, el feminismo constituye una derivación de la modernidad *(Spanish Women's Writing,* 6), el análisis de su planteamiento en la novela debe enmarcarse dentro de la dinámica de modernidad y posmodernidad e incluso de la pre-modernidad de la nación española.

De hecho, el feminismo constituye un componente discursivo fundamental de *Malena* en torno al cual se perciben las disonancias existentes en España. En ese sentido, la novela de Grandes es, en primer lugar, ambivalente, puesto que la protagonista subvierte de modo simultáneo códigos patriarcales y feministas. No hay duda de la existencia de una profunda crítica al modelo de femineidad tradicional típico de una sociedad patriarcal. Desde muy temprano, Malena advierte su incapacidad de ajustarse a ese modelo, por ello, en la infancia anhela ser niño y más tarde reivindica la libertad sexual y actúa en consecuencia. Sin embargo, es importante notar que no sólo Malena, como exponente de la «nueva mujer» de la España democrática reivindica la libertad sexual, sino que antes lo habían hecho ya su tía Magda, y más aún, su abuela Soledad, representante de los derechos conseguidos por las mujeres bajo la República, e incluso su bisabuela que era sufragista y que, además de por el derecho al voto, abogó por liberar el cuerpo de la esclavitud del corsé que consideraba «insultante para la dignidad de las mujeres» (257). Es decir, a través de esta cadena de cuatro generaciones de mujeres, *Malena* presenta una genealogía del movimiento feminista español cuya historia ha estado marcada por la discontinuidad y fragmentación dadas las muy especiales circunstancias históricas. Como es bien sabido, los avances logrados durante el período de la II República (1931-1939) en materia de derechos de la mujer quedaron sepultados bajo los cuarenta años de franquismo que paralizaron definitiva-

---

[3] Evidentemente existen otros factores que favorecen la ambigüedad como la continuidad entre franquismo y democracia. En palabras de Subirats: «Se ha olvidado que la democracia española desciende directamente del franquismo. No se recuerda que sus espacios, sus signos y sus actores han sido formados por las escuelas y las formas de vida de aquellos años sombríos, por sus mismos cuadros políticos y élites intelectuales» *(Después de la lluvia,* 127). Véase también su artículo titulado «Postmodern Modernity: España y los felices 80».

mente cualquier proceso iniciado[4]. Con la restauración de la democracia, se intentó recuperar el tiempo perdido. Se realizaron aceleradas transformaciones a fin de ponerse a la altura de otras naciones europeas que habían gozado de un periodo mucho más amplio de desarrollo gradual y profundo de los proyectos de la modernidad, entre los que se incluye la igualdad de derechos de la mujer. En consecuencia, los bruscos cambios efectuados en el marco jurídico, no implicaron una metamorfosis simultánea de la mentalidad de la sociedad. Hablar, por tanto, de feminismo en España es hablar de un proceso plagado de discontinuidades del que quedaron excluidos importantes sectores de la población. La atormentada historia española del siglo XX que impidió el florecimiento de un movimiento feminista de mayor resonancia social constituye, por lo menos, una explicación parcial de las paradojas que descubre la contemplación de la actualidad y que tan bien expresa la novela de Grandes.

Si por un lado, *Malena,* a través de las mujeres de su familia, da testimonio de la accidentada lucha por los derechos de las mujeres en España, una lucha cuya memoria hay que reivindicar, es evidente que la novela realiza, asimismo, una importante crítica del feminismo. No en vano la propia Grandes ha declarado que ha sido «testigo del fracaso de dos modelos: el de la mujer tradicional y el de la feminista revolucionaria»[5]. En un primer momento, la protagonista de *Malena* opta por una conducta que a ella misma le merece el irónico comentario de «y eso no se hace»: «Agustín [...] me había enseñado que hallaba placer en que me llamaran zorra, y eso no se hace. Hallaba placer en exhibirme públicamente con él como un trofeo sexual, y eso no se hace. Hallaba placer en embutirme en vestidos traidores que, lejos de cubrirme, prometían mi desnudez, y eso no se hace [...] Codiciaba su semen, lo valoraba, lo consideraba imprescindible para mi equilibrio. Y eso no se hace» (354-355). Aunque dicho comportamiento representa un desafío al código de conducta patriarcal, los dardos de *Malena* se dirigen, de manera explícita a las «mujeres del Norte», representantes, para la protagonista, de un dogmatismo y corrección política feministas con los que no se identifica[6]. En ese sentido, la narración de Grandes coincide con las crí-

---

[4] Para la historia del feminismo español, pueden verse la introducción de Davies a *Contemporary Feminist Fiction in Spain* y el libro editado por Vollendorf, *Recovering Spain's Feminist Tradition.* Respecto al tema de la mujer durante la Segunda República y el principio de la dictadura franquista, y en la democracia, véanse Graham, «Women and Social Change» y Montero, «The Silent Revolution: The Social and Cultural Advances of Women in Democratic Spain».

[5] Declaraciones a Preciado (citado en Glenn, 111).

[6] Labanyi expresa esta misma idea: «Grandes's novel bravely rejects a "politically correct" feminist line, asserting the need for women to face the dangerous aspects of sexuality rather than sanitize it» (158).

ticas formuladas por algunas autoras denominadas posfeministas contra la tendencia puritana y restrictiva hacia la que, en su opinión, han derivado ciertos sectores feministas. La norteamericana René Denfeld, autora de *The New Victorians,* por ejemplo, señala el alejamiento de las nuevas generaciones del feminismo tradicional por su intento de restablecer el orden moral de la época victoriana (10) y de dictar las normas de una sexualidad femenina correcta[7]. Existe evidentemente, una crítica en *Malena* a la ortodoxia y a lo que Grandes denomina «doctrina feminista» que la protagonista rechaza por la distancia existente, a veces, entre ese feminismo teórico, académico, incorpóreo incluso, y los deseos y prácticas eróticas de la mujer de carne y hueso que puede resultar en una dicotomía irreconciliable de cuerpo/razón[8]. Por otra parte, la caracterización geográfica del feminismo («mujeres del Norte») alude asimismo a una imposición de paradigmas culturales interpretada a menudo como una manifestación más de imperialismo o colonización cultural por parte del mundo anglosajón[9].

Malena, de hecho, acaba en un callejón sin salida al comprobar que su deseo y formas y verbalización del placer no se ajustan a los dictámenes de lo que las feministas consideran «correcto»: «Las mujeres del Norte habían hablado. Sujeto u objeto, había que elegir, y yo durante algún tiempo intenté resistir, instalarme en la contradicción, convertirla en un hogar confortable, vivir allí, con la cabeza en el Norte, el sexo en el Sur y el corazón en algún país de la zona tem-

---

[7] Según Denfeld, «Many feminists have turned their energies toward dictating the exact nature of a correct feminist's sexual life — heterosexual or lesbian. Any act that hints dominance — no matter how consensual or loving — is said to mimic the violence inherent in heterosexuality [...] The feminist obsession with proper female sexuality extends to women's private thoughts, as well» (53).

[8] En una entrevista, Grandes declara lo siguiente: «En segundo lugar, añadiré que la doctrina feminista me interesa poco, porque creo que en los últimos tiempos ha desembocado en el mismo error que arruinó hace años el pensamiento marxista. En mi opinión, una ideología, por muy justa, legítima y pertinente que resulte, nunca debe ser asumida como una ciencia, un método capaz de explicar el mundo, porque tal posición implicará necesariamente la distorsión de un montón de realidades objetivas —los seres humanos somos excesivamente complejos para cualquier aspirante a creador de sistemas absolutos— que serán deformados a cualquier precio para que encajen en la casilla correspondiente de la cuadrícula prevista, y para eso, ya tenemos bastante con el dogma católico, sin ir más lejos. Yo siempre he pensado que la capacidad de dudar sobre todo lo que nos rodea es uno de los ingredientes indispensables de la inteligencia» (Añover, 806).

[9] Davies recuerda que en 1985, Threlfall señalaba que el feminismo en España «is still associated with over-commitment bordering on obsession, blinkered vision, small-minded cliques, difference politics, the defunct Feminist Party, or the restricted interests of Anglo-American women academics who, it is felt, try to impose their own critical paradigms on Spanish women in yet another form of cultural imperialism» *(Contemporary Feminist Fiction,* 7).

plada, pero no pudo ser» (357). Esta imposibilidad de conciliación conduce a la protagonista a un matrimonio convencional en el que, como ella confiesa, primero sacrificó el cuerpo y después, las palabras: «Yo había elegido ser una mujer nueva, y para conseguirlo negué mi cuerpo muchas más que tres veces [...] El último lastre que arrojé por la borda fueron las palabras» (359). Sólo, al final de la novela, cuando Malena se encuentra en una fase de redefinición y liberación, vuelve a reivindicar el cuerpo y el erotismo lejos de toda ortodoxia.

La evolución de su hermana Reina es muy diferente. Más embebida teóricamente de feminismo y otros aspectos de la progresía que para Malena tienen mucho de pose y con los que ella nunca comulgó, Reina deriva, sin embargo, hacia posturas conservadoras e incluso reaccionarias en el tema de la mujer —un ejemplo claro es su visión de la maternidad— que concuerdan a la perfección con su evolución general hacia el pragmatismo y conservadurismo ideológico de los nuevos ricos y nuevos europeos de la democracia española, como se verá más adelante[10].

Las críticas implícitas al feminismo en la narrativa de Grandes y las propias declaraciones de la autora han motivado que se hable de su «posfeminismo», término sospechoso y polémico en algunos círculos progresistas por considerarlo un retroceso en cuanto a los avances de la mujer[11]. Junto a dicho término, ha comenzado a circular el de «tercera ola» («Third Wave») del feminismo que, desprovisto de las connotaciones negativas del anterior y reconociendo los méritos de la generación precedente, propugna una evolución que rechace los esencialismos y dogmatismos[12]. Más allá de posibles etiquetas —¿posfeminismo? ¿tercera ola feminista?— lo que importa

---

[10] En *Malena* existe una visión crítica y burlesca de la progresía que coincide, en gran medida, con la de la movida, de la que formó parte la protagonista. De Laiglesia describe a la generación de la movida como «una generación *posprogre* primero y después *posmoderna*» (71). Más adelante añade: «Debe entenderse que, al tiempo que los gustos, las modas y la estética enterraban al temible franquismo, se celebró el funeral de su resaca, la progresía carpetovetónica y revanchista, con todos sus tics. Y eso sentaba mal» (82). Recuérdense en *Malena* las alusiones a «las aulas repletas de todas las posibles variantes del peludo espécimen de extrema izquierda» (325) y su descripción de los «divinos» y de Jimena, amante de Reina por un tiempo (328, 335).
[11] No sólo se ha hablado del posfeminismo de Grandes (Cibreiro, por ejemplo señala que «adopta una postura igualmente equilibrada entre la orientación femenina de su discurso y las implicaciones posfeministas de sus premisas narrativas» [141]), sino también de su anti-feminismo. En la Feria del Libro de Santiago de 1999, se la tildó de «anti-feminista emancipada» (http://www.tercera.cl/casos/feria/feria63.htm). Es evidente que su relación con el feminismo es compleja.
[12] Por cuestión de espacio no puedo extenderme en estos aspectos. Para una exposición panorámica de las distintas fases del feminismo, véase Gamble, *The Routledge Critical Dictionary of Feminism and Postfeminism* donde se encuentran, ade-

subrayar es que *Malena* defiende la necesidad de una evolución y autocrítica en la reflexión sobre el tema de la mujer que combinen un desafío al patriarcado, la incorporación de muchos de los logros del feminismo y, al mismo tiempo, el rechazo de la fosilización ideológica.

Sin embargo, las ambivalencias y contrastes que expresa *Malena* no se limitan a la polémica feminismo/posfeminismo. Para hacer hincapié en el carácter esquizofrénico del escenario nacional es importante notar que, junto a mujeres posmodernas y posfeministas como Malena y su hermana Reina, que parecen estar ya de vuelta del feminismo —aunque por diferentes vías y encarnando posicionamientos ideológicos distintos— se encuentran la abuela Soledad, heredera de la tradición familiar de lucha por los derechos de las mujeres, pero también otro sector de la población española exponente de lo que podría tildarse de pre-feminismo (el caso de la abuela Reina, Teófila y, hasta cierto punto, la madre de Malena). Grandes esboza, por tanto, una reflexión sobre el tema de la mujer en España a través de los distintos personajes femeninos que pueblan su novela y que muestran, como ya se ha mencionado, una historia fragmentada y discontinua en la que reverberan otras disonancias presentes en la cultura española. La incorporación parcial de España al posfeminismo, sin haber pasado realmente por un movimiento feminista integral, o la paradójica convivencia de elementos pre-feministas, feministas y posfeministas se corresponde con la coexistencia de elementos pre-modernos, modernos y posmodernos en la cultura española actual.

Por otra parte, las discontinuidades y fragmentación se deben también, como viene a decir *Malena,* a los silencios y al esfuerzo realizado por borrar y ocultar parte de la historia tanto familiar como nacional. De hecho, según constata la protagonista, la suya constituye una genealogía truncada en la que, aparentemente, la rama paterna de «rojos» «carecía de historia» (249). Esta mutilación de la memoria familiar y nacional —hasta tal punto que su padre jamás la menciona— representa para la abuela Soledad el mayor delito de la dictadura: «A veces pienso que, al cabo, el mayor delito del franquismo ha sido ése, secuestrar la memoria de un país entero, desgajarlo del tiempo, impedir que tú, que eres mi nieta, la hija de mi hijo, puedas creer como cierta mi propia historia» (253). Será esta abuela, a

---

más, los nombres de autoras y obras que han sido claves en el debate feminista/posfeminista. Puestos a poner etiquetas —algo que sin duda desagradaría tanto a Almudena Grandes como a Malena— quizá fuera adecuado tildar a Reina de posfeminista —dada su evolución hacia un conservadurismo integral y una femineidad retrógrada— mientras que para Malena parece más apropiado el de feminista de la tercera ola.

la que Malena visita muy significativamente en 1977, es decir, en plena transición, la que le permita recuperar la pieza de la historia familiar —y, al mismo tiempo, colectiva— que le faltaba. A través de ella, Malena descubre la tradición progresista de la España republicana (también algunos de sus claroscuros), vislumbra los horrores de la guerra y, sobre todo, tiene noticia de los «desaparecidos»: entre ellos, su abuelo Jaime Montero, cuyo cadáver nunca se encontró (267).

La mención de los desaparecidos en la novela de Grandes alude a una importante asignatura pendiente de la historia española contemporánea. La batalla que sigue librando la Asociación por la Recuperación de la Memoria Histórica para recobrar los cadáveres enterrados de forma indiscriminada en fosas comunes durante la Guerra Civil y que consiguió en una fecha tan reciente como 2002, que la ONU incluyera a España por primera vez en la lista de países que tienen desaparecidos, constituye un signo inequívoco de que los espectros de los muertos todavía hoy rondan la sociedad española[13]. Los desaparecidos, como señala Cristina Moreiras-Menor a propósito de la narrativa de Manuel Vázquez Montalbán y Juan Goytisolo,

> regresan a la escena actual desde una memoria que contiene una violencia fundacional y cuya reaparición supone su posibilidad de ser, finalmente, enterrados debidamente. La historia de lo desaparecido funciona así como fundamental constituyente de la realidad contemporánea en la precisa medida en que la expone violentamente a su propia escena de vacío significante. El retorno de lo desaparecido, la historia recuperada para la narración abre la posibilidad de hacer resignificar a la historia una vez que se haya hecho cargo de sus muertos (125).

Para Malena, el muerto que reaparece en la narración de su abuela, se convierte en un muerto necesario, una pieza imprescindible para completar y revisar su propia historia: «Yo aprendí de lejos, al principio, atendí y retuve, como una alumna aplicada, preguntándome si todo aquello habría servido de algo, intentando averiguar por qué, de repente, aquella extraña muerte me era tan necesaria, por qué me rellenaba un hueco, por qué aumentaba el caudal de mis venas, por qué me endurecía y me completaba, pero sólo cuando

---

[13] Puede consultarse la página de la Asociación: http://www.memoriahistorica.org/. Por otra parte, conviene recordar que existe una importante producción literaria centrada en la cuestión de la memoria del la guerra civil y el franquismo y la desmemoria de la transición. Por citar sólo algunos ejemplos, recuérdese la trilogía de Josefina Aldecoa —*Historia de una maestra* (1990), *Mujeres de negro* (1994) y *La fuerza del destino* (1997), y obras más recientes como *Soldados de Salamina* (2001) de Javier Cercas o *La voz dormida* (2002) de Dulce Chacón.

pude verle, cuando distinguí la silueta de un hombre que andaba solo por la calle, llorando el llanto de una primavera muerta [...] y perderse para siempre, sólo entonces me di cuenta de que ese caminante era el padre de mi padre, y la cuarta parte de mi sangre, y era yo, y con esa respuesta tuve bastante» (276). A partir de ese retorno, Malena se erige en heredera de su legado para mantener viva «la memoria de quien siempre había sido el oscuro, el dudoso, el otro abuelo» (275). Por otra parte, aunque en la novela de Grandes no existe una recuperación material del cadáver, cuarenta años después de su asesinato, su hijo, que había guardado silencio durante tanto tiempo, por fin se hará cargo del cadáver de su padre, ofreciéndole una simbólica tumba junto a la mujer de su vida, la abuela Soledad (286).

Por desgracia, la llegada de la democracia, no subsanó, lo que para la abuela Soledad, representaba el mayor delito del franquismo. El famoso «pacto del olvido» suscrito por todas las fuerzas políticas tras la muerte de Franco, consistió como señala Teresa Vilarós, en borrar, en no mencionar la memoria del franquismo y de la guerra civil con la esperanza de que así también se borraría la memoria de las dos Españas (8-9). Curiosamente, junto a esta amnesia histórica convive lo que José Colmeiro califica de «gestualidad rememoradora» y que, según sus propias palabras, contribuye al «aparente estado de identidad esquizofrénica» de la España contemporánea (155). De hecho, el entierro solitario, anónimo y sin recuerdos oficiales de la abuela Soledad en 1980, contrasta con el carácter oficial y multitudinario del de su cuñado, a quien ella consideraba uno de los culpables de la muerte de Jaime Montero (286). Este contraste que, sin duda alguna muestra parte de las luces y sombras de nuestra transición, apunta, asimismo, hacia la diferencia entre memoria y un simulacro de memoria reducido a gestos: los gestos sólo se erigen en memoria, si existe, para utilizar las palabras de Moreiras-Menor, «un colectivo memorizador capaz de darle discurso representativo en el imaginario social» (75), y la transición careció de ese colectivo. Reina, en ese sentido, hace gala de nuevo de su ortodoxia, extremadamente acomodaticia y versátil, según se observa a lo largo de toda la novela, y fiel a la línea oficial de la transición, no sólo desconoce la historia de sus abuelos paternos, la de la otra España —algo de lo que, al fin y al cabo no se la puede culpar, dado el silencio imperante— sino que no le interesa en absoluto descubrirla y rescatarla para su propia historia (428). En cambio, Malena, siempre a contracorriente, reivindica la memoria colectiva sepultada incorporándola a su narrativa personal.

Para Salvador Cardús i Ros, existe un distinción crucial entre «recuerdo» («recollection») y «memoria» («memory»). Mientras que el primero se refiere a la capacidad psíquica de preservar experiencias del pasado acaecidas a uno mismo, la memoria, tanto individual como colectiva, constituye un conjunto de narraciones fruto de la interpretación social de la realidad (22). En la misma línea, Christina Dupláa, haciéndose eco de la teoría sobre la memoria colectiva de Halbwachs, señala que ésta se construye socialmente y que recordamos dentro de un grupo (31). Por lo tanto, se puede decir con Joan Ramón Resina que recuperar el pasado es también codificarlo (88). Y si hablar de memoria es hablar de interpretaciones, codificaciones y reconstrucciones narrativas es evidente que también es hablar de opciones y posicionamientos ideológicos en los que la memoria, en definitiva, se convierte en una práctica política. Cuando años después de la muerte de su abuela y tras la separación de su marido, Malena sale de la casa matrimonial para iniciar una nueva etapa, se lleva unos recuerdos de los amores de sus abuelos y de su propio amor juvenil por Fernando. La acompañan, asimismo, su hijo Jaime, el portador del nombre del abuelo «oscuro», el retrato de su antepasado Rodrigo, del que hablaremos más adelante y un cuadro alegórico titulado «La República guía al Pueblo hacia la Luz de la Cultura» en el que, como un ejemplo más de la profunda imbricación de lo personal y lo político, la abuela Soledad representa la República. Según sus propias palabras, («Esto —y señalé mis pocas posesiones moviendo la mano en el aire— es todo lo que soy» [497]), esos elementos simbolizan las claves de su identidad. Es decir, a partir de la recomposición de las piezas de una historia familiar marcada inevitable y profundamente por la fragmentación de la historia política colectiva, Malena reformula su propia narrativa identitaria. En esta reformulación, donde lo personal y lo político van indisolublemente unidos, Malena opta sin ambages por entroncar con la tradición progresista y reformista de la República, de la otra España, que encarnaron sus abuelos paternos. Esta decisión personal, que aboga por una redefinición individual y colectiva basada en la recuperación de la memoria histórica, constituye, sin duda alguna, una opción y un proyecto políticos[14].

Junto a la recuperación de la memoria inmediata como parte de un proceso de redefinición, *Malena* plantea otro reto al que se enfrenta la identidad colectiva española: la presencia en el territorio nacional de nuevos sujetos producto de los movimientos migratorios propiciados por la caída del Muro de Berlín (1989) y por la fluidez e inestabilidad de las fronteras en la era de la globalización. Para Malena, la llegada del búlgaro Hristo a su vida que le permite, a su vez, entrar en contacto con el colectivo de inmigrantes, ya muy visible y presente en urbes como Madrid, donde se ubica la novela, resulta

---

[14] Resina hace una observación muy acertada: «Current debates on historical amnesia are not so much about the loss of the past as about the politics of memory» (86).

algo vivificador. Hristo constituye, según sus propias palabras, «la primera cosa intrínsecamente buena que me pasaba en mucho tiempo» (509). En la misma línea, su celebración navideña en plena Puerta del Sol —corazón e icono de Madrid— rodeada de inmigrantes que contrastan con los españoles «prósperos», devorados por la fiebre consumista que acompaña dichas fechas, Malena la describe del siguiente modo: «Entonces me eché a reír y [Hristo] me besó, y me sentí mejor porque estaba allí, con aquellos millonarios desposeídos, que no tenían absolutamente nada pero esperaban del futuro absolutamente todo, porque estaban vivos, y llenos de cosas por dentro [...]» (517). Frente a esta visión positiva del mundo de la inmigración, Reina encarna de nuevo el término opuesto convirtiéndose en representante de los españoles «prósperos y bien vestidos» (518), de los nuevos europeos cuyo supuesto cosmopolitismo derivado de la entrada de España en Europa y la consiguiente llegada del tan anhelado progreso, esconde, en el fondo, el provincianismo de nuevos ricos, y cuya supuesta mentalidad progresista y demócrata enmascara, en realidad, un discurso reaccionario. Como recuerda Malena, su hermana se quejaba de

> esas horribles aceras llenas de mendigos y de putas, y de negros que venden quincalla y de yonquis que se pinchan encima de los bancos y de quioscos rebosantes de pornografía junto a los que pasan los niños todas las mañanas para ir al colegio, y qué coño hace el Gobierno, y qué coño el Ayuntamiento, y qué coño pasa con los ciudadanos decentes que pagamos impuestos para que los jueces dejen salir por una puerta a los criminales que entran por la otra [...] y que en qué clase de estercolero van a crecer nuestros hijos, y que conste que yo soy socialdemócrata y progresista (444-445).

El recorrido ideológico de Reina ilustra, sin duda alguna, las incoherencias de la progresía española cuya trayectoria, desemboca, en muchos casos, como la de Reina, en posturas acomodaticias, pragmáticas e incluso reaccionarias. Por otra parte, es evidente que la hermana de Malena no ha comprendido ni asimilado que el proceso de europeización de España coincide, de forma irónica, con la transición de una sociedad homogénea y monocultural a una híbrida y progresivamente multicultural[15]. *Malena* muestra una España embarcada en un proceso imparable de hibridación en el que los «nuevos españoles» constituyen un factor fundamental en la redefinición nacional. Recuérdese, en ese sentido, que la integración económica de Hristo —flamante gerente de la empresa de mensajería que mon-

---

[15] Véase, a este propósito, el ensayo de Corkill.

ta Malena— augura su plena integración en la sociedad. El carácter inverosímil de dicha integración —no hay que olvidar que la inverosimilitud afecta a varios aspectos de la novela— no invalida, sin embargo, la propuesta narrativa que se inclina por la visión esperanzadora de una España plural. Por otra parte, *Malena* señala, asimismo, que, en el fondo, esta España progresivamente híbrida no representa una novedad: el mestizaje se encuentra en la base de los Fernández de Alcántara, de los Toledano y, por extensión, de la historia de España. Basta recordar, en este sentido, las continuas alusiones de Malena a los rasgos mestizos de su hijo o a los suyos propios (que le merecen el apodo de «India» por parte de Fernando) provenientes de sus antepasados indígenas peruanos, o su constatación de que el apellido de Teófila, «Toledano», constituye una prueba clara y fehaciente de la ascendencia judía de, por lo menos, una de las ramas de los Fernández de Alcántara.

La línea genealógica de los Fernández de Alcántara, a la que no nos hemos referido de manera específica hasta el momento, plantea otras importantes cuestiones. En primer lugar, la diferencia obvia en cuanto a representación y visibilidad de las dos ramas de la familia de Malena. Mientras la familia paterna había sido borrada y silenciada, la materna, la de la España oficial de los vencedores, ocupaba un lugar muy destacado tanto en el hogar familiar —simbolizado por los cuadros de los antepasados que hablan de una dinastía gloriosa— como en el nacional. Sin embargo, según va descubriendo Malena poco a poco, los Fernández de Alcántara no fueron conquistadores, sino simples comerciantes y traficantes de esclavos (42), y Rodrigo, el origen de la «gran epopeya americana» (37) —de apariencia tan viril y patriarcal, era, en realidad, un homosexual que gozaba de los favores de sus esclavos. Es decir, los cuadros de esta «brillante» dinastía forman parte de una narración que representa lo que Subirats denomina, «la quimérica identidad de una España inmaculada, trascendente y sustancial [...] una identidad esotérica, mítica y quimérica y, no en último lugar, históricamente falsa: la España de la leyenda heroica del Cid, la mística España, la España barroca [...]» *(Después de la lluvia,* 147). *Malena* desenmascara, así, los mitos y ficciones fundacionales que se han propagado a través del reciclaje narrativo secular de una España esencial y señala el fracaso del proyecto oficial de construir discursivamente una nación pura, heterosexual, monolítica y centralizada. La rama familiar materna de Malena expone una genealogía contaminada racial, sexual y, sin duda alguna, moralmente, eliminando cualquier pretensión purista. La nación nunca ha sido estrictamente heterosexual, puesto que homo y heterosexualidad siempre han estado imbricadas, y además, siempre han existido sujetos marginales, «descentrados», «otros» que han escapado de los procesos de homogeneización y centralización de los discursos oficiales. En definitiva, lejos de la obsesión por la pureza de sangre que ha marcado gran parte de la historia de España, *Malena* propone otra narrativa nacional, porque, la sangre nunca ha sido pura, siempre ha estado podrida[16].

No obstante, *Malena* no elimina la ambigüedad, como lo reflejan la simpatía que despiertan ciertos personajes contradictorios y paradójicos, personajes «fronterizos» —para utilizar un término de la novela— que se mueven entre las luces y las sombras (59 y 62) y que, en algunos casos, constituyen figuras trágicamente escindidas. En ese sentido, sorprende la identificación de la protagonista con personajes moralmente reprochables como su antepasado Rodrigo que, al fin y al cabo, era dueño de esclavos, y, sobre todo, con el abuelo Pedro. Malena y su tía Magda adoran a este hombre que representa el patriarca terrateniente de casa grande y casa chica, que no puede negar los rasgos caciquiles y que, como señala Teófila, lo único que ha conseguido es hacer sufrir a sus dos mujeres. Sin embargo, el abuelo Pedro constituye un ejemplo perfecto para resaltar la ambigüedad y los rasgos esquizofrénicos que permean la familia de Malena, trasunto de la familia nacional: será este patriarca prototípico, y no su sufrida y sacrificada esposa, el que acepte plenamente la homosexualidad de su primogénito, Tomás. Por tanto, las paradojas de estos personajes fronterizos invalidan una clara división dicotómica y apuntan, como toda la novela, hacia la ambigüedad y la heterodoxia que, constituye, a su vez, una llamada a la tolerancia. Es decir, *Malena* propone conceptos de identidad heterodoxos, polémicos, sin lugar a dudas, conflictivos, pero que permiten superar dogmatismos y revelar que tanto la identidad individual como colectiva son complejas y, por tanto, irreductibles a dicotomías excluyentes[17].

En *Malena,* la nación constituye un espacio donde las dos Españas siguen presentes y donde el «pacto de desmemoria» de la transición no ha dado los resultados esperados. Frente a dicho pacto, la

---

[16] Rodríguez se expresa en la misma línea: «Pero a su vez se produce una cierta recreación paródica del glorioso español por medio de alusiones a los antepasados de la protagonista y a través de la inclusión de la historia de la "sangre podrida", que inmediatamente vuelve nuestra atención a la limpieza de sangre obsesiva para la nación católica española durante varios siglos» (78).

[17] El padre de Malena constituye otro buen ejemplo de esa ambigüedad. Trepador y oportunista, se casa con una Fernández de Alcántara para escapar de la pobreza de su infancia y del triunfalismo de la España del Plan de Estabilización Nacional (1959) que, para él, es insuficiente. No obstante, se sumerge periódicamente en antros de su antiguo barrio, Usera, en un mundo muy alejado del barrio de Salamanca, donde reside. Magda, que, en sus propias palabras, «era la única que sabía la verdad, y conocía sus dos mitades» (459), es plenamente consciente del entrecruzamiento de lo personal y lo político. Al intentar explicarle a su sobrina la dudosa moralidad de su padre señala: «era un trepador, y si quieres hasta un tramposo, pero para él, esto seguía siendo la guerra» (465).

novela de Grandes defiende la memoria como una práctica política que permite recuperar muertos y desaparecidos de una historia inmediata y, al mismo tiempo, revisar las versiones hegemónicas de una España que nunca fue «una» y nunca fue pura. Esta visión de una España siempre mestiza, siempre contaminada, debe facilitar la redefinición de la identidad colectiva en estos momentos en los que se enfrenta a una nueva etapa de mestizaje transformador. Se puede decir, por tanto, que *Malena* defiende la necesidad de una reformulación identitaria que se apoye en dos pilares: una mirada hacia el pasado que permita recuperar la memoria histórica y revisar los mitos fundacionales sobre los que toda nación se asienta, y otra hacia el futuro que sea capaz de enfrentarse a los retos de la globalización, imaginar las nuevas identidades de una España plural y reformular las narraciones nacionales. En última instancia, la novela de Almudena Grandes expone la íntima vinculación de memoria e identidad, y afirma que la identidad, al igual que la memoria, constituye no sólo una construcción narrativa que siempre se encuentra en proceso de tránsito, revisión, y renegociación, sino también, una opción política[18].

OBRAS CITADAS

ALDECOA, Josefina (1997), *La fuerza del destino,* Barcelona, Anagrama.
— (1990), *Historia de una maestra,* Barcelona, Anagrama.
— (1994), *Mujeres de negro,* Barcelona, Anagrama.
«Almudena Grandes, antifeminista emancipada», http://www.tercera.cl/casos/feria/feria63.htm
AÑOVER, Verónica (2000-2001), «Encuentro con Almudena Grandes», *Letras Peninsulares,* 13 (3), págs. 803-813.
BERMÚDEZ, Silvia (2002), «Let's Talk about Sex?: From Almudena Grandes to Lucía Etxebarria, the Volatile Values of the Spanish Literary Market», en Ofelia Ferrán y Kathleen M. Glenn (eds.), *Women's Narrative and Film in Twentieth-Century Spain,* Nueva York, Routledge, págs. 223-237.
CARDÚS I ROS, Salvador (2000), «Politics and the Invention of Memory. For a Sociology of the Transition to Democracy in Spain», en Joan Ramón Resina (ed.), *Disremembering the Dictatorship. The Politics of Memory in the Spanish Transition to Democracy,* Amsterdam, Rodopi, págs. 17-28.

---

[18] Colmeiro también señala la vinculación de memoria e identidad y de memoria individual y colectiva: «la construcción de la memoria histórica y la formación de la identidad cultural son procesos paralelos y mutuamente implicados, de igual manera que la memoria individual y la memoria histórica colectiva se construyen también recíprocamente. El tratar de separarlas es siempre un arbitrario acto salomónico, pues es imposible saber dónde termina una y comienza otra» (151).

CERCAS, Javier (2001), *Soldados de Salamina,* Barcelona, Tusquets.

CIBREIRO, Estrella (2002), «Entre la crisis generacional y el éxtasis sexual: el dilema femenino en *Atlas de la geografía humana* de Almudena Grandes», *Romance Studies,* 20 (2), págs. 129-144.

COLMEIRO, José F. (2001), «Memoria histórica e identidad cultural: Del cuarto de atrás a la primera plana», *Revista de Estudios Hispánicos,* 35, págs. 151-163.

CORKILL, David (2000), «Race, Immigration and Multiculturalism in Spain», en Barry Jordan y Rikki Morgan-Tamosunas (eds.), *Contemporary Spanish Cultural Studies,* Londres, Arnold.

CHACÓN, Dulce (2002), *La voz dormida,* Madrid, Alfaguara.

DAVIES, Catherine (1994), *Contemporary Feminist Fiction in Spain. The Work of Montserrat Roig and Rosa Montero,* Oxford, Providence.

— (1998), *Spanish Women's Writing 1849-1996,* Londres, Athlone Press.

DENFELD, René (1995), *The New Victorians. A Young Woman's Challenge to the Old Feminist Order,* Nueva York, Warner Books.

DUPLÁA, Christina (2000), «Memoria colectiva y *lieux de mémoire* en la España de la Transición», en Joan Ramón Resina (ed.), *Disremembering the Dictatorship. The Politics of Memory in the Spanish Transition to Democracy,* Amsterdam, Rodopi, págs. 29-42.

GAMBLE, Sarah (ed.) (1999), *The Routledge Critical Dictionary of Feminism and Postfeminism,* Nueva York, Routledge.

GLENN, Kathleen M. (2002), «Almudena Grandes's *Modelos de mujer*: A Poetics of Excess», Alastair Hurst (ed.), *Writing Women. Essays on the Representation of Women in Contemporary Western Literature,* Melbourne, Antípodas Monographs, págs. 109-123.

GRAHAM, Helen (1995), «Women and Social Change», en Helen Graham y Jo Labanyi (eds.), *Spanish Cultural Studies,* Oxford, Oxford University Press, págs. 99-116.

— y SÁNCHEZ, Antonio (1995), «The Politics of 1992», en Helen Graham y Jo Labanyi (eds.), *Spanish Cultural Studies,* Oxford, Oxford University Press, págs. 406-418.

GRANDES, Almudena (1998), *Atlas de la geografía humana,* Barcelona, Tusquets.

— (2004), *Castillos de cartón,* Barcelona, Tusquets.

— (1989), *Las edades de Lulú,* Barcelona, Tusquets.

— (2002), *Los aires difíciles,* Barcelona, Tusquets.

— (1994), *Malena es un nombre de tango,* Barcelona, Tusquets.

— (1996), *Modelos de mujer,* Barcelona, Tusquets.

— (1991), *Te llamaré Viernes,* Barcelona, Tusquets.

HENSELER, Christine (2003), *Contemporary Spanish Women's Narrative and the Publishing Industry,* University of Illinois Press.

LABANYI, Jo (2002), «Narrative in Culture, 1975-1996», en David T. Gies (ed.), *The Cambridge Companion to Modern Spanish Culture,* Cambridge, Cambridge University Press, págs. 147-162.

LAIGLESIA, Juan Carlos de (2003), *Angeles de neón. Fin de siglo en Madrid (1981-2001),* Madrid, Espasa-Calpe.

MONTERO, Rosa (1995), «The Silent Revolution: The Social and Cultural Advances of Women in Democratic Spain», en Helen Graham y Jo Labanyi (eds.), *Spanish Cultural Studies,* Oxford, Oxford University Press, 1995, págs. 381-385.

MOREIRAS-MENOR, Cristina (2002), *Cultura herida: Literatura y cine en la España democrática,* Madrid, Libertarias.

MORRIS, Barbara y CHARNON-DEUTSCH, Lou (1993-1994), «Regarding the Pornographic Subject in *Las edades de Lulú», Letras Peninsulares,* 6 (2-3), págs. 301-319.

PRECIADO, Nativel (1996), *El sentir de las mujeres,* Barcelona, Temas de Hoy.

RESINA, Joan Ramón (2000), «Short of Memory: the Reclamation of the Past since the Spanish Transition to Democracy», en Joan Ramón Resina (ed.), *Disremembering the Dictatorship. The Politics of Memory in the Spanish Transition to Democracy,* Amsterdam, Rodopi, págs. 83-125.

RODRIGUEZ, Pilar (2000), «Disidencias históricas: Rescates y revisiones en la narrativa femenina española actual», *Arizona Journal of Hispanic Cultural Studies,* 4, págs. 77-90.

SUBIRATS, Eduardo (1993), *Después de la lluvia. Sobre la ambigua modernidad española,* Madrid, Temas de Hoy.

— (1995), «Postmodern Modernity: España y los felices 80», *Journal of Interdisciplinary Literary Studies,* 7 (2), págs. 207-217.

TSUCHIYA, Akiko (2002), «Gender, Sexuality, and the Literary Market in Spain at the End of the Millennium», en Ofelia Ferrán y Kathleen M. Glenn (eds.), *Women's Narrative and Film in Twentieth-Century Spain,* Nueva York, Routledge, págs. 238-255.

VALLS, Fernando (2003), «Por un nuevo modelo de mujer. La trayectoria narrativa de Almudena Grandes, 1989-1998», en *La realidad inventada. Analísis crítico de la novela española actual,* Barcelona, Crítica, págs. 172-194.

VILARÓS, Teresa (1998), *El mono del desencanto. Una crítica cultural de la transición española (1973-1993),* Madrid, Siglo XXI.

VOLLENDORF, Lisa (ed.) (2001), *Recovering Spain's Feminist Tradition,* Nueva York, Modern Language Association.

CAPÍTULO III

Mercedes Abad o el arte de contar

JANET PÉREZ
TEXAS TECH UNIVERSITY

Mercedes Abad, nacida en Barcelona en 1961, es compañera de generación de otros jóvenes narradores como Nuria Barrios (1962), Felipe Benítez Reyes (1960), Guillermo Busutil (1961), Gonzalo Calcedo (1961), Hipólito G. Navarro (1961) y Ángel Zapata (1961), entre otros, que comparten el trabajo en los medios de comunicación y cierta tendencia a la cultivación de cuentos, ensayos y relatos, lo cual viene a significar concentración en géneros de menor extensión que la novela. Abad, categorizada desde sus inicios como autora asidua de ficciones eróticas, puede agruparse con Almudena Grandes, Mayra Montero (cubana), Lucía Etxebarria, Clara Obligado, Ana María Moix, Susana Constante (argentina), Paloma Díaz-Mas, Marina Mayoral, Lourdes Ortiz, Ana Rossetti y Esther Tusquets en la nómina de mujeres hispanas que han cultivado en mayor o menor grado la vertiente erótica con cierto éxito, sea en novela, cuento, o ensayo. Conste que ninguna es exclusivamente autora de narrativa erótica, y que varias de ellas —a diferencia de cultivadores masculinos de temas típicamente eróticos— exhiben clara conciencia del masoquismo, sadismo, egoísmo o perversión subyacente a los arquetípicos escritos eróticos. Las escritoras evitan el lenguaje vulgar, chabacano, elaborando el aspecto lingüístico con esmero, arte y lirismo. Desdeñando el cultivo monotemático de lo sexual, utilizan subtemas importantes (en particular el de la soledad existencial) y emplean variadas formas de intertextualidad, sugiriendo paralelos con mitos o cuentos de hadas, evocando textos como *Alicia en el país de las ma-*

ravillas, o parodiando clichés de las relaciones estereotipadas hombre-mujer[1].

Abad se cría en Barcelona, donde estudia Ciencias de la Información en la Universidad Autónoma de su ciudad natal y comienza a participar en proyectos de radio y montajes cinematográficos. Además de sus trabajos periodísticos, parece que da clases universitarias. Típicamente sus publicaciones revelan poco con respecto a su familia, aunque de vez en cuando deja caer algún detalle, como la referencia en un artículo a sus recuerdos infantiles de las mañanas de domingo cuando su padre la llevaba a visitar lugares de derribos y demolición (lo cual sugiere una vida acomodada, en vista de la observación posterior que «desde entonces he visitado solares ilustres y densamente emotivos de media Europa» [*Titúlate tú,* 85])[2]. Estos escritos revelan una respetable cultura, con amplios conocimientos de arte, música, cine, teatro, arquitectura y literatura, tanto internacional como española. Sus ensayos atestiguan que es una lectora voraz (*«Happy Birthday,* Documenta»), bien enterada de la historia y evolución de la imprenta y sus productos («Zozobra en las artes del libro», ambos en *Titúlate tú).* Entre sus lecturas ávidas se incluyen preferentemente autores franceses, y luego británicos y norteamericanos. Se perciben huellas posmodernas en sus frecuentes alusiones intertextuales, presentes hasta en sus ensayos y los títulos de sus colaboraciones periodísticas: «El cuervo», «Cuñas y barro», «Retrato de artista con tijeras» (todos en *Titúlate tú).* Sus escritos periodísticos revelan varios de los mismos recursos retóricos y estilísticos que se aprecian en su obra narrativa. El tratamiento del lenguaje es muy parecido, como también el tono; lo que varía más entre ficción y no-ficción es la temática y esas partes estructurales determinadas por el género.

Abad, perteneciente al grupo de narradoras jóvenes reveladas en «la democracia», refleja en sus comienzos literarios la atmósfera de libertad imperante en la época de publicación de su primer libro, *Ligeros libertinajes sabáticos* (1986), una colección de cuentos con la cual Abad llegó a ser la segunda mujer ganadora del Premio «La Sonrisa Vertical» de relatos eróticos. La temática erótica reaparece

---

[1] En un estudio mío que intentaba dilucidar rasgos comunes de la ficción erótica escrita por autoras españolas, se incluye un examen del cuento titular de *Ligeros libertinajes sabáticos* que destaca la presencia de un estilo falsamente sencillo dependiente, de lítotes, repetición e ironía para conseguir efectos humorísticos, amén de explotar estereotipos sociales y sexuales. Se apunta la importancia de la insinuación y la sugerencia en la ficción erótica de Abad, subrayando el ritualismo y absurdo utilizados para parodiar tanto el género como los sucesos y personajes (ver Janet Pérez, «Characteristics of Erotic Brief Fiction by Women in Spain»).

[2] Agradezco a Mercedes Abad el haberme facilitado ejemplar de esta colección ya agotada.

en otra colección de cuentos, *Felicidades conyugales* (1989)[3], con su ya característico acercamiento humorístico, irónico y burlón a este subgénero que cultivan pocas mujeres en España. Debe apuntarse que, pese al título que descaradamente evoca el lecho matrimonial, escasean tanto la intimidad y sexualidad «normales» que peligran desaparecer por completo entre los «felices» cónyuges, encontrándose sólo en adulterios (generalmente breves) que los lectores casi nunca presencian, conociéndolos sólo por breves referencias. Tal procedimiento vuelve a decepcionar al consumidor de «porno blando»: tanto en los ensayos como en su ficción, Abad parodia la pornografía dirigida al consumidor masculino, con toques juguetones subversivos que denuncian la comercialización del sexo por escrito al igual que espectáculos que rayan en lo pornográfico[4].

Durante más de tres lustros, Abad ha preferido cultivar el ensayo y la ficción breve, que reaparece en su colección de cuentos *Soplando al viento* (1995), ya de temática más variada. Quien conozca ficciones anteriores de Abad se habrá dado cuenta de que muchos personajes suyos adolecen de graves problemas psicológicos, emotivos, sexuales, o —más ampliamente— existenciales, psicosociales, y de patologías de la personalidad. Paralelamente, sus rachas de humorismo se tiñen a ratos de toques crueles o perversos, como se aprecia de nuevo en *Soplando al viento,* cuyo título ya de por sí evo-

---

[3] Varias narraciones de la colección reinciden en el tema de los matrimonios infelices, algunos de forma tan feroz que evocan la colección de María de Zayas, *Desengaños amorosos* (1647). Rasgo interesante que comparten las dos narradoras es que la ferocidad conyugal no la monopolizan los hombres, pues ambas pintan mujeres capaces del asesinato y otros crímenes. Podría deducirse que el tema de Abad que une estas dos colecciones es la tiranía del matrimonio, sobre todo si no existe el divorcio. El tema de los matrimonios desavenidos representa el enfoque de Concha Alborg, «Desavenencias matrimoniales en los cuentos de Mercedes Abad».

[4] Para la cuestión de ficciones eróticas y pornografía, véase James Mandrell, «Mercedes Abad and La Sonrisa Vertical: Erotica and Pornography in Post-Franco Spain». Alborg afirma en el artículo ya citado que «Para Mercedes Abad no hay diferencia entre lo uno y lo otro» (37), citando a Nancy Vosburg («Entrevista con Mercedes Abad») donde Abad sostiene que «todo erotismo es pornografía. Pornografía es el arte de lo erótico» y niega la existencia de frontera entre los dos. Algunos teóricos, sin embargo, distinguen entre estos sub-géneros, alegando que —a diferencia de la literatura erótica— la pornografía es monotemática, sin incluir peripecia, descripciones o anécdota no relacionadas al contacto sexual (ver la Introducción a *Monographic Review/Revista Monográfica,* 7 [1991] donde se trata esta cuestión). Habría que apuntar, en todo caso, que la literatura erótica escrita por mujeres sí suele incluir bastante que no se relacione directamente con actividades sexuales, que suele tomar menos en serio tales actividades (son frecuentes las parodias y los acercamientos lúdicos), y que se preocupa bastante más por el esmero en el estilo. En el caso particular de Abad, hasta en su obra supuestamente más «pornográfica», del Premio Sonrisa Vertical, se incluyen importantes sub-temas como la inautenticidad existencial de los personajes, la hipocresía, sus problemas psíquicos y lo absurdo de ciertas tradiciones y costumbres.

ca el enajenamiento, la auto-marginación de aquellos que insisten en nadar contra corriente debido a un entendimiento peregrino de «lo normal» o bueno, o por no saber o querer comunicarse con los demás. Otros son tímidos, malentendidos, neuróticos, o simplemente un buen día se cansan de sus amistades, su trabajo, su vida, llevando su rebelión a extremos del absurdo. Porque el absurdo constituye otra constante de Abad.

Mientras tanto, Abad no ha abandonado del todo la escritura erótica, contribuyendo a colecciones como *Relatos eróticos escritos por mujeres* (1990), *Cuentos eróticos de Navidad* (1999), y *29 Dry Martinis* (1999). Ha tanteado además el teatro: *Prèterit perfecte* (1992), estrenado en Madrid y Barcelona, *Si non è vero* (1995), *Bunyols de Quaresma* (1998), todas en catalán, y *Chocolate amargo,* sin estrenar. Su interés por lo erótico entra en sus traducciones y/o adaptaciones: hizo la versión castellana de *Las amistades peligrosas,* adaptada para la escena, como también la traducción y adaptación de *La filosofía en el tocador* del Marqués de Sade para el espectáculo XXX (2002) de la Fura dels Baus. Entre los ensayos de Abad reaparece la temática erótica en *Sólo dime dónde lo hacemos* (1991), y esporádicamente en la colección de artículos periodísticos escritos para la edición catalana de *El País* entre 1995 y 2001, publicados como *Titúlate tú* (2001)[5]. Los temas repetidos en dicha colección incluyen varios que pueden verse ya como constantes de la escritora, incluyendo Eros y Thanatos —erotismo y muerte— lo absurdo, la vida doméstica o casera, como también la existencia cotidiana en Barcelona, tratada frecuentemente con toques burlescos o sarcásticos. Sus artículos periodísticos incluyen varias entrevistas a artistas, comentarios a una telenovela u otros sucesos de cultura popular, presentaciones de escritores, reseñas de libros, películas, estrenos teatrales, funciones de ópera y exposiciones de arte. Como no se limita a la cultura, figuran también sucesos de interés histórico, político o sociológico (por ejemplo, un acto que reunió a mujeres del 36, reconociendo sus combates en la retaguardia, los duros trabajos en fábricas y partos en campos de concentración), o por otra parte, la campaña contra una librería dedicada a Hitler y memorabilia del fascismo, la visita a un nuevo restaurante de temática de vaqueros, u otra visita a un templo budista a escasos kilómetros de Barcelona. En plano cívico, dedica un artículo a la campaña montada por los vecinos del barrio de la Sagrera a favor de un guineano, ciudadano naturalizado español, falsamente acusado de terrorismo. Es cronista además de sucesos tan variados como fiestas populares, el rodaje de

---

[5] Comprende unos ochenta ensayos breves divididos en siete apartados desiguales con subtítulos que sugieren una temática común, a veces más metafórica que literal.

una película pornográfica, una excursión a una plantación de canna-bis, y varios actos poco probables, contados por lo general en un tono escéptico y desenfadado. Generalmente se resiste a comentar en voz propia, dejando al lector que deduzca su postura de los cambios de registro del discurso.

Sangre (2000)[6] representa su primera incursión en la narrativa larga, sin que señale su abandono del género breve, pues la escritora ha seguido publicando cuentos sueltos en revistas y periódicos. En marzo de 2004 (cuando ya se había dado por concluido el presente estudio), salió *Amigos y fantasmas*[7], que reúne una docena de narraciones cuya extensión varía entre media docena de páginas y unas sesenta. Es notable por la introducción de una temática bastante más variada con nuevos enfoques y otras novedades que reflejan el aprendizaje y maduración adquiridos mientras escribía *Sangre*.

En *Ligeros libertinajes sabáticos,* mediante una técnica reiterativa y estructura acumulativa, reminiscentes de los cuentos infantiles, Abad en el relato titular satiriza la «buena sociedad» burguesa o aristócrata que esconde una gran corrupción moral bajo la capa de etiqueta, conservadurismo, y buenos modales. Se trata de cinco matrimonios que acuden los sábados por la tarde a la misma casa para una cena completamente estilizada, pretexto para una orgía también ritualizada de sexualidad pervertida —desviaciones, fetichismo, bestialidad, prácticas neuróticas— todo pasado por alto por los comensales, jamás aludido. Pese a años de celebrar esta orgía ritualizada, siguen tratándose de «Señor Smith» y «Señora Johnson» (los apellidos anglosajones contribuyen al distanciamiento del lector). Esta situación, emblemática de la falta de comunicación (problema existencial o matrimonial) denuncia la hipocresía de personajes que ya de por sí son enajenantes con sus aires ceremoniosos y toques grotescos. La norma para los rituales sabáticos es la infidelidad, aunque todos observan el más rígido código de urbanidad, prodigando cortesías que agudizan la crítica social implícita. Algunos de los mismos temas reaparecen en *Felicidades conyugales* y *Soplando al viento*.

En «Pascualino y los globos» el monólogo interior de un moribundo sirve a la vez de última confesión, sin vestigios religiosos ni morales. Puesto que agoniza durante un acto sexual, evoca la asocia-

---

[6] Publicada por Tusquets, como las tres colecciones anteriores, *Sangre* tiene casi 300 páginas que la diferencian enfáticamente de la novela corta.

[7] En *Amigos y fantasmas,* en vez de partir de taras psicológicas, Abad parte de situaciones inéditas para los personajes, circunstancias imprevistas e inquietantes, que provocan reacciones acaso atípicas que pueden cambiar su transcurso vital, llegando nuevamente a finales sorpresivos o inesperados que responden menos a la lógica que al absurdo.
Agradezco a Mercedes Abad el gentil regalo de esta novedad editorial.

ción clásica entre Eros y Thanatos. La voz masculina corresponde a la única narración de la colección sin perspectiva mi protagonista femeninas. Acaso el protagonista tenga algo de cordero «pascual,» puesto que fue «sacrificado» por la rigidez de sus padres, que jamás le permitieron un desarrollo sexual normal. Desesperado tras una vida trivial, anodina y aburrida, Pascualino decide dedicar el resto de sus días a su obsesión secreta: las gordas, cuanto más obesas, mejor. Cuando descubre a la increíblemente obesa Daniela, se dedica a seducirla en seguida, con la intención de buscar la muerte ahogado bajo su gigantesco cuerpo. Ya puede apreciarse parte de las significativas diferencias entre las ficciones eróticas de Abad y escritores masculinos, incluyendo la ausencia de atractivos sexuales desde el punto de vista tradicional. Varios cuentos presentan mujeres obesas —el extremo opuesto del ideal de belleza actual. Otra diferencia, nada desdeñable, respecto a típicas narraciones dirigidas al *consumidor* masculino, es que las emociones del amante o personaje masculino trascienden el goce sexual, que en el caso de Pascualino se combina con la embriaguez de su primer ejercicio de libertad existencial. En otros cuentos existe un goce asesino, o un placer enfermo, neurótico, de sumisión a una necesidad hipocondríaca.

El tono característico de Abad (como se aprecia al yuxtaponer sus cuentos y trabajos periodísticos) combina desenfado con una sutil ironía, humor, o eufemismos lúdicos; su lenguaje, típicamente llano y hasta coloquial, intercala inesperados vocablos cultos, técnicos o herméticos, consiguiendo efectos sorpresivos. Su ficción erótica revela un talante burlón y fino sentido del léxico, con notas grotescas y la presencia frecuente del absurdo, insinuando apenas que los personajes son una liga de neuróticos y neurasténicos, cuyas actividades de aspecto ritual —en vez de excitar— se contemplan con una mezcla de sorna y lástima, que establece cierto distanciamiento entre lector y texto o personajes. Abad con frecuencia emplea diferentes niveles de discurso, divergentes y hasta desconcertantes: utiliza lítotes, hipérboles, exageración y contradicción, metáforas frescas e insólitas, la repetición subversiva que se burla de lo ritual, la sátira e incongruencia entre recursos de lo más variado que contrastan con lo generalmente raras pero poco estimulantes actividades que sus personajes inventan para fines eróticos. El tono ligero dificulta que el lector haga otra cosa que contemplarlos como bichos raros. La escritora parodia el género a la vez que lo cultiva con esmero, satirizando las expectativas del estereotipado consumidor machista y misógino.

Felicidades conyugales contiene una docena de cuentos más un diálogo «A guisa de epílogo», en el cual una escritora, herida por críticas adversas a su último libro, acude a la puerta donde un huérfano de nueve años le informa que la ha elegido como madre. El diálogo entre ellos incluye algo de autocrítica: «tus novelas son una auténtica calamidad» (190), «Trabas tus textos a fuerza de epítetos. Enrevesas lo que es natural a fuerza de epítetos» (191). El niño, sorprendentemente maduro, le aconseja, «Deberías escuchar realmente a la gente» porque así «te convertirás en alguien temible [...] en alguien que escucha y registra, alguien que sabe algo de los demás» (191, 198). Varias narraciones (como ya se ha observado) reinciden en el tema de los matrimonios desavenidos, pero Abad se aleja de lo erótico en más de la mitad, como en «Pasión defenestrante» cuya narradora cuenta la estrambótica aventura amorosa de su amiga Paula con Igor, un misterioso checo que le compra centenares de regalos carísimos y una mansión antes de tirarse por la ventana de un noveno piso, dejando deudas espectaculares. Tiempo después se descubre una carta de Igor para Paula que confiesa que lleva años queriendo suicidarse y le agradece a ella el haberle provisto el pretexto.

Entre las «felicidades conyugales» de matrimonios problemáticos, «Una bonita combinación» presenta Albert (un Don Juan puesto al día) con su serie de amantes casi interminable, mientras que su sufrida esposa Louise —la mujer «ideal» estereotipada— se dedica a embalsamar a las amantes una por una, gracias a un cursillo de taxidermia, y enterrarlas en las paredes de la casa. «La arrogancia de Claire Hampton» se narra desde la perspectiva de la secretaria cuyas funciones primordiales son proveerle al jefe mujeres para un sinfín de infidelidades, después de las cuales la secretaria le aconseja confesarlo todo a su mujer. Otra visión del matrimonio indisoluble la presenta Abad mediante la metáfora de los gemelos siameses en «Mío para siempre (En siamada)»: una mujer madura que viaja a Tailandia inexplicablemente se ve fundida por la muñeca a un joven tailandés (sin tener nada más en común que dicho vínculo). «Los himenópteros las prefieren orquídeas» parte del distanciamiento mutuo después de un cuarto de siglo de casados e insinúa la metamorfosis del marido en insecto: él se dedica exclusivamente a sus apreciadas orquídeas. Anastasia, ya obesa, vive exclusivamente para comer y ver programas televisivos; ve en el marido un gigantesco himenóptero mientras que Federico considera la obesidad de ella monstruosa. Anastasia decide asesinarlo, pero él se adelanta y con el final sorpresivo frecuente en Abad, Federico la envenena.

En «Sueldo de marido», Arturo —rico, indolente, aburrido— acuerda cambiar lugares con su amigo Alejandro que ha firmado contrato de marido (forzosamente casto) con la bella Carmen para combatir la pasión incestuosa de su hijo Alfil, de quince años. Alejandro —convertido ya para siempre en Arturo— se entera de que Alfil ha asesinado al «padrastro». Dicho complejo de Edipo o rivalidad para hacerse con el amor de la madre reaparece en «Las pieles de mamá» cuando el insignificante señor Dimas se ve eclipsado por su talentoso hijo que paulatinamente asume la autoridad y control. Curiosamente, Abad pinta relaciones íntimas de pareja casi totalmente desprovistas de erotismo —por lo menos, entre los cónyuges. «Despejando incógnitas» presenta un triángulo (marido, mujer, y un hombre homosexual)— pseudo-intelectuales incapaces de entenderse. La falta de comprensión lleva a la esposa a creer que el marido la engaña con el homosexual, y abandona al marido, quien realmente la quiere, como se aclara en las cartas al final. Abad parece burlarse del sueño —o cuento de hadas— del matrimonio ideal, presentando parejas con problemas lo suficientemente serios que solamente otra persona con problemas complementarios podría aguantar la relación, como se aprecia en «El amor de su vida», en el cual un hipocondríaco exagerado encuentra la «única mujer para él» en una doctora que se dispone a cuidarle el resto de su vida (siendo él permanente conejo de Indias). Resulta evidente que el acercamiento de Abad trasciende la categorización de feminista (lógicamente, pues ella ha indicado en una conversación entre escritoras citada por Alborg [33] que no se considera «portavoz de su sexo»), sus relatos suelen partir del presupuesto de la igualdad de los sexos, aunque sea igualdad en número de defectos: son casi todos tarados físicos, psíquicos o morales. Es un retrato muy acorde con su afirmación al final de *Ligeros libertinajes* que «la promiscuidad de la vida y la literatura [constituye] un espectáculo triste y grotesco» (139; citado por Alborg, 37).

En los trece cuentos de *Soplando al viento* casi desaparece la temática obsesiva de los matrimonios desavenidos, aunque haya un par, amén de dos o tres de amores frustrados. «La bisabuela está loca», contada por la «oveja negra» de una familia venida a menos, revela como la hija menor —la abusada Cenicienta— se venga impidiendo la decepción planeada para salvar a todos de la ruina. El protagonista inseguro de «Gabriel Bender, *love me tender*» desconfía tanto de sí que deja que los agüeros y señales rijan su vida hasta el punto de estropear su futuro entero. En «Una pizca de solidaridad», Mademoiselle Lebrun, huérfana transterrada, «era una de esas personas que no encajan en ninguna parte» (51), como tampoco «tenía amigos íntimos, ni perros, ni gatos, ni pájaros, ni peces» (53). Su defensa de un muchacho africano que se hizo su amigo incondicional, provocó la ira de los vecinos y trajo la desgracia de ambos. El hermanito de Andrés en «El pájaro» pronuncia mal la palabra («pajáro») molestando tanto al hermano mayor que éste no interviene cuando el pequeño se mete una cucaracha en la boca y muere atragantado (cuento que recuerda unos de Cristina Fernández Cubas en *El ángulo del horror).* En «Adán y Eva», transportados a finales del siglo XX, él comienza a perseguirla pese a sus rechazos, llegando a estacionarse en un banco enfrente de su casa sin abandonar su persecución durante tres años. Cuando el obsesionado amante desaparece de súbito, Eva comienza a preocuparse, luego a buscarlo, y por fin se enferma. Tiempo después lo ve con otra mujer, y al día siguiente va con una pistola y lo mata. Otra historia de una obsesión amorosa es «Sueños que a veces se cumplen» en que Bianca se obstina en dudar que Rosso sea un amante tan ideal en todo como parece, maltratándolo para evitar enamorarse, hasta perderlo por irse con alguien que «valía cien mil veces menos que Rosso» (136) y así destruirse a sí misma. Volviendo a desavenencias maritales, «Cada día a la misma hora» durante treinta años, Joseph Blick y Gladys hacían exactamente lo mismo, hasta que la rutina invariable que antes le daba seguridad a él se convirtió en desprecio y ese día besó a la rana que todos los días se sentaba frente a él en el tren. Gerardo, «Un hombre de temple» según la adivina que le pronostica una serie de desastres —abandono de su mujer, pérdida de su trabajo, incendio de su vivienda, la muerte de su hijito, y la pérdida de todo lo que le queda con el divorcio— sobrelleva estos desastres con calma, pero un día, disgustado por la vendedora que le ha cobrado demasiado por unos calzoncillos, la estrangula. El narrador de «Pertinaz sequía», escritor que atraviesa un período sin inspiración, es acusado de plagio y disgustado, busca otro lugar para escribir. En un hotel aislado y casi vacío, conoce al marido de la patrona, un hombre de imaginación tan espantosa que ha arruinado su vida. Fingiendo ser psiquiatra, el escritor intenta apropiarse de la fantasía del «loco», pero fracasa en su intento de plagio.

Varios cuentos giran en torno a obsesiones o disgustos respecto al hablar, oír, o escuchar. Tomás en «El placer de callar» comienza a ver su vida como impostura, rompe todos sus lazos con el mundo —incluyendo a la novia— le echan por no pagar el alquiler, perdiendo sus pertenencias y, empeñado en revelar su «verdadero» carácter infame, comienza a robar y atracar. La narradora de «Amigas» visita a su amiga Clara pensando contarle algo que arde por contar, pero Clara comienza a parlotear sin parar hasta que la narradora reacciona con insultos y crueldad. En «El placer de escuchar», el matrimonio Imbert llega a cenar por primera vez en casa de los Closas, donde pronto se enzarzan en una competencia por el campeonato de conversadores, sin saber que los anfitriones habían preparado una trampa, dándoles de comer al hijo asado para que quedaran sin poder pronunciar palabra. El tema de la conversación y comunicación entre viejas amigas por carta y teléfono —pues llevan separadas los últimos veinte años— predomina en «Memorial Party», donde las dos se ponen a beber y a hablar de recuerdos mutuos y —sin ponerse de acuerdo respecto a ninguno— riñen aparatosamente. Cuando se vuelven a comunicar, es para repetir el desacuerdo, ya de forma desenfadada.

Sangre, la primera novela larga de Abad, contrasta con el promedio de sus publicaciones anteriores: obra enormemente imaginativa, rebosa fantasía e imágenes frescas, insólitas, audaces. Abad indicó en una entrevista con Ana Alcaina que le obsesiona que no haya momentos muertos en la narrativa, y por lo tanto, lucha por obtener la intensidad del cuento mediante la condensación, sobre todo en las descripciones que —de acuerdo con el concepto decimonónico— deben tener una vertiente simbólica, o reflejar de algún modo el estado de ánimo del personaje, avanzando así la narración. Esta meta se refleja bien en los pasajes descriptivos de la novela, que evita la descripción minuciosa, pormenorizada —técnica naturalista— pero busca la verosimilitud, cosa importante en una novela cuyo argumento incluye sucesos fantásticos y hasta sobrenaturales, por no decir milagrosos.

Ciertas constantes de Abad no se repiten en *Sangre:* los personajes parecerán exóticos porque en su mayoría pertenecen a una secta desacostumbrada (o porque un personaje de cierto relieve desempeña el oficio de hacer autopsias) pero en lo psíquicosocial y moral, son más «normales» que los del promedio de los cuentos. Lo raro en *Sangre* resulta del argumento en sí, aunque siguen presentes el absurdo, la soledad existencial y la falta de comunicación que subyacen en buen porcentaje de las narraciones anteriores. El aspecto erótico se limita al pasado de la protagonista-narradora, de profesión actriz, quien comenta haber tenido varios amantes; en el presente novelesco, no pasa de un incipiente interés de su parte por el médico forense. Se dirige al lector en directo, utilizando la primera persona típica de la autobiografía, pero sus primeras palabras —a modo de prólogo— ya anticipan un desenlace fatal, con omnisciencia atípica del escrito autobiográfico: «Ésta no es una historia alegre, se lo advierto. Y además acaba fatal. Dentro de poco no quedará nada de mí. No sé cuánto tiempo tengo todavía ni si me alcanzará para contar lo sucedido. Lo único que sé es que no voy a morirme. Lo que haré es desaparecer de la historia por completo, arrojada al limbo de lo que jamás existió» (13)[8]. Además de una proliferación de incógnitos, abundan las ambigüedades, y Abad explota a veces las ambivalencias inherentes en la sintaxis española. El tono coloquial se mantiene, junto con el aspecto autorreferencial, contradictorio, a veces absurdo o ilógico que fluctúa, pero no desaparece, formando parte de un conjunto de aspectos posmodernos, como una variada intertex-

---

[8] Tal comienzo, sin embargo, sitúa a la protagonista en una situación comparable a la de «novelas de protagonista muerto», pues se comunica en líneas generales el desenlace, dejando sólo elucidar cómo se llega a dicho fin (cosa comparable, por otra parte, con la *novela negra* que comienza con un cadáver, un supuesto asesinato, y sólo falta descubrir al culpable).

tualidad (que se aprecia ya en las palabras inciales del primer capítulo): «Lo único que puedo decir sin temor a equivocarme es que aquella mañana el cielo era intensa y casi dolorosamente azul» (17), aparente alusión a la novela social de Alfonso Grosso, *Un cielo difícilmente azul*. Abundan alusiones de tipo culterano, burlonas o paródicas: «Me sentí como un dios solar. Shamash u Horus, tal vez» (17). Los intertextos varían desde la Biblia —generalmente citada sin falsos respetos— hasta la historia reciente y la cultura popular. Una alusión temprana a Albert Camus deja claro que los toques absurdos son deliberados. Entre otras técnicas posmodernas se nota el aspecto del narrador no fiable, que se contradice o confiesa sus limitaciones, ofrece conjeturas o se equivoca, a pesar del comienzo aparentemente omnisciente.

Sin embargo, y pese a que la autora en la entrevista ya citada afirme que en cierto sentido *Sangre* «es una novela muy posmoderna», difiere mucho de los experimentos posmodernos más extremos cuyos lectores jamás se enteraban de «qué pasaba», ni dónde, ni a quién. Los sucesos, por fantasmagóricos que sean algunos, son siempre perfectamente claros, como también los personajes y lugares, con ubicación histórica también clara: todo sucede en el momento actual (finales del siglo XX) hasta la transfusión, que provoca la muerte de la narradora y fusión de su espíritu con el de la madre. El estilo exhibe aspectos posmodernos adicionales en las auto-correcciones, ocasionales juegos de palabras y oportunos neologismos, expresiones de duda y contradicciones (típicas de la conciencia narradora falible posmoderna).

La historia se tiñe desde el comienzo de lo desacostumbrado por tratarse de una secta minoritaria protestante, poco conocida incluso en Estados Unidos, y bastante misteriosa en España (las que lograron sobrevivir durante la dictadura se vieron obligadas a una existencia totalmente invisible). La narradora pertenece a una familia barcelonesa *espondalaria* (término que identifica un grupo parecido a los Testigos de Jehová y los Adventistas)[9], a quienes se atribuye la creencia —basada en la Biblia— de que la vida de todo animal reside en la sangre, de ahí la prohibición absoluta de consumirla. La novela subraya la prohibición de transfusiones. Gira el argumento en torno a una relación de amor-odio entre la narradora de unos treinta años («oveja negra» de su familia que ha dejado la existencia recatada de la secta por una vida supuestamente escandalosa en el teatro), y su madre, mujer al parecer amargada, fanática e inflexible. Dicha relación se expone a través de la recreación de la infancia y ju-

---

[9] La asociación con ambas sectas no es sorprendente, puesto que los Testigos de Jehová son una escisión de los Adventistas del Séptimo Día, habiéndose separado en 1931.

ventud de la narradora en una casa directamente enfrente del monumento incompleto de la iglesia de la Sagrada Familia —morada de lo diabólico para los espondalarios (como lo sería toda iglesia católica por creer los católicos que en el Sacramento se consume el cuerpo y la sangre de Cristo).

El desenlace lo provoca un accidente que sufre la madre de la narradora, atropellada por un autobús, que necesita urgentemente una transfusión de sangre, idea que la moribunda rechaza por completo, aunque accede la hija a la donación. Cuando comienza el proceso, despierta la madre e inmediatamente se funden sus conciencias en un solo cuerpo, al parecer el de la madre, pues muere la narradora de una reacción fulminante. Se despierta inmersa en la conciencia de su madre, con todas sus sensaciones y recuerdos desde niña, pero también los de su progenitora. Dicha fusión le permite [re]vivir la vida de la madre desde dentro, reconciliándose con ella paulatinamente mientras llega a comprenderla al participar en incidentes claves que formaron su personalidad y descubrir que casi todos los conflictos entre ellas se deben a cambios radicales en la madre debidos a traumas sufridos en la guerra y postguerra (sobre todo la educación femenina bajo Franco). Al principio no concuerdan en casi nada, pero según pasan los años la eventual comprensión permite que madre e hija —fundidas— formulen un plan suicida que cambiará la historia española de postguerra, ingeniándose la muerte del dictador en el momento que sale de una iglesia (diabólica para los espondalarios) después de una misa para ellos blasfema en Burgos. Abad resiste la tentación de explicar exactamente cómo la muerte de Franco (para ellas de mano divina), influirá en el futuro del país —lógicamente, puesto que las personalidades madre-hija se extinguen al sacrificarse en la maniobra de situar al dictador en el lugar y momento exactos en que han intuido que le caerá encima su destino con el colapso de una torre.

Mercedes Abad ha logrado con *Sangre* una obra única y sin embargo muy *sui generis* en cuanto paradigmática de ella. Es —como el resto de su obra— decididamente posfeminista, puesto que los problemas típicamente tratados por escritoras feministas no lo son para la conciencia narradora, ni influyen de forma decisiva en la novela (como tampoco en el resto de la obra de Abad). Al mismo tiempo, se debe considerar la novela, como a Abad misma, pos-posmoderna, porque no rechaza el concepto de significados que trascienden el momento y la circunstancia. Aunque haya que pasar por el absurdo, no todo es absurdo, y ciertas cosas sí tienen significado, entre ellas el seguir la crítica social, la burla de tradiciones ridículas o insensatas, costumbres grotescas, el señalar los defectos humanos con ironía, pero muchas veces esa misma ironía algo triste y compasiva que caracteriza las grandes obras de todos los tiempos.

OBRAS CITADAS

ABAD, Mercedes (2004), *Amigos y fantasmas,* Barcelona, Tusquets.
— (1989), *Felicidades conyugales,* Barcelona, Tusquets.
— (1986), *Ligeros libertinajes sabáticos,* Barcelona, Tusquets.
— (2000), *Sangre,* Barcelona, Tusquets.
— (1995), *Soplando al viento,* Barcelona, Tusquets.
— (2002), *Titúlate tú,* Barcelona, Plaza y Janés (Libro del Bolsillo).
ALBORG, Concha (2003), «Desavenencias matrimoniales en los cuentos de Mercedes Abad», en Alicia Redondo Goicoechea (coord.), *Mujeres novelistas. Jóvenes narradoras de los noventa,* Madrid, Narcea, págs. 31-43.
ALCAINA, Ana, «Entrevista a Mercedes Abad», www.barcelonareview.com/ 25/S_ent_ma.htm
MANDRELL, James (1993-1994), «Mercedes Abad and La Sonrisa Vertical: Erotica and Pornography in Post-Franco Spain», *Letras Peninsulares,* 6 (2-3), págs. 277-299.
PÉREZ, Janet (1991), «Characteristics of Erotic Brief Fiction by Women in Spain», *Monographic Review/Revista Monográfica,* 7, págs. 173-195.
VOSBURG, Nancy (1991), «Entrevista con Mercedes Abad», *Letras Peninsulares,* 4 (2-3), págs. 321-330.

Capítulo IV

Una historia fantasmal:
Soldados de Salamina de Javier Cercas

Robert C. Spires
University of Kansas

> Inventamos constantemente el presente; más aún el pasado.
> Recordar es inventar.
>
> Javier Cercas, *El vientre de la ballena.*

Hablando de la historia, el filósofo Gianni Vattimo sostiene que, «no hay hechos, tan sólo interpretaciones» *(Beyond Interpretation,* 2)[1]. Vattimo también opina, según Jon R. Snyder, «que la verdad y el ser son acontecimientos —o sea algo que constantemente se vuelve a interpretar, a escribir y a crear— y no objetos permanentes, inmóviles» («Translator's Introduction», *The End of Modernity,* xx). En sus obras de ficción Javier Cercas parece proponer una tesis parecida cuando privilegia la invención sobre la documentación. De acuerdo con sus narraciones, la verdad tanto del presente como del pasado no es cuestión exclusiva de hechos capaces de ser verificados sino de fantasmas capaces de ser sentidos. En efecto, y conforme a la tesis de Vattimo, los supuestos hechos suelen ser tan erróneos y engañosos como cualquier interpretación subjetiva. La socióloga Avery F. Gordon expresa una idea parecida al decir: «[...] lo real en sí y sus representaciones etnográficas y sociológicas son también ficciones, aunque tan poderosas que las sentimos no como ficticias sino verda-

---

[1] Todas las traducciones del inglés al español, aquí y a lo largo del texto, son mías.

deras» (11). O sea, según las implicaciones de los conceptos citados, la verdad de una experiencia depende tan sólo de su capacidad de apelar a los sentidos, y cada oyente o lector determina hasta qué punto la apelación es eficaz. Es más, el hablante de la obra de Enrique Vila-Matas, *El mal de Montano,* propone que la tarea del comentarista de una obra literaria es la de autodefinirse a sí mismo: «mientras un escritor escribe para saber qué es la literatura, un crítico trabaja en el interior de los textos que lee para reconstruir su [propia] autobiografía» (107). Roberto Bolaño, uno de los personajes de *Soldados de Salamina* (y escritor chileno de carne y hueso fallecido en 2003), dice algo parecido sobre la función del lector: «Todos los buenos relatos son relatos reales, por lo menos para quien lee, que es el único que cuenta» (166). En resumidas cuentas, en *Soldados de Salamina* específicamente y en su novelística en general Cercas parece hacer eco de las ideas de Vattimo al sugerir que la historia no ha de ser entendida como verdades fijas sino como sensaciones efímeras creadas por fuerzas irreales, incluso fantasmales.

Soldados de Salamina consta de la trasformación de hechos históricos en acontecimientos inventados, de una verdad estéril en una ficción fecunda. Si por una parte parece que en gran medida la obra trata de una historia real documentada, de veras versa esencialmente sobre la investigación efectuada por el escritor que le permitió reconstruir los múltiples incidentes de esta historia inconsecuente, básicamente ignorada u olvidada, y cómo la moldeó en un relato de implicaciones trascendentales.

La anécdota trata del caso históricamente auténtico de uno de los fundadores de la Falange Española y amigo de José Antonio Primo de Rivera, Rafael Sánchez Mazas (1894-1966)[2], de cuya historia se enteró el narrador en un principio gracias a una entrevista en 1994 con el escritor Rafael Sánchez Ferlosio, hijo del derechista. Éste contó en aquella ocasión cómo su padre escapó en los últimos días de la guerra civil de una ejecución cerca de Banyoles de presos (soldados y políticos) nacionalistas.

Gracias a los datos que va acumulando, el narrador llega a saber que Sánchez Mazas se halló en el Madrid republicano al estallar la

---

[2] De veras Sánchez Mazas no hizo un papel muy significativo una vez fundado el partido. Según el *Diccionario de la falange* de Álvarez Puga, en 1927 escribió un artículo sobre el valor simbólico del yugo y las flechas, imagen apoderada por el partido (92). También contribuyó con ensayos ideológicos al semanario fascista *El Fascio,* en 1933 (28), y sirvió de delegado de estudio para El Acta Constitución de Falange Española del 2 de noviembre de 1938 (20). Ricardo Chueca, en su libro sobre el fascismo español, nota que Sánchez Mazas también fue componente de tres de los cinco consejos nacionales de la Junta Política de FET-JONS (456-457). Sin embargo, en muchos estudios sobre el Movimiento y sus líderes ni siquiera se menciona el nombre de Sánchez Mazas.

guerra y se refugió en la embajada de Chile, donde se quedó casi año y medio, o hasta finales de 1937. Mientras sus compatriotas durante esta época estaban luchando física e ideológicamente, arriesgando y en muchos casos perdiendo la vida, Sánchez Mazas estaba a salvo en la embajada, donde escribió su primera novela *(Rosa Krüger,* publicada por su viuda en 1984). Su reclusión voluntaria durante el primer año y medio bélico, y luego involuntaria como prisionero en Barcelona durante el último año de la guerra, sin duda ayuda a explicar por qué no formó parte primaria del liderazgo del fascismo en España después de la muerte de José Antonio y durante la fundación del Movimiento. De todas formas, en los últimos días de 1937 huyó de la embajada camuflado en un camión, con la meta de llegar a Francia. Mas las fuerzas del gobierno le cogieron y encarcelaron en Barcelona y cuando se avecinaron las tropas franquistas, los republicanos partieron para los Pirineos y Francia, llevando consigo a los prisioneros. En Collell, cerca de Banyoles, los milicianos decidieron fusilar a los presos más importantes, y así Sánchez Mazas formó parte del grupo condenado. Pero debido a la confusión creada por el ajusticiamiento, la lluvia y el pánico general de los republicanos, Sánchez Mazas (y Pascual Aguilar, que escribió *Yo fui asesinado por los rojos,* una suerte de diario con fines políticos que se menciona pero que de veras no forma parte de la historia narrada aquí) escaparon al bosque cercano al principiar los tiroteos. El falangista se escondió en un hoyo pero lo encontró allí uno de los milicianos que vino en pos. Cuando un oficial republicano desde otra parte del monte le preguntó al soldado si había encontrado a alguien, el miliciano, sin dejar de mirarle al refugiado directamente a los ojos, contestó que no había nadie por aquella parte, y se marchó. Poco después Sánchez Mazas se encontró con tres desertores republicanos que le ayudaron a sobrevivir hasta que llegó el ejército nacionalista[3].

Los tres «amigos del bosque» (título dado por el mismo Sánchez Mazas a sus camaradas de guerra durante aquellos días de fuga) y una serie de conocidos de ellos cuentan cómo al falangista, tras haberle perdonado la vida el miliciano anónimo, se le perdieron las gafas en el bosque y por eso andaba básicamente ciego antes de encontrarse con los amigos que lo llevaron a una masía donde le dieron de comer y un sitio en el pajar para dormir mientras esperó varios días la llegada de los nacionales. Al terminar la guerra Sánchez Mazas disfrutó de posiciones oficiales más simbólicas que estratégicas pero

---

[3] Además de político, Sánchez Mazas fue escritor de poesía y novela (como ya notado, escribió su primera novela en la embajada chilena). Juan Ignacio Luca de Tena publicó en el *Boletín de la Real Academia Española* un elogio a Sánchez Mazas a la muerte del falangista en 1966 y menciona en el artículo la huida casi milagrosa que forma el eje anecdótico de *Soldados de Salamina.*

no carentes de cierta influencia. Por ejemplo impuso su autoridad para brindarle libertad a uno de los desertores que, según la explicación que su padre le dio al político franquista, fue acusado sin pruebas de crímenes durante la guerra. El hijo de uno de los desertores cuenta que ya durante la dictadura alguien, fingiendo ser uno de los tres amigos, escribió a Sánchez Mazas, por entonces ministro, pidiéndole dinero, y al enterarse de la trampa uno de los amigos auténticos denunció la suplantación mediante su propia carta al ministro. La idea era que quería proteger la integridad de Sánchez Mazas. Por otra parte dos de los desertores se encontraron por casualidad en un sitio donde el falangista iba a dar una conferencia, pero no se les permitió hablar con el conferenciante y ni siquiera asistir a la presentación. La imagen creada por los testimonios, por lo visto fidedignos, es equívoca y nos deja con la visión de un hombre más o menos corriente, ni noble ni ruin, con fama de ser egoísta: total, un político por lo visto de buen corazón pero un tanto alejado y parapetado contra la realidad que le rodea. Además, ninguno de los amigos del bosque ni sus sobrevivientes saben lo que más le interesa al narrador: a saber, la identidad del miliciano que le perdonó la vida. En gran medida, tras narrar en la primera y segunda partes cómo se enteró de los detalles de la vida en la embajada, la captura en Barcelona, la huida del fusilamiento y la vida del político después de ser rescatado por el ejército franquista, el narrador en la tercera parte dirige el enfoque a sus esfuerzos por solucionar el enigma sobre la identidad y los motivos del miliciano, o sea, por terminar la historia de Sánchez Mazas con una conclusión definitiva, totalizadora.

Debido a sugerencias hechas por varias personas e investigaciones realizadas por su propia cuenta el narrador por fin parece encontrarse con el hombre que le salvó la vida al oficial falangista. El soldado se llama Antoni o Antonio Miralles (insiste él en ser llamado sólo por el apellido) y es actualmente residente en un asilo para ancianos de Dijon, Francia. Antes de dar con este hombre tan elusivo, el narrador ya había terminado su libro sobre el fusilamiento, pero todo le dejó decepcionado porque lo consideraba un incidente sin consecuencias notables y por eso una tarea inacabada. Un día en su función de periodista entrevistó a Roberto Bolaño, el escritor chileno que vivía en España[4]. Bolaño, por pura casualidad, le habló de un hombre que conoció en un camping de Castelldefells en 1978. Todo lo contado parecía afirmar que aquel hombre en efecto era el ex-miliciano que el narrador andaba buscando durante tanto tiempo. En-

---

[4] Bolaño murió el 15 de julio de 2003 en España. Cercas escribió en *El País Semanal* un homenaje al chileno. Luego tendré más que decir sobre unos comentarios de este artículo.

tre las cosas que narró, el chileno habló en detalle de una noche cuando observó a Miralles bailando con una prostituta el pasodoble, *Suspiros de España*. El narrador recuerda que, según Sánchez Mazas, uno de los guardias de Collell estaba cantando el mismo pasodoble poco antes del ajusticiamiento. Es más: el falangista añadió que creía, aunque no estaba totalmente seguro, que el que cantó fue el mismo soldado que lo encontró escondido y no lo denunció.

Si en un principio la información suministrada por Bolaño parece solucionar el problema del hablante de dar finalidad a su obra, no le cuesta mucho a Cercas descubrir que la tarea de encontrar al tal Miralles es poco menos que imposible. Al comunicarle luego a Bolaño sus dificultades para localizar al miliciano y la posibilidad de que a lo mejor la entrevista tan anhelada nunca sea realizada, el chileno contesta: «—Tendrás que inventártela —dijo—. ¿Qué cosa? —La entrevista con Miralles. Es la única forma de que puedas terminar la novela» (169). Cercas y Bolaño existen en dos planos, uno ficticio y otro real. Así que por una parte este consejo representa lo que un personaje-escritor le dice a otro personaje-escritor, pero por otra puede considerarse lo que un escritor de carne y hueso le recomendó, o lo que le hubiera recomendado, a otro de la misma índole que estaba escribiendo un libro. De todas formas plantea la posibilidad de que la tercera parte de la novela sea pura invención para crear una obra con sentido totalizador. Como toda obra de arte, el creador tiene la obligación de hacer lo necesario para dar forma artística a su creación. Cada novela es una mezcla de lo inventado y lo real, así como cada autobiografía es una mezcla de lo real y lo inventado[5]. En fin Miralles, tal vez el personaje más real de *Soldados de Salamina*, puede no ser sino una invención artística.

Conforme a la ley de verosimilitud artística, el hablante por fin se da con Miralles en el asilo para ancianos de Dijon donde el ex-soldado vive. Después de una conferencia telefónica el narrador coge el tren y va a Dijon. Pasan juntos la mayor parte de un día y el ex-republicano afirma que sí estaba en Collell cuando el incidente. En cuanto a sus motivos todo es bastante más equívoco. En efecto, según el concepto de la historia como una serie de hechos absolutos comprobados, ésta puede considerarse casi una antihistoria, o en efecto una invención que apela a experiencias sentidas más bien que a hechos verificados.

Tal vez para reafirmar la idea de privilegiar lo sentido e inventado sobre lo sabido y documentado, el viaje por tren a Dijon, la entrevista y el viaje de vuelta sirven para dar fin estructural, artístico, a la

---

[5] Son varios los que han escrito sobre este concepto de autobiografía/ficción, pero a lo mejor el ensayo de Paul De Man es el más conocido.

narración. Además, son acontecimientos que sugieren que este episodio, en gran medida ignorado, consta de una verdad no sospechada de la guerra civil española y de la civilización occidental. Tal como el narrador se lo explica a su compañera Conchi: «[...] Miralles (o alguien como Miralles) era justamente la pieza que faltaba para que el mecanismo del libro funcionara» (167). Exista o no como realidad histórica, no cabe la menor duda de que Miralles funciona como realidad artística, ficticia, que es la realidad más verdadera de *Soldados de Salamina,* y tal vez también de la vida de cada ser humano.

Sin embargo, según el narrador mismo, en un principio no pensó en una forma artística, estructurada, sino en una documentación histórica de la fuga y todo lo relacionado con ella: «el libro que iba a escribir no sería una novela, sino sólo un relato real, un relato cosido a la realidad, amasado con hechos y personajes reales, un relato que estaría centrado en el fusilamiento de Sánchez Mazas y en las circunstancias que lo precedieron y lo siguieron» (52). Pero como ya he indicado, esta historia verdadera queda suplantada por otra inventada, a saber, el proceso de identificar y localizar al miliciano y hablar con él. De hecho, es justamente lo inventado lo que presta valor trascendente a la obra, lo que convierte un caso un tanto melodramático e inusitado en una contemplación existencial sobre la vida humana.

Amén de sus implicaciones metafísicas, lo inventado forma parte integral también de lo real. Al crear su obra, que de nuevo no iba a ser ficción sino relato fidedigno, el narrador se da cuenta de que la realidad también tiene su dimensión inventada. Por ejemplo, al referirse el hablante a la entrevista con Rafael Sánchez Ferlosio en 1994 cuando escuchó por primera vez la historia del fusilamiento, nota que luego la volvió a oír contada por el mismo Sánchez Mazas en 1999 por medio de una filmación hecha en 1939. Este barajar de fechas tiende a universalizar un incidente supuestamente anclado en un momento histórico específico, a convertirlo en discurso atemporal en el que se funden griegos y persas, republicanos y nacionalistas, una batalla antigua y una guerra contemporánea. El concepto de un discurso más allá de fronteras temporales surge aún más cuando el narrador se da cuenta de que, aunque las historias contadas por el hijo y por el mismo protagonista son básicamente idénticas, hay un elemento que pone todo en tela de juicio: «[...] tuve la certidumbre sin fisuras de que lo que Sánchez Mazas le había contado a su hijo (y lo que éste me contó a mí) no era lo que recordaba que ocurrió, sino lo que recordaba haber contado otras veces» (42-43). Así la narración de la historia llega a tener más «verdad» que los hechos narrados; uno tiende a ser más fiel a lo contado que a lo ocurrido porque, sobre todo para los que no observan directamente los acontecimientos (el caso, por ejemplo, del hijo Rafael Sánchez Ferlosio), la única realidad es la narrada por otros. Aun en el caso de los testigos o participantes, siempre han de recrear con lenguaje lo vivido y una vez hecho ello lo recreado lingüísticamente es la realidad, sea fiel o no a lo ocurrido. Es más, no podemos por menos de convertir toda realidad en discurso. Pensamos en y con el lenguaje. Jorge Luis Borges, en una conferencia dada en París y citada por Enrique Vila-Matas, lo expresa así: «Intento no pensar en cosas pasadas porque si lo hago, sé que lo estoy haciendo sobre recuerdos, no sobre las primeras imágenes» *(París no se acaba nunca,* 148)[6]. Así pues al considerar la posibilidad de entrevistar a los desertores que ayudaron a Sánchez Mazas después del ajusticiamiento, el narrador sabía que no debía fiarse del todo de sus palabras tampoco: «[...] lo que acaso me contarían que ocurrió no sería lo que de verdad ocurrió y ni siquiera lo que recordaban que ocurrió, sino sólo lo que recordaran haber contado otras veces» (62). Vattimo opina que lo que llamamos la verdad no es sino una interpretación de consenso hecha sobre algo en un determinado momento histórico. Pero esta verdad cambia cuando lo ocurrido vuelve a ser interpretado y la nueva hermenéutica es aceptada por otra comunidad, un proceso capaz de ser repetido potencialmente a lo largo de la historia humana. Para realizar o hacer realizable esta reinterpretación dinámica se esfuerza por documentar no tanto lo ocurrido como lo ya narrado, en efecto lo inventado. Un hecho concreto da lugar a una invención lingüística, y ésta a otra *ad infinitum* hasta suplantar totalmente lo ocurrido con lo contado. En efecto, cada acto de narrar nos aleja un paso más de lo que se supone es la «realidad».

La conversión del pasado en discurso, oral, cinematográfico o escrito, ha de determinar también cómo escribamos y entendamos el futuro. Por ejemplo, Cercas en efecto cumple con la promesa hecha por Sánchez Mazas de incluir a los tres amigos del bosque en el libro. ¿Cómo no podría cumplir? Ellos forman parte de la narración de modo que Cercas de veras no tenía más remedio. La realidad de ellos ya es parte del relato, sean ellos reales o inventados, asegurando que quien escriba en el futuro sobre Sánchez Mazas a la fuerza ha de incluir a los tres amigos, aun en el caso de intentar probar su ine-

---

[6] Estas palabras pronunciadas por Borges fueron inspiradas por las de su padre y dirigidas a Jorge Luis cuando éste era casi niño. Según Vila-Matas, el gran escritor argentino las citó textualmente en la conferencia: «Pensé que podría recordar mi niñez cuando por primera vez llegué a Buenos Aires, pero ahora sé que no puedo, porque creo que si recuerdo algo, por ejemplo, si hoy recuerdo algo de esta mañana, obtengo una imagen de esta mañana. Pero si esta noche recuerdo algo de esta mañana, lo que entonces recuerdo no es la primera imagen, sino la primera imagen de la memoria» (147-148).

xistencia histórica. Si el falangista no los hubiera puesto en su narración sin duda no habrían existido más allá de sus propias memorias y la de sus familiares y amigos. Su anonimato habría sido idéntico al de la gran mayoría de los seres humanos. Aunque siempre somos convertidos en construcciones lingüísticas por otros, sólo sobrevivimos más allá de la muerte de los que nos conocen si logramos existencia ficticia, sea artística o histórica. Este vivir como personaje discursivo (escrito, oral o plástico) asegura existencia eterna, auque sea fantasmal.

Si bien es cierto que la base de la realidad no es lo que aconteció sino lo que se ha inventado —«un escritor no escribe nunca acerca de lo que conoce, sino precisamente de lo que ignora» (143-144)—, resulta que tras el primer acto de narrar (y claro esta primera narración tampoco ha de ser fiel a los hechos), todo lo que siga es una suerte de plagio. De hecho, cuando entrevista a Angelats, uno de los tres desertores, este amigo del bosque le dice al narrador: «Sánchez Mazas nos dijo que iba a escribir un libro sobre todo aquello, un libro en el que apareceríamos nosotros. Iba a llamarse *Soldados de Salamina*. [...] También dijo que nos lo enviaría, pero no lo hizo» (73). Aquí se crea confusión sobre la realidad de quién es el autor del libro que leemos. Además del título por lo visto plagiado, por supuesto la anécdota narrada sería la misma en las dos obras. Al contrario de un proceso progresivo, la historia humana parece ser una repetición monótona. Tal vez no sería demasiado aventurado concluir que el mensaje de todo ello es que de veras, y no obstante las múltiples variaciones, hay un número muy limitado de historias sobre los seres humanos contadas por un número infinito de «autores».

La cuestión de autoridad en *Soldados de Salamina* va estrechamente unida a la de realidad. En su homenaje a Roberto Bolaño publicado en *El País Semanal,* Javier Cercas lamenta que muchos españoles tan sólo conocieran al chileno gracias a su papel en la novela. Si por una parte su lamentación es justificada dado que la creación literaria de Bolaño había sido ignorada por gran parte del público español, tras su muerte, al contrario, de repente aparecieron sus obras en los sitios más visibles de casi todas las librerías. Pero no obstante la campaña publicitaria para vender libros de un autor muerto, Cercas creó a un nuevo Roberto Bolaño que para muchos es el único real, aunque sea una ficción. Mientras haya lectores de *Soldados de Salamina* el chileno vivirá, pero por supuesto como ente de ficción y no como ser de carne y hueso. Mas el acto de crear no termina allá porque tal como en *Niebla* de Unamuno, el personaje por su parte ayuda a crear al autor, Javier Cercas.

El narrador inicia su obra refiriéndose mediante las fechas de publicación a las primeras dos obras de ficción escritas por Javier Cercas, y a datos sobre la vida privada de éste. O sea, en un principio parece ser una suerte de autobiografía escrita por el autor. A pesar de estos aspectos autobiográficos, el Javier Cercas de *Soldados de Salamina* es una construcción lingüística, y los otros personajes creados por él ayudan a construirlo a él. Por ejemplo, durante la entrevista inicial entre el narrador y Bolaño éste le pregunta si es el autor de *El móvil* y *El inquilino,* los títulos de las obras de ficción mencionadas indirectamente al principio y de hecho ambas escritas y publicadas por Javier Cercas. Pero al ser mentado dentro de una novela, el hombre real se convierte en un personaje irreal, en fantasma. Su irrealidad carnal es subrayada por la versión cinematográfica de *Soldados de Salamina* porque en ella la persona que sirve de protagonista y hablante, además de no llamarse Javier Cercas, es mujer y la persona masculina que le aconseja en la novela es trasformada en lesbiana en la película, con más intereses amorosos que poéticos. La sexualidad de los personajes es sacrificada por su función artística. ¿Qué manera más eficaz para señalar que no son hombres carnales sino fantasmas inmortales?

La idea de un ser verdadero convertido en aparición de sí mismo se sugiere en las últimas páginas cuando el narrador vuelve de Dijon. El tren tiene restaurante y va allí no para comer sino para tomar. Sentado mira hacia fuera: «Ahora el ventanal duplicaba el vagón restaurante. Me duplicaba: me vi gordo y envejecido, un poco triste» (205). El Javier Cercas de *Soldados de Salamina* es tal como el narrador sentado en el vagón restaurante mirando su reflejo en el ventanal. La imagen reflejada puede ser considerada una metáfora de cómo cualquier narrador es visión, distorsionada poco o mucho, de su autor. No es el autor mismo o la autora misma, sino una representación lingüística y así espectral de la persona de carne y hueso.

Crear inmortalidad en forma de fantasmas es la función tal vez primordial de todas las artes plásticas y literarias, pero los espectros, como los autores, también existen en el mundo material. Gordon sostiene que «un fantasma no es simplemente una persona muerta o desaparecida, sino un ser social» (8). Según ella, los fantasmas forman parte de un aura que ella y otros llaman encantamiento o *haunting*[7]. La idea es que no podemos liberarnos nunca de los muertos.

---

[7] Ver el discurso sobre *to haunt* en *Mañana en la batalla piensa en mí* de Javier Marías (81-82). Como comenta el narrador de la novela de Marías, el verbo encantar en castellano de veras no tiene la misma connotación, aunque el sustantivo encantamiento comunica más o menos la misma idea. El hablante de la novela de Marías dice algo muy parecido a lo dicho por el hablante de la novela de Cercas: «[...] si bien se mira no es otra cosa que la condenación del recuerdo, de que los hechos y las personas recurran y se aparezcan indefinidamente y no cesen del todo ni pasen del todo ni nos abandonen del todo nunca [...]» (82). Gordon y Marías, al hablar de *haunting,* se refieren a sensaciones subconscientes de nuestros vínculos con el pasado.

Sin verlos ni poder tocarlos, nos damos cuenta de que espiritualmente están presentes pese a estar físicamente ausentes. Querámoslo o no, es imposible negar los fantasmas del pasado. Tal como lo explica Gordon: «El ser encantado o *haunted* nos atrae emocionalmente, a veces contra nuestra voluntad y siempre un poco mágico, a la estructura de sentimientos de una realidad que llegamos a sentir, no como conocimiento concreto, sino como reconocimiento transformador» (8). Sin emplear la palabra espectro, el narrador expresa lo que parece ser el mismo concepto: «Pensé que, aunque hacía más de seis años que había fallecido, mi padre todavía no estaba muerto, porque todavía había alguien que se acordaba de él. Luego pensé que no era yo quien recordaba a mi padre, sino él quien se aferraba a mi recuerdo, para no morir del todo» (187). Dice casi lo mismo tocante a Bolaño y sus memorias de sus amigos latinoamericanos muertos en guerras: «[...] se acuerda porque, aunque hace sesenta años que fallecieron, todavía no están muertos, precisamente porque él se acuerda de ellos. O quizá no es él quien se acuerda de ellos, sino ellos los que se aferran a él, para no estar del todo muertos» (201). Ambos el narrador y Bolaños, según la terminología de Gordon y Javier Marías, están encantados o *haunted* por sus parientes y conocidos quienes, aunque físicamente muertos, son fantasmas vivos en la memoria.

Pero muy al contrario de la connotación negativa de la palabra corriente, para los escritores mentados este encantamiento o *haunting* forma la clave de valores humanos. Es semejante al efecto creado por una obra literaria de hacerle a uno sentir los vínculos que unen a unos con otros incluyendo los vivos con los muertos. O sea, esta sensación de ser *haunted* es justamente lo que permite que nos sintamos parte de la comunidad humana más allá de la historia documentada. El arte crea sus propios fantasmas de vida inmortal y gracias a ellos los lectores formamos vínculos con la comunidad humana.

Los vínculos están implícitos en el título mismo de la novela, *Soldados de Salamina*. Salamina, según muchos historiadores, es donde los griegos vencieron a las fuerzas persas mucho más grandes, cambiando con ello el balance de poder del mundo a favor de occidente[8]. Todos, occidentales y orientales, somos productos de aquella batalla antigua. A lo mejor por eso, a la hora de ser presentado al hermano de uno de los amigos del bosque, el narrador se describe como «[i]ncrédulo, como si acabaran de anunciarme la resurrección

---

[8] La batalla ocurrió en 480 a.C. e inició el fin del imperio oriental, llevado a cabo después por Alejandro Magno. Ver, por ejemplo, el libro de Peter Green sobre las guerras greco-persas.

de un soldado de Salamina [...]» (56). Además, repetidas veces dentro del texto leemos la frase de Spengler, «[...] a última hora siempre ha sido un pelotón de soldados el que ha salvado la civilización» (86 *passim)*. El pelotón de este episodio de la historia española, y de esta novela, parece constar de un solo soldado que, en un momento determinado, optó por portarse de una manera humanitaria y no militar. Al hacerlo, el hombre carnal se convirtió en espectro heroico.

Desde el principio hasta el fin de la novela Miralles, tanto para el narrador como para el lector, es héroe fantasmal. De hecho, cuando en su entrevista el narrador lo llama héroe, Miralles rechaza el título: «Los héroes sólo son héroes cuando se mueren o los matan. Y los héroes de verdad nacen en la guerra y mueren en la guerra. No hay héroes vivos, joven. Todos están muertos. Muertos, muertos, muertos» (199). Dicho de otro modo, por lo visto el Miralles histórico, de la guerra, ya no existe. El héroe es irreal y el anciano actual de carne y hueso es tan sólo reflejo borroso de aquél.

En efecto, el miliciano del pasado tenía muy probablemente una vida también irreal. Según lo que le contó a Bolaño, empezó su carrera militar con Líster y luchó con él en las batallas de Aragón, de Belchite, de Teruel, del Ebro y por fin participó con él y otros 450.000 españoles en la huida a Francia para encontrarse en el campo de concentración de Argelès. Muy poco después se alistó en la Legión Extranjera y fue a África donde luchó con el general Jacques-Philippe Leclerc contra los italianos y alemanes en nombre de la Francia libre de DeGaulle. Al terminar la campaña africana viajó a Inglaterra para adiestrarse en el manejo de tanques americanos. Luego desembarcó en las playas de Normandía y participó en la campaña de Francia y llegó hasta Austria, donde una mina puso fin a su carrera de unos ocho años de luchas casi constantes. Al recobrarse de sus heridas, se convirtió en ciudadano francés con pensión de por vida. Es difícil no sospechar cierta exageración, incluso invención, en esta historia de la vida militar de Miralles. El ex-miliciano mismo en efecto lo admite al comentar un tanto cínicamente sobre las historias heroicas: «[...] la mitad son mentiras involuntarias y la otra mitad mentiras voluntarias» (177). De nuevo, hay un gran trecho entre la historia vivida y la narrada. Es posible, de hecho casi seguro, que en ciertos momentos la gente se porte de un modo heroico. Pero cuando la misma acción es narrada, todo cambia; la verdad histórica deja de existir al convertirse en verdad narrativa. Y no cabe duda de que esta verdad narrativa, pese a ser fantasmal y antihistórica, es ejemplo del tipo que suele inspirar sentimientos de patriotismo, nacionalismo, proselitismo y, desafortunadamente, a veces fanatismo.

Si todo indica que Miralles estaba presente en el ajusticiamiento, es mucho menos cierto que fuese el miliciano que encontró a Sánchez Mazas escondido en el hoyo y lo salvara. De hecho, Miralles mismo parece indicar lo contrario al referirse al falangista: «[...] si alguien mereció que lo fusilaran entonces, ése fue Sánchez Mazas: si lo hubieran liquidado a tiempo, a él y a unos cuantos como él, quizá nos hubiéramos ahorrado la guerra [...]» (192). Ni que decir tiene que no es el tipo de comentario que se esperaría del que salvó al refugiado. Pero las palabras «a tiempo» crean cierta ambigüedad. Habiendo pasado ese tiempo porque la guerra ya estaba perdida para Miralles cuando encontró al fugitivo, tal vez se dio cuenta de lo inútil de otra muerte a aquellas alturas, aun la de uno de los responsables de tanta matanza. Acertada o no tal interpretación, la confesión abre posibilidades, por lo visto, en el mismo momento de cerrarlas. Cuando los dos hombres, después de la entrevista, se separan el narrador le pregunta a bocajarro: «—Era usted, ¿no? Tras un instante de vacilación, Miralles sonrió ampliamente, afectuosamente, mostrando apenas su doble hilera de dientes desvencijados. Su respuesta fue: —No» (204-205). Pero a juicio del narrador es un «no» que no vale. En el tren de vuelta, tomando un whisky, piensa en Miralles, «[...] un hombre acabado que tuvo el coraje y el instinto de la virtud y por eso no se equivocó nunca o no se equivocó en el único momento en que de veras importaba no equivocarse» (209). De acuerdo con su respuesta, o sea con la evidencia histórica verificada, Miralles no fue el que salvó a Sánchez Mazas. Sin embargo, para el narrador Miralles es el que permitió sobrevivir al político nacionalista porque la verdad artística exige tal solución. Siempre nos hacen falta los que tienen este «instinto de la virtud», sean seres reales, inventados o fantasmales. Es porque, según el narrador en las últimas palabras de la novela que suenan casi como un canto espectral, permiten que la civilización siga «hacia delante, hacia delante, hacia delante, siempre hacia delante» (209).

A la hora de hablar del fin de la historia, Vattimo se refiere a la historia entendida como un proceso teleológico o una cadena infinita de progreso (con connotación económica y tecnológica). Pero las palabras repetidas casi fantasmalmente «hacia delante» a mi juicio no tienen la misma connotación. La novela nos invita a interpretarlas como expresión de valores humanos, valores que no pueden ser verificados definitivamente como hechos concretos, tan sólo sentidos como fantasmas que nos encantan, que nos *haunt*.

Javier Cercas nació en 1962, y así tiene tan sólo unos cuatro años más que Lucía Etxebarria (1966), cinco más que Ray Loriga (1967) y nueve más que José Ángel Mañas (1971), identificados como los pilares mismos de la llamada Generación X[9]. Pero pese a la cercanía de edad entre Cercas y ellos, son escritores radicalmente distintos. De hecho, para merecer el título de miembro del grupo X parece que

---

[9] Neil Howe y William Strauss proponen que los miembros de la generación X estadounidense tienen que haber nacido entre 1961 y 1981.

las obras de uno han de ser nihilistas y evitar representaciones de valores humanos[10]. Ahora bien, uno puede sostener que la experiencia estética de un mundo sin valores le hace al lector echar de menos justamente tales valores. Pero resulta que no hay dentro de las obras de la llamada Generación X modelo ético, positivo. Si el mensaje es anhelar un mundo mejor, es bastante difícil adivinar, a base de sus obras artísticas, el tipo de méritos capaz de realizarlo.

Por su parte Cercas nos ofrece representaciones de conducta moral. Caben dentro de esta misma categoría ética novelistas tales como Almudena Grandes (1960), Ignacio Martínez de Pisón (1960), Belén Gopegui (1963) y Juan Manuel de Prada (1970), para limitarme a algunos nombres muy célebres de las letras españolas recientes. Es un grupo que, con sólo unos pocos años más (y en un caso de unos menos) que los de la llamada Generación X, ofrece una novelística radicalmente distinta. En lugar de un enfoque casi exclusivo en drogas, sexo, violencia gratuita y abulia, Cercas y los suyos tratan de los problemas de migración, inmigración, globalización, comunicación y todo ello casi siempre como plataforma de la problemática de divisiones sexuales. Por su parte los X parecen reaccionar con obras anti-humanistas y totalmente amorales. No expresan interés manifiesto en los problemas sociales y existenciales de la España actual, ni en los casos de Loriga y Mañas, en las cuestiones de género sexual. Por lo visto son versiones de hoy del pasota de los años 80, pero sin manifestar los mismos motivos políticos de aquéllos. De todas formas hablar de una generación hegemónica para caracterizar la novelística española de finales del siglo XX y principios del XXI me parece una distorsión de la realidad novelística. En fin, es el problema de etiquetas generacionales y su tendencia a ser por un lado exclusivas y paradójicamente por otro inclusivas. O sea, una vez definidos los miembros muy difícilmente se reconoce a otros pero a la vez se supone que cada obra publicada durante cierta temporada y por escritor de cierta edad a la fuerza ha de reflejar la estética del grupo generacional. Es a todas luces una distorsión porque si hay obras publicadas en los últimos años que parecen burlarse de la ética occidental histórica, también podemos encontrar otras que se enfrentan con los problemas tradicionales dentro del contexto de la España actual. Cercas y los otros mentados de su grupo ético ofrecen ejemplos de una literatura comprometida que, sin duda a juicio de algunos, es demasiado idealista para la sensibilidad contemporánea. Ojalá estén equivocados porque, a mi juicio por lo menos, hacen falta escritores que con su arte creen fantasmas cuya función sea inten-

---

[10] Son varios los comentarios sobre este grupo. Uno muy reciente y muy valioso es el de Nina Molinaro. Ver también los de Toni Dorca, José Antonio Fortes, Germán Gullón y Carmen de Urioste.

tar que la civilización siga «hacia delante, hacia delante, hacia delante, siempre hacia delante».

OBRAS CITADAS

ÁLVAREZ PUGA, Eduardo (1977), *Diccionario de la falange,* Barcelona, DOPESA.

CERCAS, Javier, «Llanto por un guerrero», *El País Semanal,* 1408, 21-IX-2003, pág. 8.

— (2001), *Soldados de Salamina,* Barcelona, Tusquets.

— (1997), *El vientre de la ballena,* Barcelona, Tusquets.

CHUECA, Ricardo (1983), *El fascismo en los comienzos del régimen de Franco. Un estudio sobre FET-JONS,* Madrid, Centro de Investigaciones Sociológicas.

DE MAN, Paul (1979), «Autobiography as De-Facement», *Modern Language Notes,* 94, págs. 919-930.

DORCA, Toni (1997), «Joven narrativa en la España de los noventa: la generación X», *Revista de Estudios Hispánicos,* 31, págs. 309-324.

FORTES, José Antonio (1996), «Del "realismo sucio" y otras imposturas en la novela española última», *Ínsula,* 589-590, págs. 21 y 27.

GORDON, Avery F. (1997), *Ghostly Matters. Haunting and the Sociological Imagination,* Minneapolis, University of Minnesota Press.

GREEN, Peter (1996), *The Greco-Persian Wars,* Berkeley, Los Angeles, Londres, University of California Press.

GULLÓN, Germán (1996), «Cómo se lee una novela de la última generación (Apartado X)», *Ínsula,* 589-590, págs. 31-33.

HOWE, Neil y STRAUSS, William (1991), *Generations. The History of America's Future, 1584-2069,* Nueva York, William Morrow and Company.

LUCA DE TENA, Juan Ignacio (1966), «Semblanza literaria y sentimental de Rafael Sánchez Mazas», *Boletín de la Real Academia Española,* 46, septiembre-diciembre, págs. 402-406.

MARÍAS, Javier (1994), *Mañana en la batalla piensa en mí,* Barcelona, Anagrama.

MOLINARO, Nina L. (2003), «The "Real" Story of Drugs, Dasein, and José Ángel Mañas. *Historias del Kronen», Revista Canadiense de Estudios Hispánicos,* 27, págs. 291-306.

SNYDER, Jon R. (1985), «Translator's Introduction», *The End of Modernity,* Gianni Vattimo, Baltimore, The Johns Hopkins University Press, págs. vi-lviii.

URIOSTE, Carmen de (1997-1998), «La narrativa española de los 90: ¿Existe una "generación X"?», *Letras Peninsulares,* 10, págs. 455-476.

VATTIMO, Gianni (1997), *Beyond Interpretation. The Meaning of Hermeneutics for Philosophy,* David Webb (trad.), Stanford, Stanford University Press.

— (1985), *The End of Modernity,* Jon R. Snyder (trad.), Baltimore, The John Hopkins University Press.

VILA-MATAS, Enrique (2002), *El mal de Montano,* Barcelona, Anagrama.

— (2003), *París no se acaba nunca,* Barcelona, Anagrama.

CAPÍTULO V

El mundo antitético de *Planeta hembra*
de Gabriela Bustelo

MARTA E. ALTISENT
UNIVERSITY OF CALIFORNIA, DAVIS

Gabriela Bustelo, autora madrileña nacida en 1962 y formada algunos años en los Estados Unidos, encarna el mestizaje angloamericano de la llamada Generación X, con su acentuada incursión en una cultura de masas y unas señas de identidad firmemente engranadas en el manejo de la oralidad juvenil y el idioma trasnacional de la cultura audiovisual. El biculturalismo de Bustelo, fortalecido por su profesión de traductora de literatura angloamericana, le permite deslizarse entre subgéneros literarios poco transitados por la novela femenina española[1].

Su primera novela, *Veo, veo* (1995), fue calurosamente acogida por la crítica como parodia original del género de espionaje; en *Planeta hembra* (2001) expande la parodia al subgénero de la ciencia ficción y la heterotopia lesbiana. Escrita en forma de guión cinematográfico, la novela exhibe una heterogénea mezcla de recursos literarios y de la cultura popular audiovisual que dan un giro paródico a las premisas especulativas del género.

---

[1] Gabriela Bustelo pertenece al mismo grupo de los 31 narradores nacidos entre 1960 y 1971, agrupados en la antología *Páginas amarillas,* Madrid, Lengua de Trapo, 1997. Estudios dedicados a la autora y su generación son: «Dos narradoras de nuestra época: Gabriela Bustelo y Marta Sanz» de Marina Villalba Álvarez; «La travesía del desfiladero. Narradores españoles de los 90» de José María Guelbenzu; «Cómo se lee una novela de la última generación (apartado X)» de Germán Gullón y «La nueva novela española a finales del siglo XX» de Eva Navarro Martínez.

Esta fábula cibersexual trata de un nuevo orden mundial femenino encumbrado por las laberínticas estructuras policiales e informáticas que sostienen su rígido doctrinario lesbiano. La civilización del planeta Hembra, con sede en el Nueva York de cerca del tercer milenio, no representa una civilización aislada en el futuro sino la nuestra, que ha llevado a sus últimas consecuencias la guerra fría entre los sexos. El lesbianismo se ha impuesto como una consecuencia lógica y políticamente necesaria del feminismo sin alterar las bases jerárquicas y clasistas del orden patriarcal desplazado. Las dirigentes del partido XX, junto a los del partido rival homo-masculino XY, combaten una minoría terrorista heterosexual (célula H), que resiste en el subsuelo de la capital. La guerra de los géneros se complica así con la anarquía de tres sexualidades.

Esta sociedad tecnocratizada remeda el mundo eficiente y esterilizado que Aldous Huxley imaginó en *Brave New World*, porque su poder no está basado en el armamento y la agresión, sino en la inteligencia artificial y la eugenesia genética, que permite el control de la vida humana desde el origen:

> El mundo empezó a funcionar con una estructura social y política radicalmente diferente a la anterior. Se creó un bipartidismo mundial basado en únicas agrupaciones: el partido XX, formado en su totalidad por Hembras se hizo con el poder frente a un partido XY cuyos miembros, hombres, aspiran desde entonces a liberarse del yugo. Cada cuatro años se celebran elecciones y siempre ganan las Hembras por la sencilla razón de que constituyen más del cincuenta por ciento de la población. Conviene aclarar el innegable *expertise* de las Hembras en materia de clonación y terapia genética, amén de lograr una población en perfecto equilibrio numérico —con las tasas de natalidad y mortalidad precisas para evitar la superpoblación—, para asegurarse la cifra siempre mayor de Hembras necesarias para ganar una y otra vez las elecciones *(Planeta,* 113-114).

La reapropiación política del cuerpo femenino libera a sus ciudadanas de la fisiología reproductiva para reconducir sus energías hacia destrezas internautas. Las hembras de *Planeta hembra* mantienen una belleza sin edad gracias a las prótesis y la microcirugía cosmética. No se han liberado de la mortalidad, probando su naturaleza corruptible, pero proyectan su perfectibilidad en la descendencia. Esta reproducción de diseño con mínima participación masculina y asequible a la élite asegura la supremacía de las «Hembras Reales», junto a hembras, hombres, droides, insectoides y robots en posiciones subalternas. La ingeniería biogenética perpetúa la estabilidad del sistema y, como en el mundo de Huxley, suplementa las mutaciones darvinianas y adormece los dos terrores presentes de nuestra civilización: la amenaza de sobrepoblación y la extinción de la raza blanca.

LA HISTORIA

Al frente de estas guerrilleras de internet encontramos a la presidenta Eckart y a su sucesora Báez, directora del Departamento de Erradicación de Grupos Terroristas, a la que se ha encargado desarticular el Comando (heterosexual) resistente que conspira en el subsuelo de la capital. Báez entra en contacto con un agente del partido de la oposición, Graf, cuyas simpatías hacia el grupo perseguido suscitan suspicacias de doble juego entre las dirigentes. Los recorridos de la pareja por la sede de XX permiten a Graf, y por extensión al lector, acceder al gineceo mágico y prohibido de las instituciones del partido: el laboratorio, la escuela de Formación de Hembras, el archivo-biblioteca virtual UTER, donde se originan los mecanismos de censura y propaganda del sistema. Pero las intenciones de Graf de debilitar la supremacía de las hembras para imponer un sistema de poder rotativo con XY, sólo emergen cuando éste se desplaza a París y establece contactos con el grupo de anarco-heterosexuales.

Dos tramas paralelas separan las pesquisas de Báez y Graf por este universo cerrado hasta su reencuentro. Báez sufre un atentado y mientras se recupera en el Gineceum conoce (y se deja seducir por) Alva, una desertora del partido heterosexual que la guía (enmascarada) hacia el centro de la célula terrorista en el metro de Queens. Mientras tanto, Graf, que ha quedado atrapado en la biblioteca virtual del partido XX es rescatado por la niña Dillon y consigue escapar a París travestido de Hembra, con la ropa y peluca de la maestra Deng, para reanudar allí sus contactos con los resistentes de H y XY. Allí, la inquisitiva Dillon indaga en la memoria histórica erradicada y habla con los excluidos del sistema, fascinada por las diferencias heterosexuales que el grupo mantiene «provocativamente vivas».

Pero la verdadera misión de Graf consiste en seducir y rescatar a la mujer secuestrada por el feminismo y revelarle su falacia anti-natural en el momento en que ésta empieza a sentirse enajenada por el sistema. La creciente tensión sexual prueba que ambos son reticentes a la programación recibida y culmina en un ardoroso encuentro heterosexual, «que amenaza los fundamentos del pensamiento Único y descarga una energía vital insostenible sobre el planeta» (Díez, 1). Cuando las ubicuas cámaras de vigilancia airean globalmente su indiscreción, se desencadena un cataclismo de reminiscencias clintonianas. Báez es descalificada y rebajada al nivel de los anarco-heterosexuales, y cede a Graf la iniciativa subversiva capaz de canalizar los propósitos revolucionarios de la raza sumergida. Tras una guerra planetaria de géneros, la fuga de la pareja, junto con Alva y Dillon, al planeta Andrómeda, apunta a un nuevo ciclo civilizador; a una reconfiguración de la familia humana liberada de la triada edípica y de las constricciones de la diferencia sexual.

CIBERFILIA Y CIBERFOBIA

La liberación de las constricciones corporales femeninas en el ciber-espacio hace de la cibernética un terreno idóneo para forjar nuevas negociaciones entre los discursos de la sexualidad dominante y la marginada. Como teoriza la historiadora Donna Haraway, en «A Cyborg Manifesto» (1991), el imaginario *cyborg* presupone para la mujer una nueva confianza en el orden tecnológico como espacio intermedio en el que dirimir el antagonismo sexual y reformular los parámetros post-capitalistas y logocéntricos en que se apoya su larga exclusión. Al concebir una justicia socio-simbólica alternativa a las asimetrías sufridas históricamente, el *cyberfeminism* se convierte en una subcultura de afirmación de una inteligencia femenina potenciada por la tecnología en un mundo post-genérico, que le permita cuestionar el estatus hasta ahora inamovible del hombre como manipulador de la ciencia y dominador de múltiples «otros». Según Haraway:

> There are several consequences to taking seriously the imagery of cyborgs as other than our enemies. Our bodies, ourselves; bodies are maps of power and identity. Cyborgs are no exceptions. A cyborg body is not innocent; it was not born in a garden; it does not seek unitary identity and so generate antagonistic dualisms without end (or until the world ends); it takes irony for granted. One is too few, and two is only one possibility. Intense pleasure in skill, machine skill, ceases to be a sin, but an aspect of embodiment. The machine is not an it to be animated, worshiped, and dominated. The machine is us, our processes, and an aspect of our embodiment. We can be responsible for machines; they do not dominate or threaten us. We are responsible for boundaries; we are they. Up till now (once upon a time), female embodiment seemed to be given, organic, necessary; and female embodiment seemed to mean skill in mothering and its metaphoric extensions. Only by being out of place could we take intense pleasure in machines, and then with excuses that this was organic activity after all, appropriate to females. Cyborgs might consider more seriously the partial, fluid, sometimes aspect of sex and sexual embodiment. Gender might not be global identity after all («A Cyborg Manifesto», 180).

Las hembras de planeta Hembra hacen de sus ordenadores parte de su cultura viva hasta el punto de robotizarlos y convertirlos en informantes imprescindibles para poder reaprender a vivir sin ellas. Son su memoria e inteligencia auxiliar y funcionan como agentes de salud y de placer, prolongando la inmanencia del cuerpo femenino. El ordenador de Báez, Maggie Mae, diseñado para conectarla con la red global televidente se va ajustando a la personalidad de su dueña como compañera fiel e inoportuna, sagaz y pedestre consejera. A medida que avanza la novela y el cerebro de Maggie Mae adquiere sutileza, se refuerza la co-dependencia de mujer y máquina: «[Báez] pensaba que las máquinas parecían personas y las personas parecían las máquinas» (90).

En *Planeta hembra* como en *Veo, veo,* la intromisión de la tecnología en el espacio íntimo alcanza la mente aumentando la paranoia generalizada. El poder distópico de la vigilancia ubicua intensifica la paradoja de un mundo en el que a mayor exhibicionismo de lo íntimo en la arena pública corresponde la máxima invasión mediática en la vida privada, y donde la acumulación de juguetes tecno sólo acentúa la soledad, la carencia afectiva y la desconexión social. El salto de Báez al otro lado de las pantallas domésticas y estatales resulta el reto más excitante; un salto total que tiene lugar cuando las imágenes virtuales de su cuerpo desnudo y enredado a un hombre decapitan esta sociedad fascistoide y la expulsan de su universo narcisista.

PORNOTOPIA ROSA

Otro ingrediente imprescindible de las heterotopias de la ciencia ficción es el erotismo como rescate de lo humano y como contrapartida de una reproducción mecanizada y aséptica. El deseo homoerótico depende de la configuración y regulación del poder mismo. En guisa foucauldiana, el suministro de goce y represión del Gineceum forma parte de un sistema reglamentario de poder que busca la máxima rentabilidad y estabilidad del cuerpo social. Este *spa* recreativo provee a la élite ejecutiva de una sexualidad asistida por androides, auxiliares masculinos, esclavas y máquinas eróticas que proporcionan una promiscuidad exhibicionista y una tactilidad virtual similar a la de los sofisticados estímulos electrónicos que Huxley imaginó en *Island,* y a la de otros artefactos como la «máquina folladora» de Bukowski o el orgasmatrón de Woody Allen. El esparcimiento sensual sin consecuencias psicológicas ni afectivas resulta previsible y monótono. Se ajusta a la sexualidad onanista y difusa, de rasgos narcisistas y no genitales que Freud atribuyó al homosexual, considerando sus prácticas como un desplazamiento del deseo fálico al propio cuerpo o un intento fallido de conseguir la norma genital reproductiva.

Dos motivos asociados al del sexo mediatizado son la farmacopea erótica y el voyeurismo. El suministro generalizado de pastillas *virtux,* sedativo y estimulante ubicuo que autorregula el interés libidinal evoca el *soma* del mundo feliz de Huxley. Esta droga lleva a sus consumidoras a revivir el último pensamiento o fantasía registrada en sus conciencias («Da acceso virtual a la última idea que se piense antes de tomarlo —explicó Báez—. Pero hay que tener cuidado. Se experimenta exactamente lo último que se haya pensado. Cualquier variación en el milisegundo inmediatamente anterior a la toma de la pastilla, afecta a la vivencia. Para bien o para mal» [80]), mientras que la pastilla Deshistox las induce a la amnesia y ataraxia, y la bebida Pomarrosa es un afrodisíaco imprescindible en su homorrelacionalidad.

El voyeurismo (televisivo y en directo) es otra actividad recurrente. La novela se abre con la contemplación de un provocativo primer plano de sexo frontal (de la pareja de dirigentes de H frente al objetivo de la cámara espía), que tiene la virtud de despertar la libido de Báez e impulsarla a rechazar los fetichismos sustitutivos para abandonarse al asalto de Alva y sentir su primera excitación. El espectáculo de *strip-tease* que ambas contemplan en el bar Clitty actúa como repetición o re-presentación invertida del sexo (hetero)frontal contemplado en la pantalla. La impúdica exhibición de Bang-Bang, mostrando una vagina gigantesca supone la reinscripción transgresora de una norma lesbiana, sublime y asexuada, por otra dionisíaco-genital. El exhibicionismo hace a Báez consciente del placer escopofílico que, como ha visto Judith Butler, forma parte del complejo masculino y de la versión masculinizada del lesbianismo dominante *(butch)* en contraste con el rol pasivo *(femme),* que es la posición que hasta entonces asumió la protagonista.

La retransmisión del coito heterosexual (de Graf y Báez) que causa la convulsión global funciona, en su hiperrrealismo videográfico, como verdad textual y literal, y motor de las posturas de recambio. El estímulo visual mueve a Báez a entregarse a un cuerpo femenino (Alva) y a otro masculino, desencadenando consideraciones fluctuantes de su bisexualidad. La estimulación del sexo virtual, unido a la necesidad alucinógena y el placer escopofílico del *strip-tease* han reconducido al final el deseo femenino hacia un encuentro heterosexual de efectos fulminantes, replicados en el apocalipsis que desencadena.

La sexualidad prostética, insípida y autorregulable del Gineceum, metáfora de la libidinización generalizada e informe de la sociedad de bienestar, reclama así volver a las polaridades sexuales desplazadas como forma de re-sexualizar a unos seres privados del drama primal de la diferencia. La ambivalencia de Báez entre lo homo y lo hetero forma parte de su recobrada humanidad, pero su entrega a Graf reactiva el dominio de la violencia y la fuerza constitutivas del amor hetero, proponiendo un re-sometimiento de la super-hembra al macho, que sigue la convención reaccionaria del melodrama:

> Era verdad, pensó Graf, todo lo que había leído sobre el sexo H era cierto. La perfección, la plenitud, la paz. Aunque había que admitir algo absolutamente irrefutable, en el amor hetero, el Hombre mandaba. Báez tenía que haberse sometido, quizá por primera vez en su vida, domeñada, reducida, ensartada. Graf sonrió a pesar suyo (212)[2].

Sólo Dillon, niña pitagorina (y encarnadura de la nueva generación dot.com) mantiene abierto el cuestionamiento del sometimiento entre los sexos y de su trato excluyente. Hombres y mujeres han quedado atrapados en los hábitos hegemónicos de la heterosexualidad, donde el género considerado superior cumple una significación social de tipo mítico, que consagra el orden establecido:

> —¿Y el cerebro de un embrión XX es más inteligente que el de un embrión XY? Elk soltó una ruidosa carcajada.
> —Bueno, en teoría, no. El cerebro femenino y el masculino son diferentes y funcionan de forma distinta, pero no está demostrado que uno de los dos sea más inteligente.
> —Entonces, ¿por qué los hombres no se rebelan? ¿Por qué aguantan la dominación del Partido XX? (86).

¿Pastiche o parodia?

Las autoras feministas se volcaron a la ciencia ficción para explorar el impacto que las nuevas tecnologías tendrían en la representación de la diferencia sexual. Se concentraban en fantasías del cuerpo reproductivo y sexual como visiones alternativas o invertidas del universo actual, según la estética del «mundo al revés», que reduce al absurdo los presupuestos proto-científicos del género. *Planeta hembra* tiene presentes muchas de las fórmulas utópicas y distópi-

---

[2] El prestigio de lo masculino y la visión «naturalizada» de su superioridad, tiene reminiscencias de la descripción que da Pierre Bourdieu del acto sexual: «concebido por el hombre como una forma de dominación, de apropiación, de posesión [...] Si la relación sexual aparece como una relación social de dominación es porque se constituye a través del principio de división fundamental entre lo masculino, activo, y lo femenino, pasivo, y ese principio crea, organiza, expresa y dirige el deseo, el deseo masculino como deseo de posesión, como dominación erótica, y el deseo femenino como deseo de la dominación masculina, como subordinación erotizada, o incluso, en su límite, como reconocimiento erotizado de la dominación» (*La dominación*, 34).

cas ensayadas en la novela anglosajona *(Orlando, Brave New World, Fahrenheit 451, 1984)*, la *sci-fi* feminista posterior (Ursula Le Guin, Margaret Atwood) y el *cyborg-feminism* revisionista del cine y la literatura actual (Octavia Butler, Joanna Russ), así como los mundos imaginados por J. G. Ballard, Martin Amis («Narrativa Hetero»)[3] y los alentados en ensayos como *La dominación masculina* de Pierre Bourdieu[4].

Como en otras farsas comerciales exitosas *(Vías de extinción* de Ángela Vallvey o *La mansión de las tríbadas* de Lola Van Guardia)[5], el efecto de *collage* derivado de múltiples referencias a tópicos cultos y populares del género se combina con la conciencia antirretórica del texto, apuntando a la superfluidad de la literatura en el mundo actual. *Planeta hembra* responde a una cosmovisión posmoderna que se apoya en lo burlesco, la hipérbole, el minimalismo y la farsa pornográfica como formas de eludir la historia y el compromiso social. Su crítica carece de la demolición categórica de la sátira, cuya detallada atención a los detalles de la superestructura parodiada permitiría rebajar el pretexto masculino diseccionado para evitar cualquier reimplantación de la ideología repudiada. La banalización, como ha visto Brian McHale, se adueña del género de ciencia ficción para reflejar la insoportable levedad al uso; la de una mentalidad alimentada por la televisión, la cultura audiovisual, el slogan publicitario, las consignas machaconas de la canción roquera (David Bowie, Kurt Cobain) y otras formas de entretenimiento que disuelven cualquier reinscripción seria de la ideología

---

[3] Véase Martin Amis, *Einstein's Monsters*, Londres, Penguin Books, 1987, págs. 32-33.

[4] Javier Calvo apunta a ese paralelismo. El modelo de una sociedad cien por cien femeninocéntrica se contrapone a la dominación masculina teorizada por Pierre Bourdieu en el sentido de que es un orden impuesto mediante los caminos teóricos de la comunicación y el conocimiento, más que por la violencia, simbólica o activa. La dominación que propone Bustelo no reconoce las sutiles manifestaciones de lo simbólico masculino, pero adopta una postura mimética frente a las premisas de la supremacía masculinista que el sociólogo analiza. Véase Calvo, pág. 8.

[5] Entre otros precedentes de ciencia ficción política española se pueden citar aquí: la vitriólica sátira de Manuel Vázquez Montalbán, *Esperando a Dardé*, Barcelona, Seix Barral, 1969; la benigna caricatura de la Barcelona pre-Olímpica vista por un extraterrestre que ofrece Eduardo Mendoza en *Sin noticias de Gurb*, Barcelona, Seix Barral, 2000; y otras fantasías, basadas en la implantación de un orden sexual, como *Mundo Macho*, Barcelona, Planeta, 1971, de Terenci Moix o *La mansión de las tríbadas* de Lola Van Guardia (Isabel Franc), Barcelona, Egales, 2002. Otras fantasías, como *La tríbada falsaria* de Miguel Espinosa, Barcelona, Libros de la Frontera, 1980, representan el lesbianismo como construcción ininteligible e irracional de la que la heterosexualidad debe protegerse, siguiendo el patrón de esas fantasías terroríficas que el heterosexual crea para defenderse de sus propias posibilidades homosexuales, según analiza Judith Butler *(Gender, 87).*

repudiada[6]. Por otra parte, la parodia acentúa el carácter ficticio de las categorías e identidades sexuales y tiene la virtud de dejar inoperantes sus prescripciones en cualquier dominio cultural. Según Butler, el poder dominante nunca puede ser erradicado, sólo redistribuido, por lo que las prescripciones antifalocráticas de la ciencia ficción resultan más eficaces por vía burlesca («power can never be neither withdrawn nor refused, but only redeployed. Indeed, in my view, the normative focus for gay and lesbian practice ought to be on the parodic or subversive redeployment of power, rather than on the impossible fantasy of its full-scale transcendence» *(Gender,* 124).

En «Postmodernism and Consumerist Culture», Fredric Jameson ha observado que en la posmodernidad, el ritual imitativo/paródico asume la posición del pastiche más que el de la sátira. Se tiende a una parodia blanca o neutra que pierde sus posibilidades humorísticas y su impulso crítico, en la medida en que no caricaturiza una realidad normal sino un mundo carente de aspiraciones que deformar[7]. *Planeta hembra* forma parte de estas imitaciones domesticadas y recicladas de distopías que han pasado a ser instrumento de la hegemonía cultural. Su burla no implementa la confusión ni el desmantelamiento de las diferencias instituidas, no reconsidera los presupuestos psicológicos de la identidad sexual y genérica, ni reposiciona el deseo femenino, sino que los reafirma como categorías culturales estables y difíciles de erradicar más allá de la imaginación lúdica. Su parábola sólo pide moderación en el momento de enjuiciar lo (inherentemente inquietante) de las orientaciones sexuales e invita a verlas como comportamientos sometidos a la temporalidad de lo social.

CORRECCIÓN LINGÜÍSTICA

Como analiza Judith Butler, el reto político de apoderarse del lenguaje y la cultura como modos de representación y de producción y tratarlos como instrumentos con los que construir un territorio exento de las opresoras categorías sexuales, activa una configuración

---

[6] En «The science-fictionalization of postmodernism» y «The postmodernization of science fiction» *(Postmodernist Fiction,* 65-72), Brian McHale muestra cómo la ciencia ficción posmoderna ha reducido a la banalidad los *topoi* de la ciencia ficción (clásica) que respondían a una poética realista y a una proyección ontológica firmemente asentada, trasladándolos a su poética estilizada, hiperbólica y abierta. Aunque las proyecciones ontológicas se han liberado de las constricciones epistemológicas de la ciencia ficción convencional, los nuevos relatos futuristas no se han desprendido de muchos de los elementos simbolistas y la retórica melodramática de sus predecesores modernistas.

[7] Jameson, *The Anti-Aesthetic,* pág. 114.

y desfiguración de la corporalidad femenina *(Gender,* 120). La travestidura del orden sexual subraya el carácter ficticio (y por ende lingüístico) de lo sexual. Nos obliga a reconocer el género como categoría producida y puesta en circulación por un sistema de heterosexualidad compulsiva que trata de reducir la producción de identidades externas a sus ejes normativos. El homosexual es consciente de que la aplicación del lenguaje opresivo puede ser redirigida. De ahí que muchas fantasías homoeróticas operen como estrategia bélica por la que gays, lesbianas y demás seres marcados (por su sexualidad) por el sujeto hablante masculino contraataquen universalizando un punto de vista e imponiendo un discurso (homófilo) no menos exclusivo *(Gender,* 122)[8].

Monique Wittig, en *The Lesbian Body* (1973) erige a la lesbiana como sujeto soberano capaz de desencadenar una revolución lingüística contra el mundo que ha constituido la afrenta semántica y semiótica a su homosexualidad: «only by taking up the universal and absolute point of view, effectively lesbianizing the entire world, can the compulsory order of heterosexuality be destroyed» *(Gender,* 125). En su heterotopia *Les Guérrilleres,* la autora francesa experimentó con el valor de los pronombres, nombres y otros sistemas de significado que otorgaban valor universal a lo masculino y particularizan lo femenino, sustituyendo *él-ellos* por *ellas*[9].

El dirigismo lingüístico es también el primer arma de poder y conocimiento de *Planeta hembra* que se apropia del diccionario para alterar las abstracciones impuestas en el campo social para producir una realidad reificadora de la mujer. La normalización lingüística consiste en invertir las convenciones heterosexistas que controlaban y limitaban lo femenino. Las lesbianas reclaman su historicidad proscrita, desnaturalizada y abyecta, llevando a cabo una asimilación retrógrada de la heterosexualidad elitista y combatiendo la hegemonía epistémica del logos anterior con un contradiscurso de igual poder y alcance. Su gramática expurga pronombres, nombres, adjetivos y equivalencias semánticas que refuerzan la norma masculina como sistema de representación universal. Su rigurosa criba se enfoca en la rica variedad de metáforas misóginas y homofóbicas que componen el diccionario secreto de la lengua castellana.

---

[8] Las construcciones genéricas exclusivistas de las novelas mencionadas, *Mundo macho, La tríbada falsaria* se basan en una exclusividad similar: un orden sádico-fascista o una mentalidad homofóbica, que extrema hasta la caricatura los binarismos del mundo heterosexual.

[9] Carme Riera utiliza este recurso a la inversa en su cuento de 1976, «Te deix, amor, la mar, com a penyora», donde la narradora evade toda marca gramatical femenina hasta el final para camuflar la identidad de su amante.

Planeta hembra es un relato de discurso, más que de género. Su escritura pone en primer término el desparpajo y agilidad del lenguaje conversacional, plasmando el habla insurgente y directa de una juventud que rompe códigos, clases y reglas retóricas para acercarse al habla de la calle. Un minimalismo retórico reduce la acción a una sucesión de instantáneas verbales que prestan inmediatez a las escenas. El conductismo narrativo se apoya en la vivacidad, laconismo y contundencia del diálogo; un intercambio punzante de voces y perspectivas que no ralentiza la acción sino todo lo contrario, y que responde a la aceleración mental de una juventud impaciente y expeditiva.

El esquematismo del guión cuenta con el apoyo dramático de la gestualidad y la caricatura simplificadora de psicologías. Hay golpes de efecto visual inspirados en el humor gráfico y los dibujos animados: «Las tres hembras, de tres edades y tres generaciones distintas volvieron la cabeza hacia la puerta» (104) y descripciones de tipo acotación: «Paredes color aluminio, imágenes florales y música marina», «hembra alta, pechuda», «aspecto de *travelo* del siglo XX», «se despidieron con un rápido movimiento de cejas», «Báez resopló y puso los ojos en blanco». El *leitmotiv* del pelo y el peinado, único rasgo distintivo de la especie, es fuente de numerosos símiles y metáforas: «con peinado *air-brush*», «*carding* desmesuradamente alto», «flequillo desfilado como celda que le aprisionaba los ojos», «pelo a punto de nieve», «la cocorota alopécica del hombre», «no me aplastes el suflé» y motivo dominante en alguna escena («el estilismo capilar de las invitadas compite en cantidad y calidad. Carding, airbrush, desfilados, rasurados, pelucas, postizos, evasés. Un arco iris de colores siena, magenta, aqua, cobalto, albino» [192]).

La narradora funciona ocasionalmente como *voz en off* evocativa del habla redicha de los doblajes de película («estrategia conjunta», «reiteramos nuestra postura», «deponer la actitud violenta») o que transmite las consignas despersonalizadas de campañas políticas, eslóganes publicitarios y sentencias de canción roquera: «juntos serán más torpes que separados» (38), «Desinformarse o morir» (176), «Hay que decir la verdad, pero no hay que decir toda la verdad» (181), «*pop a pill feel the thrill*» (44), «*shot the monkey*» (50). Este discurso político y mediático es constantemente contravenido por apartes *sotto voce* («resolló entre dientes» [38], «Las hembras se enfurruñaban sin quitar el ojo al panel» [96]) y voces cuyo coloquialismo contamina, a su vez, la narración básica («Salió con una cara tóxica» [98], «dijo ella críptica» [106], «cloqueó la voz enlatada» [10]). El idiolecto de Bustelo aparece salpicado de vulgarismos (guris, escaquea, tipa, despatarrada, berrinches, gracietas, cerebrín), frases hechas («¡Qué grasiento!» [175], «hagas lo que hagas la cagas» [150]), apócopes («ojos de teleta» [182]) y epítetos derogatorios («homo-lerdos» [97], «simios salidos» [100], «bolleras fascistas» [39], «monos folladores» [68]) que responden a la fértil improvisación de la lengua hablada y su facilidad para alterar usos morfológicos e introducir neologismos, sobre todo en el campo erótico («desparpajada», «picardeada», «orgasmada», «comerse el chirri», «seguía orgasmándose a intervalos regulares», «en pleno culmen, jadeante y húmedo», «tenía la líbido fuera de sincro», «hacer un lingo»).

La invasión del inglés es signo de la globalización americana en el ámbito comercial y de su monopolio lingüístico. Se evidencia en calcos de segundo grado como los títulos de película y las nomenclaturas que evocan el doblaje («¿Sigue la vieja Kotter dando clase de Historia?»); en anglicismos aún no asimilados (y transcritos en cursiva como: *carding, beauty-sleep, casting, sprinklers, appetizers, body-suits, custom-made, plug-in, stand-by),* en términos de Spanglish («craquear códigos») y en infiltraciones que revelan la disglosia en la práctica profesional, mediática o comercial (backpack, top, bíper, casting, dossier, estándar, bits, pads). La topografía neoyorkina alude a un orden mundial adyacente al nuestro, una America baudrillardiana[10], cuyas distorsiones abarcan a las de una España convertida en provincia mediterránea abastecedora de exquisiteces (altramuces, garbanzos secos, orejones, pipas, rebujina andaluza, chufas) que amenizan la clonizada dieta de la metrópoli.

Otro campo semántico dominante, la jerga robótica y tecno-científica, aflora en neologismos como Virtux, Florex, Cespex, ergoflex, PlatForm, velocidad petaFLOP; palabras combinadas (teletransportador, identidisco, motonave, televiaje, antilocalizador, micrónica, gigápolis, retrete vigilante), y vocablos procedentes de una subcultura *ciberpunk,* llena de droides, BugBots, y antropoides, cuyas realidades se han hecho coloquiales: («¿Dónde qbits se han metido?» [107], «¡La máquina que me parió!» [70], «¡Mi empresa no es un lecho de Florex!» [176] La familiaridad y viveza de la lengua hablada rebaja la extrañeza del mundo tecnificado y lo acerca al nuestro

---

[10] Nueva York parece modelado en los paisajes que evoca la *America* de Jean Baudrillard. Paisajes de un capitalismo tardío donde las formas de la cultura dominante buscan depurar la experiencia social de la formación de contra-ideologías, romper la existencia colectiva en monadas aisladas y en la anonimia, apropiándose de los discursos e imágenes que regulan la vida social. Es la era final de la cultura del espectáculo y de la oposición entre vida pública y privada, caracterizada por la soledad promiscua (seres que caminan, comen, hablan, piensan solos por las calles) y por la velocidad o desplazamiento acelerado (autopistas aéreas que remedan el *zapping* inquieto del espectador solitario) junto a catacumbas de los que resisten.

(«Baja el diapasón que no estoy sorda» [117], «tenemos que nuclear estos malditos túneles de metro» [49], «habría que desfragmentarlos vivos» [48]). Al dar forma vinculante a estas realidades importadas por una cultura viva, Bustelo somete la lengua al *aggiornamento* que hace tiempo han logrado los discursos mediáticos audiovisuales. La combinación lúdica de registros cultos y profanos, la incursión en el ámbito de la biofísica, las distopías literarias, las películas de culto, la pornotopia rosa, la iconografía publicitaria, los tebeos, el thriller de espionaje con cachivaches *(gadgetery)*, el *grafitti* y los tatuajes, muestra la competencia de esta escritura con otros sistemas de comunicación y conocimiento ya instalados en la cotidianeidad del lector y reabsorbidos por una jerga tan expresiva como aquéllos. Esta «performatividad» oral revela la autonomía de la ficción posmoderna como construcción artificial con respecto a una tradición literaria basada en un referente cultural único y compartido por una sociedad homogénea. La «criba» de bibliotecas y museos forma parte de la censura de un sistema, como el de *Fahrenheit 451*[11], encaminado a destruir la memoria del pasado y a reducir «el estrés neuronal» de la sobredosis informativa. El desprestigio de la letra escrita en favor de la imagen y el cansancio que proporcionan las palabras es un motivo literal y textualmente reiterado:

> Graf seguía suspendido en su cápsula rodeado de palabras. Palabras racionales. Palabras falsas. Palabras zalameras. Palabras temidas. Palabras generosas. Palabras ciegas. Palabras enamoradas. Palabras odiosas. Palabras esperadas. Palabras pedantes. Palabras certeras [...] Palabras. Palabras. Palabras. La verborrea de la Humanidad le superaba. Si las palabras se volvieran moriría ahogado, con los pulmones llenos de palabras ajenas (127). ¿Quién quiere un montón de libracos sucios en casa cuando existe el Internet? (60).
>
> Hoy ya nadie se escandaliza al oír que el arte es una pérdida de tiempo. Una repetición incesante de las mismas paparruchas (63). Costaba creer la cantidad de morralla que se había escrito a través de los siglos. Después de leer muchas obras «maestras», tenía que admitir que no era tan mala idea reciclarlas para fabricar envases (204).

El aplastamiento de la literatura y el arte occidental por la avalancha de cultura popular es internamente parodiado cuando Graf

---

[11] *Best seller* de 1953 de Ray Bradbury, protagonizado por el bombero Guy Montag, que es contratado por el gobierno para quemar todos los libros. Montag se arrepiente de contribuir a esta campaña de eliminación del conocimiento al tomar conciencia de los efectos nefastos que tiene la quema en su sociedad. La novela toma su título de la temperatura de combustión del papel.

destruye el libro *Planeta hembra,* tras leer en él que fue programado por las hembras.

RECEPCIÓN DE LA NOVELA

La capacidad de la autora de sintonizar con un público joven y mayoritario que celebra la injerencia de fómulas antirrealistas del discurso audiovisual es reconocida por la misma autora, quien define su relato como broma literaria y guión de un proyecto cinematográfico imposible. Gabriela Bustelo se adentra con temeridad en un género marginal y foráneo a la tradición realista española; reinscribe en clave lesbiana una fórmula privilegiadamente masculina como es la ciencia ficción, y prescinde de la convicción moral que es para Julián Díez condición *sine qua non* del autor implícito del género[12]. Su reducción al absurdo es un divertimento provocativo que no carece de precedentes en nuestra historia literaria. Pienso en las mistificaciones científico-burlescas de Clarín, Unamuno, Baroja, Gómez de la Serna, Azorín, Baroja, Wenceslao Fernández Florez, Jardiel Poncela, Edgar Neville y Gonzalo Suárez, cuyo humor poético y grafismo cercano a la caricatura, la publicidad y la cinematografía, los descalificó de la literatura seria[13]. El esquematismo y la frivolidad de

---

[12] Bustelo justifica el alcance político de su novela a la vez que la descalifica estéticamente: «Nada de lo que cuento es tan descabellado. Durante milenios las mujeres y los gays han sido reprimidos y maltratados. Actualmente, creen que tienen un poder, pero no lo han asimilado ni como mujeres ni como gays, sino que han tomado como ejemplo a los hombres, tanto en lo bueno como en lo malo. Así que, ¿quién dice que en unos años no nos vamos a encontrar en una situación inversa pero igual de opresora?». Con todo, fuera de trascendentalismos innecesarios, confiesa: «Planeta hembra es a la literatura como Barbarella, las curvas y la cabellera pelirroja de Jane Fonda lo es al cine, pop, pop y más pop». Véase, «Gabriela Bustelo imagina un mundo lésbico en su libro *Planteta hembra*», www.guiagay.com (2-III-2002).

[13] En la vertiente culta del cyborg-feminista cabe citar a Pilar Pedraza, que en sus cuentos de *Arcano Trece* se apropia de las metáforas generativas y del mito Pigmalión, recreando universos enrarecidos como los de Hoffmann, Villiers de L'Isle-Adam, Lovecraft. En su excelente ensayo, *Máquinas de amar,* Pedraza transita por la claustrofobia mental y las frustraciones que llevan al artista masculino a dar cuerpo femenino a sus deseos para destruirlo, dejando constancia «de la buena salud del perturbado imaginario masculino» a lo largo de la historia, como se indica en el prólogo. Sus obras dan fe de un amplio espectro lectorial femenino no reducible a la lectora solitaria y deprimida que los críticos perfilan como principal consumidora de novela femenina. El mito de Pigmalión es revisitado y resulta redundante para las escritoras que pueden crear hombres de su propia carne. Afirma Pedraza que, «El narcisismo inherente al mito ha sido transferido por el sistema a las mujeres, en el sentido de impulsarlas a ser sus propias Galateas» *(Máquinas,* 279).

La reconquista del género de ciencia ficción y por extensión, la novela gótica, por las escritoras españolas actuales connota la relevancia de una lectora capaz de sentir como propia una tradición importada y apreciar los cambios transcurridos en el gé-

Bustelo no ha dejado de ofender a críticos especializados en el sub-género, como Julián Díez, que lamenta la atención dada por la prensa cultural a un relato que caracteriza de «esperpento»[14]. Otros críticos como Germán Gullón, Santos Sanz Villanueva y Javier Calvo valoran, en cambio, su humorismo, la hibridación coloquial de lo culto y lo popular[15], y el diálogo con la alteridad de lo no literario.

---

nero desde que autoras como Virginia Woolf, Ursula Le Guin, Monique Wittig y Margaret Atwood abrieron sus posibilidades imaginativas al cuestionamiento de la naturaleza inamovible de los géneros.

[14] «[Resulta difícil] comprender cómo es posible que esta bobadita infantilona, presuntamente cómica pero sin gracia, pretendidamente provocadora pero ingenua, y esnob hasta revolver el estómago, puede haber sido publicada, y cómo sus carencias y estulticias pueden ser disimuladas bajo la etiqueta "pop", cajón de sastre en el que cabe desde un original acercamiento a la cultura popular hasta chorradas que, como ésta, simplemente carecen de la capacidad para ser nada mejor [...] La presunta provocación de *Planeta hembra* (pues se nos informa por todas partes de que se trata de una obra rompedora) consiste en que estamos en el futuro y las mujeres mandan, cuestión tan original que hasta celebran una fiesta así anualmente en un pueblo de Segovia (Zamarramala, por más señas). Para seguir con temas nunca explorados, resulta que son lesbianas, lo que en el mismo pueblo de Segovia antes citado debe ser también un escándalo, pero en Madrid a comienzos del siglo XXI no parece nada sorprendente. Aunque claro, hay quien vive de pretender ser escandaloso, esté o no muy visto lo que se propone. El caso es que, siguiendo los presupuestos más convencionales del distopismo, tenemos como protagonista a una individua llamada Báez, tan carente de personalidad como los restantes maniquíes que pululan por la novela pero que, a diferencia de las demás miembros del Partido XX dominante, alberga en su seno Inquietudes De Las Gordas. Esto es algo especialmente curioso cuando resulta que tiene como tarea la detección de grupos antisistema, cargo que en buena lógica debería corresponder a alguien muy fiel y no precisamente a quien todos advierten que tiene dudas. Pero claro, estamos ante una novela "pop", y es moderna y de muchas risas [...] Como cabría esperar de una novela que busca permanentemente el guiño a la lectora media de *Cosmopolitan* y devota, por tanto, de las tontinovelas de mujeres que descubren el sexo de verdad (modelo *La pasión turca),* Graf hace saber a Báez lo que vale un pe(i)ne, y junto con una rebelde pechugona y la niña rebelde parten hacia un nebuloso Shangri-La situado, por qué no, en la galaxia de Andrómeda [...] En suma, el autor medio de ciencia ficción de hoy, que suele tener una formación humanista escasa, es un miembro fielmente adscrito a las filas del pensamiento único, entre otras cosas porque tampoco sabe mucho más acerca de estos temas y, si supiera, sería seguramente desacreditado como marginal. A la hora de crear un mundo futuro, resuelve por la tangente: reinos o repúblicas (con esos o cualesquiera otros nombres), no hay más alternativas que la extrapolación al futuro de lo ya conocido» (1).

[15] Críticos como Santos Sanz Villanueva, Antonio Fortes, Germán Gullón, José María Izquierdo, Agawu Kakraba y Antonio Dorca, entre otros, defienden la voz ecléctica y antisolemne de unos autores jóvenes que han sido capaces de reflejar la contracultura urbana de la droga, la violencia, la experimentación sexual, la fealdad ambiente y la claudicación ante un futuro incierto del período histórico que les ha tocado vivir. El canon crítico oficial lamenta, en cambio, su empobrecimiento estético e independencia lingüística de toda normativa, así como la adopción de la mayoría de una estética derivativa del «realismo sucio» norteamericano y de los mecanismos de producción impulsados por una ideología neocapitalista y esnob, que ha borrado límites entre lo culto y lo popular, reduciendo al cinismo o la banalidad la visión preocupante de la desintegración social contemporánea.

Para Calvo, «los reclamos del mundo de ciencia y ficción, el *pulp fiction,* la estética *camp* y la cultura popular han permitido a Bustelo «formular planteamientos serios, que rescatan a la novela erótica de los reducidos parámetros de comicidad pornográfica o a causar una incomodidad en la lectura, que resulta tan predecible como quepa imaginar. Es escapismo en el sentido más literal de la expresión» (Calvo, 8).

Conclusiones

La parodia de este poder de signo femenino rearmado por la razón tecnológica y una red informática que extiende panópticamente por todo el planeta evade todo cuestionamiento subversivo de la actual indiferencia sexual. ¿Estamos ante una parábola reaccionaria de la ambigua ofuscación de identidades de la cultura *queer* y las imposturas del presente desorden sexual? ¿Representa una aporía del feminismo antifemenino, que usurpa las pautas falogocéntricas para castigar los principios nutrientes de vida, la gratuidad del arte y la sensibilidad narcisista del subordinado? ¿Es un espejo hiperbólico de los terrores masculinos a la creciente influencia femenina en la arena política, científica y tecnológica? ¿O destaca el vacío que acompaña su competencia económica, reproductiva y sexual femenina, incapaces de colmar su necesidad de idealizar «al otro sexo»?

Planeta hembra deja abiertas estas cuestiones, inscribiéndose en un relativismo estético y moral posmodernos. Su sociedad narcisista en el fondo defiende el modelo de vida que conocemos. Sus propuestas involucionarias son síntoma de unas aspiraciones femeninas que han cerrado el círculo que iba de la euforia al pragmatismo y del compromiso político al egoísmo y la apatía. La sociedad imaginada es utópica, en el sentido de que las conquistas de competencia educativa, profesional y reproductiva distan aún de haber sido logradas como para desarmarlas. La autoironía y la caricatura son síntomas saludables de la madurez y de una distancia superadora de maniqueísmos de la literatura femenina, pero el humor vuelve a recaer sobre la mujer, autorizando rebajar lo que sería una perturbadora réplica machista de su potencial. Al final, el miedo a castrar al héroe, autoriza a éste de nuevo la entrada y le devuelve el rol dominante transitoriamente usurpado. Todo mensaje de renegociación sexual se cortocircuita en favor del entretenimiento en una bagatela que enmascara fantasías más siniestras de deshumanizar lo femenino no normativo.

Para Judith Butler, la travestidura genérica tiene validez como reto a la diferencia sexual porque desnaturaliza y desestabiliza el acartonamiento de las diferencias. La sexualidad aparece como opción abierta a todos, no como experiencia privada o construcción de una identidad sexual en términos de aberración, desviación o perversión patológica. El género parodiado se entiende como constructo cultural, más que natural, y como una fantasía allende la vida práctica. *Planeta hembra* se sitúa en la misma línea de otras travestiduras *camp* que reflejan el machihembrismo gay, como la reciente trilogía de Terenci Moix, donde el autor se traviste de heroínas de rompe y rasga a las que, en palabras de Manuel Villora «asesina amorosamente con su estilo, ayudando a deconstruir esa imagen de lo femenino para las mujeres mismas» (21). La cultura gay de *Planeta hembra* está basada en una representación autorreflexiva e irónica del deseo gay o normativo y de sus respectivos objetos de deseo.

OBRAS CITADAS

BAUDRILLARD, Jean (1986), *America,* trad. Chris Turner, Londres y Nueva York, Verso.
BOURDIEU, Pierre (1999), *La dominación masculina,* Barcelona, Anagrama.
BUSTELO, Gabriela (2001), *Planeta hembra,* Barcelona, Planeta.
— (1996), *Veo, veo,* Barcelona, Anagrama.
BUTLER, Judith (1989), *Gender Trouble. Feminism and the Subversion of Identity,* Nueva York, Routledge.
CALVO, Javier, «Redefinición de identidades: *Planeta Hembra*», El País, 6-X-2001, pág. 8.
DÍEZ, Julián, «Gabriela Bustelo. *Planeta Hembra.* Estulta modernez», *Extramuros,* 21-X-2001, pág. 1.
GUELBENZU, José María (1997), «La travesía del desfiladero. Narradores españoles de los noventa», *Revista de libros,* 17, mayo, págs. 38-40.
GULLÓN, Germán (1996), «Cómo se lee una novela de la última generación (apartado X)», *Ínsula,* 589-590, enero-febrero, págs. 31-33.
HARAWAY, Donna (1991), «A Cyborg Manifesto: Science, Technology, and Socialist Feminism in the Late Twentieth Century», en *Simians, Cyborgs and Women. The Reinvention of Nature,* Nueva York, Routledge, págs. 149-181.
JAMESON, Fredric (1983), *The Anti-Aesthetic. Essays on Postmodern Culture,* Hal Foster (ed.), Port Townsend, Washington, Bay Press.
— (1991), *Postmodernism, or, The Cultural Logic of Late Capitalism,* Durham, Duke University Press.
MCHALE, Brian (1987), «Worlds in Collision», en *Postmodernist Fiction,* Londres, Routledge, págs. 59-72.
NAVARRO MARTÍNEZ, Eva, «La nueva novela española a finales del siglo XX», *Hispanista. Primera Revista Electrónica dos Hispanistas de Brasil,* 14, artigoonline120 htm.
PEDRAZA, Pilar (2000), *Máquinas de amar,* Madrid, Valdemar.
SANZ VILLANUEVA, Santos, «*Planeta Hembra:* Guerra de sexos», *El mundolibro.com,* 23-VII-2001, págs. 1-2.

Villalba Álvarez, Marina (2003), «Dos narradoras de nuestra época: Gabriela Bustelo y Marta Sanz», en Alicia Redondo (coord.), *Mujeres novelistas. Jóvenes narradoras de los noventa,* Madrid, Narcea, págs. 123-130.

Villora, Pedro Manuel (1999), *«Chulas y famosas* refleja la mitología del pensamiento de derechas», *ABC Cultural,* 405, pág. 21.

CAPÍTULO VI

Melodrama, laberinto y memoria en la novelística de Juana Salabert

ÁLVARO ROMERO MARCO
UNIVERSITY OF CALIFORNIA, SANTA CRUZ

Aunque la mayoría de los críticos no advierten rasgos comunes entre los novelistas españoles más jóvenes, es fácil distinguir lo que separa a unos de otros. Las novelas de Juana Salabert, por ejemplo, están lejos de las que Germán Gullón incluye en el grupo del «*Apartado X*». Sus narraciones no rehúyen el riesgo formal. Tampoco aspiran a reflejar la realidad de una manera «comprometida» y, por otro lado, no son claramente pararreferenciales. Las novelas de Salabert transitan por otros derroteros: «Todo consiste en hacer que lo escrito sea más verdadero que la verdad, sea cual sea el género, aun el fantástico. Tiene que ser otra realidad. Si hablamos de un reflejo de la realidad no hablamos de literatura, sino de periodismo»[1].

---

[1] Estas son algunas de las ideas sobre la novela que Juana Salabert sostuvo en el coloquio sobre las últimas tendencias de la novela que realizó la revista *Urogallo* («Última narrativa», 28). Por lo que respecta a los estudios que se han realizado sobre las novelas de Salabert, fundamentalmente son dos. M. Mar Langa Pizarro en *Del franquismo a la posmodernidad*, la sitúa junto a aquellos escritores (Fernando Aramburu, Álvaro Durán, Belén Gopegui, José Ramón Martín Lago, Juan Manuel de Prada y un largo etcétera) para los que la «antinovela» y la «metanovela» ya han pasado de moda. Incluida en lo que Langa Pizarro denomina «neonovela», Salabert sería una de las escritoras que están «tomando conciencia de sus carencias, y tratan de convertir la novela en un acto de responsabilidad e indagación» (65). Santos Alonso en *La novela española en el fin de siglo*, la sitúa al lado de las novelas históricas: «como históricas, al menos en su encuadre temporal, y aunque desarrollen historias amorosas o de intriga, pueden ser consideradas las novelas de Juana Salabert: *Varadero* (1996) cuenta una relación amorosa salpicada de connotaciones políticas, du-

La intención de Juana Salabert no es reflejar la realidad. Lo que de verdad desea la autora es crear otras realidades. Para ella, el mundo sólo existe si es nombrado. Lo esencial son las palabras que Salabert imagina transgresoras y bastardas. Palabras capaces de generar personalidades literarias fragmentadas, visiones polifónicas, sentimientos y estructuras laberínticas que a la vez aspiran a ser armónicas y unitarias. Su intención es clara: diseñar recorridos introspectivos por los que sus personajes vayan en busca de su identidad. Tal vez sean las palabras de la protagonista de *Arde lo que será* las que sinteticen mejor el conjunto de las motivaciones de la novelística de Juana Salabert: «Sigo sin saber quien soy y en ello ando»[2]. Todos los contextos históricos, los combates sociales, los posicionamientos éticos y estéticos están al servicio de este conflicto predominante. De tal forma que las obras narrativas resultantes son creaciones de almas rotas que, en la mayoría de las ocasiones, y ésta es su verdadera característica, no pueden ser redimidas. Individuos en familia que expresan sus debates internos con gran profusión de palabras. Un fluido verbal en busca de una imagen que acaba siendo inútil ya que la voluntad de catarsis está predestinada al fracaso.

Sabiendo, pues, que es en el ámbito del intimismo literario, en el análisis de los sentimientos a través del juego estético y en la introspección analítica donde hay que situar a Salabert, a continuación trataré de estudiar la especificidad de las cinco novelas que hasta el momento ha publicado la autora.

El primer rasgo que hace diferentes las novelas de Salabert es la utilización de elementos propios del melodrama. Ya en *Varadero*, su primera novela, aparecen los elementos melodramáticos con los que la novelista alimentará esa búsqueda de identidad alrededor de la que se vertebrarán sus personajes.

Ania, la protagonista de la novela, es hija de un obrero activista que, después de pasar una larga temporada en la cárcel, acaba descreyendo en sus ideales y muere. Su madre es una mujer austera que sólo vive para la pasión que siente hacia su hijo poliomelítico. Debido a esta situación familiar, Ania se ve obligada a marcharse de casa cuando sólo tiene 16 años. Pasa el tiempo y, tras realizar todo tipo de

---

rante la época violenta de la dictadura de Somoza en Nicaragua; *Mar de los espejos* (1998) con un tratamiento mítico del espacio y del tiempo, recurre a distintos lugares y épocas para hacer una reflexión sobre la guerra y la barbarie contemporánea; *Velódromo de Invierno* (2001) trata el asunto histórico del holocausto nazi, los apresamientos de París y el complejo de culpa de una muchacha que, al escapar de la deportación, abandona a su suerte a su madre y a su hermano» (291).

[2] Las obras de Salabert que tengo en cuenta en este trabajo son *Varadero* (1996), *Arde lo que será* (1996), *Mar de los espejos* (1998), *Velódromo de Invierno* (2001) y *La noche ciega* (2004). No se estudia *Aire nada más* (1999), un libro de relatos, y la novela infantil *La bruja marioneta* (2001).

ocupaciones marginales, la joven conoce a Willi en una turbia taberna. Willi, el lacayo más sanguinario de Jaime Armedo, un cacique corrupto y despiadado, la coloca en el *Paradise,* uno de los clubes de su patrón. Allí trabaja como animadora y espía hasta que por defender a Adrián, obrero combativo y «sabio», es torturada y violada por Willi y sus secuaces. Sin embargo, es Willi quien logra que la sentencia de muerte a la que la condena el terrorífico Jaime Armedo no se cumpla. Logra salvarla y unos años después de que Jaime Armedo sufra un atentado y al poco de su muerte, Ania conoce al hijo de éste: Jorge Armedo. Aún sabiendo que la mujer no lo quiere, Jorge Armedo acaba casándose con ella y a los dos años de convivencia el hijo de Jorge Armedo, Daniel, y la madrastra se enamoran locamente. La relación es tormentosa. Ania aborta. Daniel, aborreciendo a su familia, mata a Willi y acaba muriendo a manos de los hombres de su padre. Al final, Jorge Armedo exige a Ania otro hijo bajo la amenaza de que no la dejará libre hasta que se quede embarazada, hecho al que Ania se niega rotundamente.

Como puede advertirse, en *Varadero* faltan los elementos del melodrama clásico. Por ejemplo, está ausente uno de los más importantes: el del final «feliz». Los protagonistas de esta novela, como los de *Arde lo que será* y *Mar de los espejos,* se apartan del esquematismo propio de este género. No son entidades sin grietas. Ni son sólo víctimas, ni son únicamente perdedores. Son personajes que se acercan a la complejidad de los seres humanos. Ania y Daniel en *Varadero,* Nerea-Ariadna y Ander en *Arde lo que será* y Natalia y Zelia en *Mar de los espejos* interiorizan y narran sus conflictos. No se conforman con exteriorizarlos, como hacen los arquetípicos personajes de los melodramas, sino que los rumian sin descanso.

Sin embargo, también es cierto que estos personajes se exceden cual si fueran creaciones de melodrama. Así, la herencia y el miedo que condicionan a Ania o Zelia desde que son unas niñas, se exageran para que su destino dramático sea irremediable. Así, la pérdida de la inocencia de Daniel o Nerea-Ariadna y su apasionamiento por la madrastra o padre adoptivo los empujan al asesinato. Y de esta forma, la fijeza obsesiva de Jorge Armedo hacia Ania se hiperboliza cuando incluso está dispuesto a perdonarla con tal de que le dé un hijo. Sentimientos y comportamientos exagerados que, en ocasiones, como en el caso del malvado abuelo de Daniel o en el de Nerea-Ariadna; en el del honesto obrero Adrián o en el del «sabio» Jon, llegan a la polarización tajante entre lo bueno y lo malo típica del melodrama.

Pero ¿por qué este llevar hasta el límite algunos sentimientos y comportamientos de los personajes si el propósito de la novelista no es el melodrama? En las novelas mencionadas, los componentes melodramáticos que se utilizan poseen una doble función. En primer lugar, quieren conmover y en última instancia aspiran a desvelar la moral oculta.

Si los personajes de la tragedia son ante todo purificadores de las pasiones y los de la comedia dan gozo y distancia «placentera», los del melodrama atenúan dichos impulsos. Ni liberan ni gratifican, únicamente perturban, enternecen, nos mueven a compasión. Ania y Daniel son un buen ejemplo de la filosofía del melodrama, esa que, dicho sin florituras, cree que hemos venido a este valle de lágrimas a padecer. A pesar de poseer capacidad reflexiva y discurso narrativo, Salabert les insufla en el momento mismo de sus nacimientos elevadas dosis de predestinación. Ni el conocimiento que van teniendo de ellos mismos, ni el descubrimiento de la podredumbre que les rodea, ni tampoco la llama de amor que los enciende, permiten que pensemos en la redención. El destino de ambos no produce, pues, catarsis o distanciamiento, sino compasión.

Pero el melodrama no es sólo el espectáculo que ofrece al lector páginas con las que se puede identificar sentimentalmente. Como apunta Peter Brooks, el modo melodramático existe en buena medida para localizar y articular la moral oculta. Utilizando las exageraciones propias del melodrama, Salabert desvela y arremete contra el poder imperante. Viendo con lentes de aumento las circunstancias que han empujado a Ania y a Daniel, a Nerea-Ariadna o a Zelia al dolor, exagerando la malevolencia maniaca de Jaime Armedo o del Coronel o llevando al límite el pragmatismo de Jorge Armedo, se muestra, además, una preocupación por el contexto social y político:

> El melodrama surge de un mundo en el cual los imperativos tradicionales de la verdad y la ética han sido violentamente cuestionados, empero donde la promulgación de la verdad y la ética, su saturación como modelo de vida, es una preocupación política, inmediata y diaria[3].

En la historia de la madrastra y el hijastro que se cuenta en *Varadero* o en algunas de las historias de amor que se narran en *Arde lo que será* o *Mar de los espejos,* los conflictos interiores se exacerban para conmover, pero también para desenmascarar una moral dañina. Y será de la articulación de estas dos intenciones de donde surja la proposición del restablecimiento de un mundo moral que derroque el caudillismo y la vileza del patriarcado intransigente y del machismo legalizado que amordazan a los protagonistas de estas tres novelas.

---

[3] Brooks, Peter, *The Melodramatic Imagination,* extraído de Susan Denver, «Las de abajo: la revolución mexicana de Matilde Landeta» («El melodrama mexicano», 38).

Junto a esta utilización del melodrama existen otros modos de escritura que singularizan las novelas de Salabert. Como ella misma dice:

> A mí me encanta contar historias. Pero todo es historia, las palabras lo son. Me interesa utilizar todos los modos de narración posibles, jugar con diálogo, monólogo, narrador omnisciente, voces diferentes [...] eso crea senderos laberínticos dentro de la novela. No hablaría de trama: me interesan los recorridos circulares («Última narrativa», 36).

En efecto, si hubiera que representar gráficamente las cuatro primeras novelas de Salabert, tal vez lo más adecuado sería imaginar un laberinto. Visto desde el punto de vista del creador, este laberinto sería una construcción con sentido, pero desde el punto de vista del explorador, sería un enigma. Desde la visión del creador, la tipología laberíntica puede tener tres formas: «unicursal», el de forma de «árbol» y el laberinto con ciclos o «rizomas». Las novelas de Salabert responden a la forma «unicursal», la forma más sencilla de todas. Es decir, sus cuatro primeras novelas son como laberintos diseñados para que únicamente haya una manera de recorrerlos. Es necesario ir hasta el final del corredor y volver al inicio para poder salir. Este tipo de laberinto se puede visualizar desde una perspectiva elevada (exterior) como si fuera el hilo de Ariadna.

Arde lo que será es un buen modelo de esta estructura. La organización secuencial de esta novela está en función de la modalización narrativa que, en última instancia, tiene en la reflexión circular sobre la identidad su máxima categoría. Vista desde la altura, la construcción de la obra parte de una escena cumbre que va a ir desarrollando otras series de escenas mediante una secuenciación de analepsis que desembocarán en el corredor donde se iniciaba dicha escena. Esta secuencia cumbre es el reencuentro inesperado de los dos protagonistas que, transformados en narradores, irán abriendo otros corredores en forma de *flash-back*. Dichos recuerdos se ven interrumpidos frecuentemente por la aparición del hilo principal, en el que, ya desde un principio, se ofrecen pequeñas anticipaciones cargadas de significado. Por ejemplo, Ander, al iniciarse la novela, dice que creía que Nerea-Ariadna había muerto, y en uno de los diálogos que mantienen los protagonistas se nos anticipa que fue Nerea-Ariadna la que mató a su padre adoptivo:

> —No me tomes por ningún héroe. Casi no me tocaron, sabes.
> —Mientes muy mal. De todos modos fui yo quien lo mató. Y ya no me importa si me buscan o no *(Arde lo que será*, 21).

Al final de la novela, cuando regresamos al corredor principal y el narrador en tercera persona nos cuenta la despedida de los protagonistas, sentimos que hemos llegado al centro del laberinto. Teseo ha matado al Minotauro y entonces nos disponemos a dejarnos llevar por el hilo de Ariadna para poder regresar a la entrada. Lo buscamos, pero como ya habíamos intuido durante la lectura de la novela, el hilo de Ariadna se ha perdido entre alguna de las espirales del laberinto. No nos sorprende. La naturaleza de los personajes (individuos extraviados en busca de su identidad) nos lo había anunciado desde un principio. Pronto comprendemos que es imposible salir del laberinto mientras los personajes sigan buscando su verdadero nombre. Contagiados por la lectura de la novela, hemos ido perdiendo de vista el diáfano diseño del constructor para pasar al confuso marasmo psicológico de los exploradores del laberinto. Y entonces ya no hay mapas. Hemos perdido las brújulas. Para encontrar el hilo de Ariadna, Nerea-Ariadna y Ander deberán acudir a la intuición y a la ilusión. Aptitudes casi imposibles para ambos.

Mas el hecho de que el laberinto se haya metamorfoseado de un lugar donde perderse en otro del que ya no se puede salir, no significa que el orden constructivo se haya transformado en un desorden caótico. La lucha de Ander y Nerea-Ariadna no es contra el caos sino contra un exceso de orden. Ese orden establecido de los discursos que hace que el sujeto crea que su laberinto es infinito.

Respecto a la naturaleza y orden de los discursos nos enseña Michel Foucault:

> Supongo que en toda sociedad la producción del discurso está a la vez controlada, seleccionada y redistribuida por cierto número de procedimientos que tiene por función conjurar sus poderes y peligros, dominar el acontecimiento aleatorio y esquivar su pesada y temible materialidad (Foucault, 14).

Dos de los discursos narrativos dominantes de *Mar de los espejos,* novela que tomaremos como ejemplo para estudiar la influencia de los procedimientos en los discursos de los personajes-narradores, los concretizan Natalia y su abuela Zelia. La intencionalidad del discurso de Natalia es la búsqueda de su identidad. Natalia asiste al entierro de su ex amante Miah y el encuentro con Barrabás, amigo de ambos, da pie a una dilatada retrospectiva de lo que fue su existencia. Todo el flujo de su memoria está alimentado por dos sucesos: el asesinato de «El Mundi» y la decisión de Miah, sin explicación alguna, de no volver a verla. Sin embargo, lo que realmente ordena el discurso de Natalia no son estos dos hechos incontrolables, sino los procedimientos que coaccionan su discurso: tanto los externos de exclusión («prohibición», «separación» y «voluntad de verdad») como algunos internos, por ejemplo, el «principio del autor»[4].

Gregorio de Miramar, un antepasado de Natalia, después de casarse con la señorita Santaella, una antepasada de Miah, se enamoró enloquecidamente de Clara Margarita Garcés y ordenó construir un cuarto enteramente revestido de espejos para encontrarse con ella. Como no podía ser de otra manera en una narración salpicada de melodrama, dicho amor se vio frustrado por el hecho de que Clara Margarita fuera una mujer casada y porque la propia esposa de Santaella denunciara a los tribunales del Santo Oficio a los Garcés por práctica de brujería y judaísmo. Como consecuencia de ello, la amante sería condenada a la hoguera y Gregorio de Miramar embarcaría hacia América.

Muchos años después, Jaime de Miramar le contaría a su esposa Zelia la historia del cuarto creado para el amor: «un amor insensato y clandestino cuyo reflejo pudiese perdonar por encima de siglos, de los acontecimientos y desventuras futuros, y del propio olvido de los nombres de quienes lo vivieron» *(Mar de los espejos,* 138).

Para la historia de las familias de Natalia y de Miah el cuarto de los espejos pasa a significar la palabra prohibida que condicionará la ordenación de su discurso. Entrar en el espacio de amor insensato pasa a ser un pecado imperdonable. Miah y Natalia infringen las leyes familiares, son irrespetuosos hacia las prohibiciones y, como consecuencia, padecen el castigo. Miah se suicidará y Natalia perderá toda posibilidad de volver a conocer otro amor clandestino y romántico y se verá condenada a buscar su identidad por el resto de su vida.

Otra forma de exclusión que sufren los protagonistas de *Mar de los espejos* es el de la separación. Ya, al final de la novela, Natalia realiza una reflexión sobre lo que ha sido su vida y sobre la relación que mantuvo con Miah:

> No sé si también a ti te han echado de la vida a golpes de piqueta, Miah, ni por qué te negaste a volver a verme, pero sospecho ahora, de repente, que en alguna parte de ti has seguido vién-

---

[4] Entre los numerosos procedimientos de ordenación del discurso, Foucault distingue tres tipos: los externos, los internos y aquéllos que condicionan la utilización de los discursos. Los primeros son procedimientos exclusivos: la prohibición, la separación y la voluntad de verdad. Procedimiento este último que deriva de los dos anteriores y, como aquéllos de los que procede, se apoya en una base institucional: «está a la vez reforzada y acompañada por una densa serie de prácticas como la pedagogía, el sistema de libros, la edición, las bibliotecas, las sociedades de sabios de antaño, los laboratorios actuales» (22). Por lo que respecta a los procedimientos interiores, Foucault incluye el comentario, la disciplina y el autor: «El comentario limita el azar del discurso por medio del juego de una identidad que tendría la forma de la repetición y de lo mismo. El principio del autor limita ese mismo azar por el juego de una identidad que tiene la forma de la individualidad y del yo» (32).

dome durante todos estos años: a mí, la muchacha que te besaba, la que se acostó contigo en el cuarto de los espejos, la que disparó y mató a un hombre (216).

En el discurso vital de Natalia pesa durante toda la novela un secreto. Tras una conversación con su tía Mabel («La Bruja») Miah decidió no volver a ver a Natalia. La razón, como saben todos menos Natalia, se debe a que Miah descubrió que eran hermanastros. La sociedad que engendró y rodeó a los dos jóvenes prohíbe su amor incestuoso y la primera consecuencia de esa prohibición es la separación. Digo la primera porque ésta acarreará otras. En el caso de Miah, el hecho de saber que Natalia es su hermanastra le conduce a radicalizar su discurso. Separarse de Natalia, no querer volver a verla, lo llevará al aislamiento que desembocará en suicidio. Natalia, ignorando el secreto, sufrirá la separación de distinta manera. Ella no enloquecerá, pero se romperá en mil pedazos y el dolor de su fragmentación interior será imborrable. Únicamente la ilusión de que mientras haya memoria (palabra) habrá vida, hará medianamente soportable la desazón: «Cuando ya no estemos, ninguno, nadie... cuando ya no importe. Cuando ya no pueda nombrarte, Miah, como lo hago ahora» (215).

La prohibición y la separación, dos de los procedimientos que se utilizan en ésta y otras novelas de Salabert, para conspirar y ceñir los discursos de los protagonistas, se concretizan en un tercero: el de la «voluntad de verdad». Para contrarrestar la inquietud que el deseo y el poder generan en los discursos de Miah y Natalia, el sistema social y familiar se ha pertrechado de un conjunto de leyes y prácticas que instauran y definen la verdad. Los discursos de los dos jóvenes serán la consecuencia del enfrentamiento de la verdad contra esa «voluntad de verdad» a la que se refiere Foucault. La verdad de Miah se enfrenta a la «voluntad de verdad» de su familia que sobre todo encarna «La Bruja». Como consecuencia de este descubrimiento Miah ha infringido lo prohibido, ha sido separado y finalmente castigado con el suicidio. Miah perdió el hilo de Ariadna y acabó con su vida en un laberinto que siente infinito y sin salida. Por otra parte, la verdad de Natalia la enfrenta al ritual social que defiende el secreto y la «voluntad de verdad» y como resultado acaba resignándose a la idea de que la única realidad es la nombrada. Para Natalia el hilo de Ariadna ha perdido su sentido. Natalia ya no busca. Su identidad «es un viaje, nada más» (216).

Al lado de este tipo de personajes en los que los procedimientos sociales acaban instaurándose en la voluntad de poder y deseo de sus discursos, hay otros que intentan rebelarse. Experimentados personajes que, asiendo la verdad con fuerza, denuncian la justificación que la «voluntad de verdad» realiza de la exclusión. Zelia en *Mar de los espejos,* Adrián en *Varadero* o Jon en *Arde lo que será* son ejemplo de ello.

Zelia, por ejemplo, habiendo sufrido en su propia carne prohibiciones y aislamientos, no deja de enfrentarse a las estrategias de la «voluntad de verdad» con todas las armas a su alcance, incluidas aquéllas que desenmascaran las leyendas familiares:

> Este mediodía he mirado y escuchado a mi nieta igual que si la viera y la oyese desde una multiplicada cercanía de espejos. Pero ella no sabe que a mí nunca me atemorizó ese cuarto absurdo, que no cedí jamás a la estúpida tentación de creerme unas vanas leyendas familiares que él me narraba (87).

La fuerza del discurso de Zelia estriba en que sus deseos y su voluntad de poder no se apoyan en falsas huidas ni en palabras. Este personaje descree profundamente de la desmemoria y hace de la memoria no sólo una forma de conocimiento sino también una forma de actuación: «Por eso mantuve a esa serpiente de Mundi a mi lado, para que su presencia fortificase en mí la cólera y el desprecio y me ayudara a seguir recordando» (87-88).

Zelia y su afán de memoria es un claro antecedente de algunos de los personajes más importantes de las dos últimas novelas de Juana Salabert: *Velódromo de Invierno* y *La noche ciega.* Como ya se anunciaba en las tres novelas anteriores, aunque ahora se produzca de una forma nuclear, en estas narraciones, a la memoria como arma de búsqueda de la identidad se le une una memoria histórica; de forma tal que en estas dos novelas el telón de fondo histórico es mucho más importante que en las anteriores.

Si las tres primeras novelas de la autora tenían a la exageración melodramática y a la lucha por la «voluntad de verdad» como máximo impulso, las dos últimas añaden a éstos la utilización de la historia. Es decir, si el tema central de las tres primeras novelas era la búsqueda de la identidad a través de la memoria, el de las dos últimas es la redención de los muertos a través del recuerdo de la historia, de la propia y la del tortuoso siglo XX[5].

La caracterización de los discursos narrativos históricos de Salabert corresponde al tipo de la nueva historiografía[6]. Pues aunque

---

[5] De esta forma lo expresa Sebastián Miranda dialogando con Herschie: «—Has venido a sacarla de veras del Velódromo de Invierno que nunca abandonó realmente, Herschie. Únicamente tú puedes hacerlo, para que sobreviva en ti. Sólo tú puedes salvarla» *(Velódromo de Invierno,* 63). Para Marinelli, en *La noche ciega,* el recuerdo también es necesario: «no quiero olvido. Me niego a olvidar y estoy orgulloso de no querer hacerlo» (268).

[6] Celia Fernández Prieto señala algunos de los rasgos de las nuevas tendencias historiográficas: descrédito de los paradigmas objetivistas a favor de una multiplici-

mantiene la vieja configuración de la novela histórica (hace que la verosimilitud recaiga en la representación de la diégesis y no disimula su intención pedagógica) rompe con otros elementos de ella. Así la narratividad de algunos acontecimientos históricos que transcurren desde los años 30 y 40 se fusiona con el presente de la narración y la omnisciencia cede a favor de perspectivas más subjetivas y parciales.

Pero lo importante, en este apartado, es que ambas narrativas, la ficticia y la histórica, proceden de un mismo impulso, ese que Hayden White formula como un juicio moralizante[7]. En el centro del laberinto de estas dos novelas, la narración de las aberraciones históricas de la Guerra Civil española y de la Segunda Guerra Mundial están en función, y con ella se fusionan, de una narratividad ficticia a la que sugieren la narración de una moralidad. Una ética que cuestiona temas como la ley, la legalidad y la autoridad. Marinelli y Herschie en su voluntad de recordar, es decir de narrar, creen ver el hilo de Ariadna porque suponen que sólo gracias a ello pueden generar una nueva moralidad, ésa que enterrará en memoria y para siempre los holocaustos y las guerras; la que habrá de redimir a los inocentes, aunque con ello haya que sufrir el ejercicio corrosivo del recuerdo.

He escrito que creen ver el hilo de Ariadna, que tal vez lo vislumbren, pero considerando las cinco novelas de Salabert en conjunto dudo de que sea así. El desvelamiento de la moral oculta con la utilización del melodrama, los discursos que quieren enfrentarse a los disfraces de la «voluntad de verdad» y el impulso moralizante que apoya la narración histórica no conducen a la salida del laberinto. Ninguno de los personajes ni de los narradores que emiten dichos discursos creen, en el fondo, en la posibilidad del azar. Todos ellos están firmemente determinados, condicionados inicialmente por su autora (por «el principio del autor» del que habla Foucault) que, como a Barrabás en *Mar de los espejos,* tiende a inculcar en su personajes una gran dosis de destino insoslayable: «Pero nada se supera nunca, esa y no otra es la lección» *(Mar de los espejos,* 203).

---

dad de interpretaciones sujetas también a la historicidad; desilusión de las grandes metahistorias a favor de una multiplicidad de interpretaciones sujetas a los desarrollos históricos; disolución de la Voz de la Historia, monolítica y monológica a favor de la multiplicidad de voces y la diversidad de enfoques; incorporación de voces narrativas a la narración de la Historia (144-149).

[7] White cree que moralizar los acontecimientos reales, es decir narrarlos, es un impulso que tiende a identificar la realidad con el sistema social que está en la base de cualquier moralidad imaginable: «Pero una vez que hemos reparado en la íntima relación que Hegel sugiere entre ley, historicidad y narratividad, no nos puede sorprender la frecuencia con que la narratividad, bien ficticia o real, presupone la existencia de un sistema legal contra o a favor del cual pudieran producirse los agentes típicos de un relato narrativo» *(El contenido de la forma,* 28).

Junto a este excesivo determinismo que quita vitalidad a los personajes, algunas de las novelas de Juana Salabert se exceden en su verbalismo[8]. Se me dirá, y sin duda con toda la razón, que es cuestión de gustos. Verdad es, pero también lo es que en algunas páginas de Salabert todo su trabajo interesante, por arriesgado y bello, se pierde, como el hilo de Ariadna, por entre los corredores de una excesiva acumulación de palabras[9]. El problema que el lector puede encontrar al leer las novelas de Salabert no estriba en la complejidad, sino en la acumulación de tantas palabras que impiden que en ocasiones se pueda ver y sentir su buen hacer.

OBRAS CITADAS

ALONSO, Santos (2003), *La novela española en el fin de siglo 1975-2001,* Madrid, Mare Nostrum.
BERTRAND DE MUÑOZ, Maryse (1996), «Presencia y transformación del tema de la guerra en la novela española», *Ínsula,* 589-590, pág. 13.
BROOKS, Peter (1976), *The Melodramatic Imagination,* New Haven y Londres, Yale University Press.
FERNÁNDEZ PRIETO, Celia (1998), *Historia y novela: Poética de la novela histórica,* Pamplona, Eunsa.
FOUCAULT, Michel (1999), *El orden del discurso,* Barcelona, Tusquets.
GULLÓN, Germán (1996), «Cómo se lee una novela de la última generación (Apartado X)», *Ínsula,* 589-590, pág. 31.
LANGA PIZARRO, M. Mar (2000), *Del franquismo a la posmodernidad: la novela española (1975-1999),* Alicante, Universidad de Alicante.
NAVAJAS, Gonzalo (1996), *Más allá de la posmodernidad. Estética de la nueva novela y cine españoles,* Barcelona, EUB.
SALABERT, Juana (1999), *Aire nada más,* Barcelona, Plaza & Janés.
— (1996), *Arde lo que será,* Barcelona, Destino.
— (1998), *Mar de los espejos,* Barcelona, Plaza & Janés.
— (2004), *La noche ciega,* Barcelona, Seix Barral.
— (1996), *Varadero,* Madrid, Alfaguara.
— (2001), *Velódromo de Invierno,* Barcelona, Seix Barral.
SANZ VILLANUEVA, Santos, «Estudios sobre la novela española contemporánea», *Diario 16,* 1-X-1988, pág. 13.
VV.AA. (1996), «Encuesta a los críticos», *Ínsula,* 589-590, págs. 23-26.

---

[8] Apunto aquí alguna de las críticas que se le han hecho a la novelista respecto a este tema. Santos Sanz Villanueva, además de señalar que en *La noche ciega* no existe una idea firme de unidad y hay un excesivo alambicamiento en su prosa, indica que la autora se «recrea en una sintaxis llena de subordinaciones mecánicas y tiende al envaramiento expresivo» http://www.elcultural.es/HTLM/2004/LETRAS

[9] La propia autora confiesa su fascinación por las palabras: «Yo también he crecido entre dos lenguas, y la distancia impuesta ha hecho que me enamorara, a veces de un modo neurótico, de las palabras» («Última narrativa», 39).

VV.AA. (febrero, 1994), «El melodrama mexicano», *Archivos de la filmoteca,* 16.

— (1996), «Última narrativa: los mejores autores de los noventa», *El Urogallo,* 120 págs. 24-42.

WHITE, Hayden (1992), *El contenido de la forma,* Barcelona, Paidós.

Capítulo VII

Belén Gopegui entre la búsqueda y la denuncia de la realidad*

Biruté Ciplijauskaité
University of Wisconsin-Madison

La presentación de la realidad ha sido un problema que ha debido confrontar todo novelista: realidad visible/costumbrista para los autores del siglo xix; realidad interior y cuestionamiento ontológico al empezar el siglo xx; realidad perdida y soñada de los exiliados; realidad actual usada para crítica de la condición social o para rechazarla y evadirse hacia lo fantástico después de las dos guerras mundiales. Gran parte de los críticos que han escrito sobre los cambios y las nuevas direcciones de la escritura en las últimas décadas coincide en señalar ciertos puntos comunes tanto en la elección del escenario como en la actitud de los personajes de ficción. Hacen notar también la influencia de otros medios de comunicación en cuanto a los procedimientos para retratar el ambiente de desencanto. Si en casi todos los autores consta la rebelión contra el modo tradicional de construir una novela, no coinciden siempre los esfuerzos para crear parámetros nuevos. (Es más: protestan contra paradigmas rígidos; todo se vuelve maleable y fluido.) Con cada vez mayor frecuencia se menciona un factor nuevo: la creación de una novela depende también de lo que dicta el mercado, que se resiste a aceptar criterios individuales.

Se ha hablado, intentando definir el ambiente general, de estética de fracaso, identidad inestable, héroe perdedor (Tortosa, 100); de

---

* Quedo infinitamente agradecida a Luis Villar por la ayuda en conseguir textos no fácilmente accesibles.

«una sensación de enorme desamparo», de frecuentes crisis de matrimonio (Mainer, 61); de la apatía y fácil acomodación al sistema en vez de lucha, de la vuelta hacia la intimidad como defensa ante el poder (Valls, *La realidad inventada,* 27 y 248); del modo irónico de borrar los límites entre el arte y la realidad (Bouju, 160; ofrece un interesante análisis de los procedimientos).

Gonzalo Navajas, el crítico que más consistentemente se ha ocupado de las teorías nuevas sobre la novela así como de la evolución de la obra de ficción[1] señala las siguientes características que predominan en los nuevos mundos creados: indeterminación significativa e inestabilidad axiológica; indefinición cognitiva y ética; la valorización de la ambigüedad. Insiste en el uso predominante de la ironía y la paradoja. Señala también la pérdida de la capacidad de «entender la comunidad como una adhesión colectiva a una serie de principios» («Table Ronde», 339). La insistencia en lo efímero y el renunciamiento a la continuidad de la Historia causa preferencia por la fragmentación, revalorización de la historieta y de la anécdota *(Era global,* 45)[2]. Hace notar las aportaciones de la cultura popular: la trivialización, la dispensabilidad del objeto estético (ibíd., 39-41)[3], preferencia por el espectáculo frente a la reflexión y la penetración de técnicas de películas de misterio o de detective dirigidas a la emotividad fácil. Cree percibir, sin embargo, una reorientación hacia lo social y el resurgimiento de la dimensión ética en los años más recientes.

Todos los críticos están de acuerdo sobre la ampliación del recinto de la realidad representada y mencionan la atención que se presta a figuras marginadas. (Curiosamente, más de uno observa que a veces los personajes secundarios cautivan la atención más que los principales, que exponen siempre los mismos problemas.) Siguiendo las prácticas del cine, entran con cada vez más naturalidad el erotismo y la sexualidad[4]. Se señala que la ausencia de sujeto central condiciona un modo más moderno de terminar la novela, dejándola sin desenlace (Kunz). El *yo* presentado es polifacético. Con ello surgen y se desarrollan los términos teóricos «alteridad», «otredad»[5], se insis-

---

[1] Asevera Jean Tena que para los hispanistas franceses, su *Teoría...* se ha convertido en algo como la biblia (321).

[2] Ferrer Solá señala «la endeblez de [los] planteamientos argumentales» (24-25) de la narrativa española actual *(Hijos).*

[3] Ángeles Encinar *(Novela)* y Jordi Gracia *(Hijos)* anotan la transformación o desaparición del héroe tradicional.

[4] Pero frecuentemente la mujer sigue siendo percibida por la mirada concupiscente del macho. Tiene observaciones interesantes sobre este aspecto la novelista canadiense Carol Shields: «in men's novels seldom a woman character appears as a moral center».

[5] Véase el trabajo de Katarzyna Beilin sobre este aspecto.

te en «lo invisible» y en la técnica de desdoblamiento, con respecto a lo cual convendría recordar alguna observación de Merleau-Ponty acerca de la percepción de la realidad: toda percepción es cambiante y sólo probable. Consiste en una opinión y es meramente *un* acercamiento a la realidad, el «forro» de lo visible. Lo apercibido conlleva siempre otras posibilidades *(Le Visible..., 64, 65, 273)*. Lo invisible puede significar el estrato más profundo que es tan real como lo que se ve y, puesto que se distingue por la ambigüedad, servir como reproche por «tener ojos y no ver». Varios autores han incorporado esta premisa en sus novelas, empezando por el título: *Los invisibles* de José María Merino, novela que elabora la dimensión fantástica, pero sin ignorar la denuncia de la estructura social actual, o *La vida invisible* de Juan Manuel de Prada, que representa la parte de la sociedad que el pequeño burgués prefiere ignorar, como si se pudiera separar la vida individual de lo que ocurre en el país[6]. La ambigüedad se ha convertido casi en una *conditio sine qua non* en la estructura de una obra de arte[7]. Está presente tanto en el desarrollo de la trama como en el diálogo o el uso de palabras sueltas y obliga al lector a buscar una realidad más completa.

Los títulos de las novelas de Belén Gopegui dan testimonio de su preocupación por las diferentes facetas de la realidad: los *mapas* sirven para fijarla; *tocar* la cara es más que imaginarla[8]; *conquistar el aire* también quiere decir tender puentes de uno a otro, intentar dominar lo invisible. Y lo *real* escueto permite una lectura irónica. Por una parte es lo que percibe de modo diferente cada persona; por otra, el mensaje que irradia es igual para todos: el llamamiento a la lucha («Salir del arte», 199). La evolución del acercamiento a la realidad es paulatina y refleja los pasos observados por los críticos en el desarrollo general de la literatura de los últimos años. La continuidad en la actitud y en el propósito se confirma en sus escritos breves: prólogos, contestaciones a encuestas o entrevistas, que ayudan a acercarse a su poética y tratar de captar algún reflejo autobiográfico (a pesar de las protestas de la autora) en su escritura. Así, nos enteramos de que estudió derecho empujada por los ideales de justicia y el deseo de arreglar el mundo. La necesidad de rebelarse contra el poder en cualquier nivel que sea, sólo un buceo en *Tocarnos la cara*, se ha hecho más viva en las últimas novelas. Tratando de evaluarlas como obras de arte, no habrá que olvidar la declaración de la autora

---

[6] Según Rafael Chirbes, «en lo privado está la metáfora de lo público de un modo indisoluble» (68).

[7] Afirma Carme Riera que al componer una obra de ficción piensa en «giving clues [...] and not showing all my cards» (41).

[8] Legido-Quigley sugiere que transmite la noción de transvase, de reciprocidad («La superación...», 158).

en una entrevista con Marta Rivera: «no creo que haya mucha diferencia entre la forma y el contenido» *(Espéculo,* 7).

Desde *Tocarnos la cara* insiste en que no basta ser observador, hay que actuar (lo sugería ya la solapa de *La escala:* la literatura ha de ser «como arma blanca capaz de hacer una hendidura en el aire [...] en nuestra percepción del mundo»). Es el modo de actuar de los personajes lo que va a evolucionar a medida que adelanta la obra. Si en *La escala* el espíritu de colectividad apenas se menciona (si no consideramos la crítica implícita por su ausencia), en las novelas siguientes se cuestiona el modo de mantenerlo y usarlo de manera eficaz, para lo cual hay que admitir facetas poco divergentes de la realidad, contra lo cual podría protestar el lector acostumbrado a la lectura «light». Lo que distingue a Gopegui de algunos contemporáneos suyos es precisamente el no darse por vencida y no aceptar compromisos.

Marta Rivera de la Cruz subraya que lo que la aparta de la inercia de algunos jóvenes autores es su fe en la posibilidad de victorias futuras *(Espéculo,* 8), que se trasluce también en la entrevista con Legido-Quigley, donde declara su intención: «No se debe invitar al lector a dejar el mundo tal como está» («Conversación», 93). El énfasis en el futuro se ve a las claras en otra aseveración en «Salir del arte»: considera que siempre nos encontramos ante tres mundos: el real, el imaginario y el por hacer (202). Realza la importancia del compromiso y la necesidad del mensaje claro: no se debe permitir que el lector se refugie «en sus facetas privadas [...] hay que dirigirse a los sectores donde puede generarse una evolución» («Conversación», 95). En esto, como Unamuno con su puñado de sal cáustica, se distingue de los autores que buscan complacer al lector (y, más aún, al director de la editorial), dejándole en la modorra del espectáculo instantáneo[9].

En vez de ofrecer pequeños fragmentos sueltos que captan atención inmediata, Gopegui entrelaza todas las partes de una novela con mucho cuidado para llegar al mensaje final: lo que importa es la construcción, no el hecho real suelto («Conversación», 92). La prioridad del mensaje se pone de relieve repetidamente: una novela tiene que contar una cosa; no admite que «cada uno la saque de su interpretación» (ibíd., 99). Por consiguiente, no ve inconveniente en recapitular ella misma la intención que ha puesto en cada una de ellas[10]. Su propósito va más allá de sugerir: quiere embaucar al lec-

---

[9] Interesantes son sus observaciones sobre la novela policíaca: la imaginación queda tan ocupada que no admite pensar en cosas más profundas («En desierta playa», 314).

[10] Véase la conversación con Legido-Quigley y «Salir del arte».

tor para la causa, de modo semejante a como lo hacían los autores de las novelas de tesis.

La primera novela, *La escala de los mapas,* ha suscitado grandes elogios sobre todo por el uso magistral del lenguaje y el frescor de las imágenes. La hechura importaba aún más que el mensaje que, según la autora, muchos lectores no han captado. La figura del protagonista, un hombre irresoluto, hace pensar más bien en un Oblomov, Zeno, Augusto Pérez que en los jóvenes anti-héroes de hoy. Presenta el mundo interior de un hombre que pone en duda su propia existencia, reconoce la estratagema de la máscara («Diez años [...] obsequiándola con episodios inventados de la mía [vida]» [18]) e induce al lector a suponer que tampoco la amada existe[11]. Marco Kunz aplica a su análisis magistral la teoría de *mise en abyme,* señalando el efecto que consigue con el *dubbio* final, más eficaz que el comentario autorial a modo de moraleja que, dice, «sí ha pasado de moda» (214). (Gopegui lo usará, un tanto modificado, en las novelas posteriores.) Destaca varios aspectos de la compleja estructura que justifica los elogios apasionados que ha suscitado la novela (Martín Gaite, Francisco Umbral [Montejo Gurruchaga y Baranda Leturio, 187]). Su interpretación del *leitmotiv* —el hueco como escondite— permite atar los cabos sueltos y las variaciones de la metáfora a través del texto y da prueba de la presencia constante de la dimensión metaficcional, que no desaparecerá en las novelas siguientes. Aunque la autora haya declarado sin ambages que el arte puro no basta, desde los primeros intentos tenía la certeza que gracias al arte el mensaje penetraría más hondo.

Lo que Gopegui ha conseguido en *La escala* es una técnica narrativa apropiada para una trama que incluye procedimientos psicoanalíticos[12]. Kunz discute en detalle los dos principios en los cuales se basa la estructura: la inversión y la rotación de las personas gramaticales para producir ambigüedad. A ello se añade la inquisición existencial: ¿existo o no existo? Realza también el uso muy ingenioso de doble intertextualidad: Poe y Lacan (espejo en el espejo). Todo está en su sitio, nada ha sido improvisado. En una entrevista reciente ha admitido la autora: las historias «las invento, las construyo de acuerdo al conflicto que trato de mostrar» *(El País.es,* 6). Ha

---

[11] Janet Pérez sugiere una interpretación de la novela partiendo de la constatación «Verán, yo encontré a Brezo en una suposición» (135). Ayala-Dip la ve como «una fábula sobre el deseo del deseo» (9). Es curiosa la duplicación de este deseo, y no sólo amoroso: Sergio busca un hueco y al final lo encuentra en los blancos entre las letras, es decir, en lo que no se ha enunciado en las 229 páginas. Brezo añora un regalo de una barra espaciadora cuando tiene 14 años.

[12] Qué bien han aprendido la lección Gopegui y Millás de Martín Gaite, y qué diferentes novelas han producido partiendo de la escena de psicoanálisis.

declarado repetidamente que escribir no es una necesidad: «está más cerca de un plan, de un propósito» (ibíd., 5). No cree en la literatura como juego ni en la inspiración romántica. En *La escala* ha resuelto admirablemente el problema que según Rafael Chirbes confronta todo novelista: el «de distribución de poderes en el lenguaje» (86).

La novela fluctúa constantemente entre lo real y lo irreal y cuestiona la solidez de los personajes, incluso de la psicoanalista misma, quien también esconde varios *yos*. Las preguntas de Sergio Prim no se limitan a lo ontológico. La posible disolución de su *yo* recuerda a Augusto Pérez, quien perdía su voluntad cuando le miraba Eugenia. Lo de Sergio es más complejo. Si al enfrentarse con Brezo siente un «mareo de irrealidad» parecido al de Augusto —aquí Gopegui aprovecha el proceso de desrealización («qué superficie líquida y removida, a tu lado, mi voluntad cambiante» [75]) para condenar su egoísmo («si alguien a quien yo admiro declara su confianza en mí, me sobreviene un desasosiego, una necesidad de evaporarme para no tener que arrostrar el don» [54]). La imagen cumulativa intensifica la sensación de lo inútil en la vida personal así como —y esto es lo que le reprocha más la autora— en la vida pública: ni siquiera intenta producir un cambio.

Lo que señalaba como una añoranza secreta en Martín Gaite, su maestra, («dejar al lector sometido al imperio de las asociaciones» [«Un caballo...», 9]), lo cumple ella en *La escala,* donde los límites entre la realidad y la imaginación quedan borrosos y la enunciación en una página contradice otra en la siguiente. Es la tensión establecida desde la primera imagen: el hueco y la manivela, un espacio más o menos in/definido y un objeto que desencadena acción sobre el espacio. Luego añade la polisemia del hueco, al que asocia la autodefinición. Es en realidad el tema principal de su obra entera: hablar de la acción y a la vez buscar refugio donde quedarse quieto. Pero no se esfuma por completo. En las páginas finales oímos: «Siempre cabe la posibilidad de afincarse en una manivela» (277). La imagen casi siempre es doble: un espejo reflejando otra imagen, como el primer capítulo, donde supuestamente presenta el caso por la psicoanalista para confesar al final que se trata de lo que el protagonista imagina que ha imaginado la psicoanalista.

En esta novela es muy evidente el modo de aprovechar lo cotidiano para conferirle significado más amplio, así como lo hacían Martín Gaite o Natalia Ginzburg. Los monólogos se vuelven autodiálogo y se funden con diálogos recordados o imaginados. El modo de introducir el tema y los personajes principales suscita interés desde las primeras páginas, siempre contra la tradición o las expectativas del lector. Así, el «héroe» se presenta como «manoteo de ilusionista tímido» (13), «manos en retirada soy» (27). Lo que podría parecer un juego de palabras, «mirar-morar», tiene una significación más profunda y se relaciona con la imagen principal: el hueco donde instalarse, la *doublure* (Merleau-Ponty) del mapa. Teme la *figura* de Brezo (aunque admite que al ver su cuerpo se siente dios), pero aun más, su imaginación («Brezo, la espectadora imaginaria [...] posee a su vez secretos espectadores» [105]): la *mise en abyme* señalada por Kunz. Las yuxtaposiciones no siempre aclaran el asunto, sí pueden servir de indicio, dejándole la interpretación al lector: «[la psicoanalista] decía Brezo como si fueras una mujer que sube las escaleras» (162). Se señala explícitamente la ambigüedad de las palabras: «si yo digo árbol, me figuro un pino mediterráneo mientras que tú ves abetos» (224). Es el libro donde abundan más recursos estilísticos ingeniosos y «estratagemas», en el que la escritura no cede su puesto dominante: termina, como *Cien años de soledad,* como *El cuarto de atrás,* mostrando manuscrito completado, la única solución para Sergio.

La dicotomía acción/parada abre *Tocarnos la cara,* y las imágenes del avión parado (es decir, que no ha perdido la capacidad de volar) y la cubierta que se va desplomando pero sigue suspendida en el cielo sintetizan el tema: el dudoso proceso de crear algo nuevo que amenaza de fracasar. Por eso el capítulo de cierre final, narrado por el personaje que ha manipulado tanto el equipo como la acción (declarando su doblez en vez de las maravillosas insinuaciones sostenidas a lo largo de *La escala)* se concentra en resumir el pasado inmediato y llega sólo al punto en el que lo ha dejado Sandra, subrayando la doble versión de cada hecho. Vuelve al tema de la acción individual/acción unida y parece señalar, así como la manivela de Sergio, que la puerta no queda cerrada: contrapone «pájaros [que] se van en desbandada/la desbandada tiene forma de flecha»; prevé que «va a haber una flor»; asegura que «no hay estrépito sino una historia que se encadena y avanza» (231). El mensaje indicado en la solapa: «ningún sentido puede encontrarse en privado», se ilustra a través del texto como búsqueda. La ambigüedad cede a la repetición regular de que lo único es la acción, no la intención. Es la novela cuyo espacio refleja muy bien el ambiente del «desencanto», con estructura adecuadamente calculada: búsqueda polifacética, varias vidas, *reprise* de situaciones parecidas, esfuerzo frustrado, discusiones que no llevan a ninguna parte. El mensaje se transmite por el uso del lenguaje (sin color, sin mucho interés por la imagen). Es importante el énfasis en *ensayo:* todo está en proceso. Las largas discusiones van sincopadas por breves toques de precisión, introducidos por mano maestra. Despojado del fondo moral/religioso, el tema del «gran teatro del mundo» ocupa el primer lugar. Se regenera la noción de lo común: «¿Quién es yo, y quién es el otro, el contigo?» (73). Mientras que autores como Millás, Merino, Marías, Prada intercalan en sus novelas anécdotas para entretener, aquí se inserta sólo un texto «ajeno»: un epistolario teórico que no perdería mucho convertido en un resumen breve. Se vuelve más aguda la crítica de la sociedad y del poder del dinero, que se desarrollará en *La conquista del aire,* pero diciendo más que mostrando. Son más abundantes las exposiciones y las preguntas retóricas. Tal configuración del discurso es intencional: la forma debe ir unida al fondo. La presentación del constante esfuerzo sin dirección clara produce cansancio incluso en el lector[13]. Como *Gesamtkunstwerk* esta novela ofrece menos satisfacción que *La escala.* Pero es lo que dicta el tema. Realza el hecho de que en la sociedad que presenta resulta imposible producir incluso una buena obra de arte.

En los últimos años se ha considerado con creciente frecuencia el uso de la primera persona en la ficción, preguntándose hasta qué punto esto permite suponer una presencia de elementos autobiográficos (pero éstos entran también en las narraciones en tercera; según Chirbes, el novelista nos entrega, con la radiografía de su tiempo, su propia radiografía [87]: la posición que adopta ante la realidad). Gopegui ha ensayado todas las posibilidades: la inquisición ensimismada, la distribución del punto de vista alternante, y desde *La conquista del aire,* ya el uso de narrador semi-objetivo[14]. Se trasluce el deseo de conseguir una objetividad casi de documento o crónica, que se confirma por la precisión cronotópica y referencias a personas de la vida pública actual en España. Se afirma la intención didáctica apuntada en el prólogo. Aumentan las alusiones a las lecturas, resúmenes de teorías. Disminuye la ambigüedad. La rápida rotación de tres conciencias, tres ambientes atestigua un plan estructural cuidadosamente trazado.

La parte introductoria es visual: se suceden escenas, reacciones al acontecimiento que constituye el eje de la novela que van ramificándose. Son piezas de mosaico apretado. El mensaje vuelve con una regularidad que se empleaba en las novelas de tesis. Proliferan disquisiciones casi excesivas (March, 120) lamentando la disolución de los ideales. Valls hace notar que esto produce «cierto desajuste en

---

[13] La crítica ha sido severa con esta novela: «Lo que no ha conseguido en el libro es que los personajes tengan una profundidad y personalidad bien definida. Puede el mensaje en detrimento de la construcción novelística» (Asís Garrote, 468).

[14] Irene Arce no es una cámara que enfoca las escenas desde fuera. Cuenta desde el presente lo vivido y observado durante muchos años, produciendo un palimpsesto con interpretaciones subjetivas. Pero cumple con lo que Chirbes señala como una técnica innovadora: presentación de la realidad «desde los ángulos, no desde el centro» (27). Puede ser considerada como narrador no fiable: «Mía es la voz y la elección» (206), aunque las intervenciones en primera persona no son frecuentes. La actitud de Gopegui se parece a la de Fay Weldon: «It's such a relief to get a book that isn't in the first-person present tense, and does not subscribe to the stereotypical view of society that so often accompanies it» (13).

la mecánica narrativa» («El espejo...», 65). La orientación política es clara. Jacqueline Cruz clasifica la novela radicalmente como «un riguroso tratado sociológico en clave de ficción» (310)[15]. Es precisamente aquí donde los personajes secundarios empiezan a cobrar importancia, se establece un contrapunto más complejo. Como siempre, las escenas de encuentros sexuales son tratadas con discreción: admitiéndolas como parte de la vida real, pero sin buscar erotismo fácil. El cuerpo en las novelas de Gopegui tiene más importancia que lo espiritual, rasgo frecuente en la narración de la era presente[16]. La falta de lealtad a la causa va acompañada de la disgregación de las tres parejas. Son acontecimientos que piden discurso prosaico. El único pasaje con asomos de tono lírico, rico en imágenes, aparece al final, casi a modo de moraleja tradicional.

En esta novela, recogiendo los hilos de *Tocarnos la cara,* se confirma la continuidad del propósito de la autora. La indecisión de los protagonistas se transmite por diálogos que se convierten casi en ensayo. La presentación resulta más persuasiva cuando viene abreviada, como resumen escueto: «Marta era menos Marta de lo que Santiago era Santiago, porque Marta era casi todo herencia y yo me había construido solo» (291-292). En la parte titulada «Final» consigue el efecto por el cambio de estilo, el ritmo de las repeticiones, la compaginación de procedimientos casi contrarios.

Ignacio Soldevila ha comentado muy certeramente la evolución de la narrativa de Gopegui. Obsesionada por cuestiones de justicia y colectividad, después de ensayar varios acercamientos a la realidad para lograr una presentación más penetrante, después de navegar entre la lírica y pseudo-ensayística, la novela de ideas y la protesta social, en *Lo real* emplea procedimientos nuevos: «ha adquirido [...] una clara idea del sentido (o del sinsentido) [...] Por eso el texto está sembrado de sentencias que van dejando sentados los hitos» (91-92)[17]. Y añade la siguiente advertencia: «Ciertamente no está llamada la novela [...] a tener muchos lectores dispuestos a dar a su trato lo que su sustancia exige: tiempo abundante y espacio adecuado, relecturas» (94).

La riqueza de las imágenes en *Lo real* hace recordar *La escala*; vuelven a entrar escenas líricas que combina con elementos de un

---

[15] Jordi Gracia, más interesado en la política, la encuentra superior a *La escala,* aun admitiendo que «carece de momentos de gran intensidad verbal» *(«La conquista...»,* 142). Según Vendrell, «the novel captures admirably the state of mind of many Spaniards during those critical years of transition» (149).

[16] Por eso una novela como *El silencio de los árboles* de Eduard Márquez llama atención especial.

[17] Gopegui misma se refiere al hecho con una pizca de ironía: «poco a poco voy aprendiendo a hablar en castellano y no en el idiolecto literario *(El País.es,* 4).

Bildungsroman sui generis. Es de notar la presencia del mundo de la televisión y el cine, que oscilan entre su tarea de reflejar la realidad y, al mostrar como la tuercen, crítica irónica[18]. El discurso mismo toma prestadas de ellos algunas expresiones («la música se intensificaba» [81]). Las discusiones teóricas retroceden frente al espectáculo inmediato de la corrupción. Un acierto son las intervenciones del Coro, la otra cara del espejo, que apunta la dimensión épico-trágica; por una parte representa la voz de los explotados, por otra formula preguntas que debería plantearse el lector. Está lograda la introducción de los personajes: un par de pinceladas, algún gesto, dos palabras según la procedencia social del que observa[19]. La cuestión de identidad no se diluye en inquietudes existenciales. Se enuncia de modo tajante que «hoy» lo importante no es descubrir quien se es, sino saber crear su propia imagen. Incorpora técnicas de novela de detective; no ha desaparecido el motivo del teatro («representar cansa» [35]). Sigue el prurito de predicar, pero en esta novela entra ya por medio de la presentación de situaciones, no enunciado con insistencia. Desde el principio se advierte que se presentará «lo real» parcial: «Contaré lo que he sabido que ocurrió, lo que he imaginado que tuvo que ocurrir» y se acentúa la imperiosidad de trazar un plan bien calculado: «Las historias se componen de cuanto se ha narrado [...] cualquier fuerza o tensión, cualquier fractura posible, ha de estar contenida en la estructura» (17). El eje principal es el mismo: la realidad/el deseo. Se alude a la técnica de recoger datos para convertirlos en reportaje. Se aconseja casi adquirir cierto cinismo para descifrar las dobleces. Una constatación sintética define acertadamente el ambiente en el que se mueven los personajes y las relaciones que establecen: «El locutor te mira, pero no te quiere» (296).

En el 2000, aseveró Gopegui en una ocasión «Yo no escribo novelas», porque ya no sabía si el marxismo era el modo mejor de explicar los hechos reales («Bruto sí...», 75). Y proseguía con lo que se puede considerar como tono irónico: «Es más moderno tener percepciones paranormales y vislumbres de la Belleza, de la presencia real de la Divinidad», añadiendo que el discurso de Marco Antonio triunfó no por lo que decía sino por el procedimiento retórico que instituyó para hablar en unas circunstancias concretas (79). ¿Era una premonición de lo que iba a ofrecer con *Lo real*? Rehusándose a seguir las modas, cuidando el lenguaje, rechazando el *divertimento* halagador, se ha creado un estilo inconfundible. En su esfuerzo por mostrar la realidad, tanto la autora como sus per-

---

[18] A este respecto se podría recordar como antecedentes *Telepena de Celia Cecilia Villalobo* de Álvaro Pombo y *La reina* de María Luisa Puga.
[19] Véase el análisis del uso de la gestualidad en la creación del personaje por Emma Martinell.

sonajes encajan en la definición del trabajo de la traducción ofrecida por Javier Marías: «El traductor no reproduce [...] Plasma siempre por vez primera una experiencia única, irrepetible e intransferible [...] Ha de reconstruir lo que en su memoria está deshecho, es fragmentario, y ha de darle una forma particular» *(Literatura y fantasma,* 191-192). Queda por ver el traje nuevo que va a poner al consejo de Marco Aurelio: «Porque todo lo que hago yo solo o con otro debe tener como la única meta el servicio y la armonía de todos» *(Meditaciones,* VII.5).

OBRAS CITADAS

Asís Garrote, María Dolores de (ed.) (1996), *Última hora de la novela en España,* Madrid, Pirámide.

Aurelius, Marcus (1986), *Meditations,* Maxwell Staniforth (trad.), Nueva York, Dorset Press.

Ayala-Dip, J. Ernesto, «Una fábula sobre el deseo. La fascinación del lenguaje de Belén Gopegui», *El País. Babelia,* 9-10-IV-1993, pág. 9.

Beilin, Katarzyna (2001), «Más allá del realismo, pero nada del otro mundo», *Monographic Review/Revista Monográfica,* 17, págs. 62-77.

Bouju, Emmanuel, «L'Esthétique du trompe-l'oeil ou la narration ironique», en Tyras, *Postmodernité,* págs. 159-167.

Castro García, María Isabel de, «La novela contemporánea de mujer (1975-2000). De la ficción autobiográfica, la autobiografía y la novela crónica», en Montejo Gurruchaga, págs. 167-188.

Cruz, Jacqueline (2000), «*La conquista del aire*», *Anales de la Literatura Española Contemporánea,* 25, págs. 306-310.

Cuevas García, Cristóbal (ed.) (2000), *Escribir mujer. Narradoras españolas de hoy,* Málaga, Congreso de Literatura Española Contemporánea.

Chirbes, Rafael (2002), *El novelista perplejo,* Barcelona, Anagrama.

Encinar, Ángeles (ed.) (1995), *Cuentos de este siglo. 30 narradoras contemporáneas,* Barcelona, Lumen.

— (1990), *Novela española actual: la desaparición del héroe,* Madrid, Pliegos.

Ferrer Solá, Jesús (1998), «La estética del fracaso en la actual narrativa española», *Cuadernos Hispanoamericanos,* 579, septiembre, págs. 17-25.

Glenn, Kathleen M. (1999), «Conversation with Carme Riera», en K. Glenn, M. Servodidio y M. S. Vásquez (eds.), *Moveable Margins. The Narrative Art of Carme Riera,* Lewisburg, Bucknell University Press, págs. 39-57.

Gopegui, Belén (2000), «Bruto sí era un hombre honrado», *Archipiélago,* 50, págs. 75-78.

— (1998), *La conquista del aire,* Barcelona, Anagrama.

— (1999), «Conversación con Belén Gopegui», Eva Legido-Quigley, *Ojáncano,* 16, abril, págs. 90-104.

— «En desierta playa», en Ángeles Encinar, *Cuentos de este siglo,* págs. 309-320.

GOPEGUI, Belén, «Entrevista», *El País.es,* 15-I-2004.

— «Entrevista con Marta Rivera de la Cruz», *Espéculo,* 7, 16-I-2004.

— (1993), *La escala de los mapas,* Barcelona, Anagrama.

— (2001), «Prólogo: el redondel de luz», en Carmen Martín Gaite, *Los parentescos,* Barcelona, Anagrama, págs. 7-22.

— (2001), *Lo real,* Barcelona, Anagrama.

— «Table Ronde», en Tyras, *Postmodernité,* págs. 322, 331, 338.

— (1995), *Tocarnos la cara,* Barcelona, Anagrama.

— «Salir del arte», en Montejo Gurruchaga, *Las mujeres escritoras,* págs. 197-202.

— (2003), «Un caballo al pie de la ventana», en Kathleen M. Glenn y Lissette Rolón Collazo (eds.), *Carmen Martín Gaite: Cuento de nunca acabar,* Boulder, Colorado, Society of Spanish and Spanish-American Studies, págs. 9-12.

GRACIA, Jordi (1998), *«La conquista del aire», Cuadernos Hispanoamericanos,* 579, septiembre, págs. 140-142.

— (2001), *Hijos de la razón. Contraluces de la libertad en las letras españolas de la democracia,* Barcelona, Edhasa.

KUNZ, Marco (1997), *El final de la novela. Teoría, técnica y análisis del cierre en la literatura moderna en lengua española,* Madrid, Gredos.

LEGIDO-QUIGLEY, Eva (2001), «La superación de una "episteme" posmoderna saturada: el caso de Belén Gopegui en *Tocarnos la cara», Monographic Review/Revista Monográfica,* 17, págs. 146-164.

MAINER, José-Carlos (1998), «La narrativa española actual. Entrevista con Jordi Gracia», *Cuadernos Hispanoamericanos,* 579, septiembre, págs. 59-70.

MARCH, Kathleen (2000), *«La conquista del aire», World Literature Today,* 74.1, invierno, pág. 120.

MARÍAS, Javier (1995), «L'Espagne est en fausse paix avec elle-même. Propos recueillis par Gérard de Cortance», *Magazine Littéraire,* 330, marzo, págs. 26-28.

— (1993), *Literatura y fantasma,* Madrid, Siruela.

MÁRQUEZ, Eduard (2003), *El silencio de los árboles,* Madrid, Alianza.

MARTINELL, Emma, «La gestualidad de los personajes de las narradoras españolas», en Cuevas, *Escribir mujer,* págs. 33-56.

MERINO, José María (2000), *Los invisibles,* Madrid, Espasa-Calpe.

MERLEAU-PONTY, Maurice (1999), *Interiority and Exteriority. Psychic Life and the World,* Dorothea Olkowski y James Morlay (eds.), Nueva York, SUNY.

— (1964), *Le Visible et l'invisible,* Claude Lefert (ed.), París, Gallimard.

MILLÁS, Juan José (1991), *El desorden de tu nombre,* Barcelona, Destino (orig. 1988).

— (1998), *El orden alfabético,* Madrid, Grupo Santillana de Editores.

MONTEJO GURRUCHAGA, Lucía y BARANDA LETURIO, Nieves (coords.) (2002), *Las mujeres escritoras en la historia de la literatura española,* Madrid, UNED.

NAVAJAS, Gonzalo (2002), *La narrativa española en la era global. Imagen. Comunicación. Ficción,* Barcelona, EUB.

— «La *para-doxa* posmoderna. El paradigma de una estética anticanónica», en Tyras, *Postmodernité,* 23-32.

NAVAJAS, Gonzalo, «Table Ronde», en Tyras, *Postmodernité*, vv. págs.

— (1987), *Teoría y práctica de la novela española posmoderna*, Barcelona, Edicions del Mall.

PÉREZ, Janet (2003), «Tradition, Renovation, Innovation: The Novels of Belén Gopegui», *Anales de la Literatura Española Contemporánea*, 28, 1, págs. 115-138.

POMBO, Álvaro (1995), *Telepena de Celia Cecilia Villalobo*, Barcelona, Anagrama.

PRADA, Juan Manuel de (2000), *La vida invisible*, Madrid, Espasa-Calpe.

PUGA, María Luisa (1995), *La reina*, Barcelona, Seix Barral.

RIERA, Carme, «Conversation with K. Glenn», en Glenn, *Moveable Margins*, págs. 39-57.

RIVERA DE LA CRUZ, Marta, «Belén Gopegui, *La conquista del aire*», *Espéculo*, 8, 16-I-2004.

— «Entrevista: Belén Gopegui», *Espéculo*, 7, 16-I-2004.

SHIELDS, Carol, «Entrevista en la radio», *CNR*, 17-VII-2003.

SOLDEVILA DURANTE, Ignacio (2003), «La obra narrativa de Belén Gopegui», en Alicia Redondo Goicoechea (coord.), *Mujeres novelistas. Jóvenes narradoras de los 90*, Madrid, Narcea, págs. 79-95.

TENA, Jean, presentación de «Table Ronde», en Tyras, *Postmodernité*, pág. 321.

TORTOSA, Virgilio (2001), *Escrituras ensimismadas. Lo autobiográfico literario en la democracia española*, Alicante, Universidad de Alicante.

TYRAS, Georges (ed.) (1996), *Postmodernité et écriture narrative dans l'Espagne contemporaine*, Grenoble, Université Stendhal (CERHIUS).

VALLS, Fernando (1998), «El espejo sin luz», *Quimera*, 168, abril, págs. 65-66.

— (2003), *La realidad inventada. Análisis crítico de la novela española actual*, Barcelona, Crítica.

VENDRELL, Larios (2002), «*Lo real*», *World Literature Today*, 76, 3-4, verano-otoño, pág. 149.

WELDON, Fay, «Pages of Pleasure», *Guardian Weekly*, 1-7-I-2004, pág. 13.

Capítulo VIII

Entre la ironía y el desencanto: la narrativa de Ángela Vallvey

Luis García Jambrina
Universidad de Salamanca

Nacida en San Lorenzo, Ciudad Real en 1964, Ángela Vallvey pertenece a lo que podríamos llamar la generación del desencanto. Venida al mundo en los años del desarrollismo, su etapa de aprendizaje y formación transcurre a caballo entre el final del franquismo y el comienzo más o menos efectivo de la democracia. Es la generación de los niños de la transición: demasiado jóvenes para incorporarse a la lucha final contra el franquismo y demasiado viejos para no haber sufrido, de alguna forma, sus últimos coletazos. Una generación, pues, para la que la guerra civil y la segunda guerra mundial eran ya algo remoto, mientras que la inmediata transición y la tan anhelada democracia pronto se convirtieron en una experiencia más bien frustrante. La caída del muro de Berlín y la llegada, entre otras cosas, de la controvertida globalización completaron después el aprendizaje de la decepción. De ahí el escepticismo, la incertidumbre y la perplejidad. Y de ahí también la preocupación de esta autora por encontrar la manera más adecuada de contar el presente que le ha tocado vivir. «Cómo contar el tercer milenio», así se tituló la ponencia que presentó la escritora en el I Encuentro de Escritores Jóvenes celebrado en Iria Flavia en julio de 1998. En ella, nos habla, entre otras cosas, del «fin de un modelo de civilización», vigente hasta no hace muchos años, y de los signos que definen los nuevos tiempos, para acabar proclamando la importancia de la creación literaria y la necesidad de una «mirada nueva» y distinta sobre la realidad (191-227).

Los comienzos: las novelas juveniles (1995-1997)

Después de licenciarse en Historia Contemporánea por la Universidad de Granada, y de cursar estudios de Filosofía y Antropología y un postgrado en Teoría del Arte, Ángela Vallvey publica su primer libro en 1992. Se trata de un volumen de relatos del que apenas ha quedado rastro en su bibliografía y del que la autora no ha vuelto a hablar. Su reingreso en la narrativa se produjo pocos años después con tres novelas juveniles con las que obtuvo bastante éxito y reconocimiento dentro de esa importante parcela de la literatura actual, a la que, por lo general, no se le presta demasiada importancia, pero que, en este momento, se ha convertido en vivero de buenos escritores, como es el caso de Carlos Ruiz Zafón o de la propia Ángela Vallvey.

Los títulos de estas tres novelas son *Kippel y la mirada electrónica* (1995), *Donde todos somos John Wayne* (1997) y *Vida sentimental de Bugs Bunny* (1997), y las tres se han reeditado varias veces. Aunque se trata de novelas de género dirigidas a un público muy concreto, en ellas están ya presentes algunos rasgos fundamentales de sus novelas posteriores: el humor, la habilidad para construir diálogos, la agilidad narrativa, las continuas referencias a la cultura de masas, el tema del amor, generalmente desgraciado. En la segunda de ellas, por ejemplo, se cuenta la historia de Edi, «un buen chico que vive en un mal barrio, donde para sobrevivir hay que ser como John Wayne, esto es, tener la cabeza fría y la pistola al alcance de la mano» (contracubierta del libro). Después de un capítulo de presentación narrado en tercera persona, el propio Edi le cuenta un trozo de su vida al policía que lo ha detenido. Se trata, por otra parte, de una historia de amor frustrado en la que el protagonista descubre, con desesperación, que «la vida no es una cazadora reversible» (contracubierta).

Después de esta primera etapa de literatura juvenil, que, entre otras cosas, le sirvió a la autora para dominar plenamente los resortes de la narrativa, viene un segundo ciclo o etapa, que podríamos llamar de madurez y consolidación y que está compuesto por los libros: *A la caza del último hombre salvaje* (1999), *Vías de extinción* (2000), *Los estados carenciales* (2002) y *No lo llames amor* (2003). A estos títulos habría que añadir, naturalmente, sus libros de poesía: *Capitanes de tiniebla* (1997), *El tamaño del universo* (1998, Premio Jaén de Poesía) y *Extraños en el paraíso* (2001), faceta de la que aquí no vamos a ocuparnos. Pero, antes de proseguir con el repaso de su trayectoria narrativa, veamos algunas de las características generales de su narrativa.

Sin duda, el rasgo fundamental de sus novelas es el humor, un humor ingenioso y afilado, que muchos críticos han relacionado con el cine de Pedro Almodóvar, pero que, en mi opinión, podría vincularse más bien con el humor cosmopolita y trasgresor de un Enrique Jardiel Poncela o de otros grandes humoristas españoles de vanguardia, un humor tan disparatado que algunos podrían considerarlo, a veces, políticamente incorrecto: «Yo tuve una vez hasta un amante negro porque, *cara mía*, combinaba bien con todo» —dice, por ejemplo, uno de los personajes femeninos de *Los estados carenciales* (215). Estamos, en fin, ante un humor disolvente y vitalista que no pretende corregir o enseñar, puesto que ya no hay verdades absolutas, sino mostrar la relatividad del mundo, aceptar que las cosas podrían ser de otra manera, o que pueden ser lo que son y lo que no son al mismo tiempo. Se trata, de hecho, de una actitud o una posición ante la vida, una actitud que se alimenta, sobre todo, de una permanente insatisfacción frente al mundo. De ahí la abundancia de frases ingeniosas y de situaciones sorprendentes e insólitas.

Precisamente, el impacto que produce lo inesperado es uno de los aspectos fundamentales en este tipo de humor, un humor, eso sí, que en ocasiones puede pecar de un exceso de ingenio, riesgo del que la autora misma es consciente. Lo que explica que, en una entrevista televisiva, haya declarado lo siguiente:

> Yo tengo una tendencia innata al humor y creo que eso es algo que debe controlarse porque un exceso de ingenio puede echar a perder el conjunto, algo así como pasarse con la sal en un guiso. Pero también es verdad que el sentido del humor es lo que más nos humaniza. De hecho, en *Los estados carenciales,* he controlado más el ingenio y he subido el nivel de reflexión.

Como en el caso de Jardiel Poncela y otros humoristas españoles de vanguardia, con frecuencia el humor está, sobre todo, en las réplicas de algunos diálogos. Veamos algunos casos:

> —¿No [...] has celebrado [tu cumpleaños]?
> —¿Estás de broma? —Penélope te contempla incrédula—. En el mundo en el que yo me muevo no se celebran demasiados cumpleaños, igual que no se festeja el contagio de enfermedades venéreas *(Los estados carenciales,* 349).

> —En esta ciudad la gente se acuesta tarde y se levanta temprano —afirma Penélope.

[135]

—Es verdad —dice Vili [...]—. Pero yo tengo la sensación de que los que se acuestan tarde no son los mismos que se levantan temprano (245).

—¿Cómo estás? —le pregunto a mi tía-abuela Mariana.
—Peor.
—Bueno... [...]. Pero tú siempre has estado... peor, ¿no? *(A la caza,* 21).

Y, entre los procedimientos empleados por Ángela Vallvey para conseguir el humor, también están, cómo no, la deformación y la hipérbole:

la verdad es que él sería incapaz de molestar a una ladilla, aunque la tuviera instalada entre las piernas, de inquilina de renta antigua *(Los estados carenciales,* 62).

Un médico le dijo a Eufrosina que tenía el pubis prominente y que debería hacerse una liposucción del monte de Venus (177).

Asimismo, habría que mencionar las divertidas comparaciones más o menos caricaturescas: «No se comportaron jamás como un marinero borracho y una prostituta que no ha cobrado su salario» *(Los estados carenciales,* 88), dice, hablando de un matrimonio relativamente educado. O las variaciones humorísticas sobre todo tipo de tópicos o frases hechas, o la parodia de refranes, sentencias o citas famosas. Veamos algunos casos:

Su padre decía que en Suiza el clima se dividía en nueve meses de invierno y tres de viento y frío *(Los estados carenciales,* 110).

La existencia de Dios tampoco ha sido experimentalmente demostrada nunca por la Iglesia, por ningún tipo de Iglesia. Aunque, en este caso, como hablamos de una sustancia no corruptible ni tangible, su inexistencia tampoco se ha demostrado todavía *(A la caza,* 56).

Yo solía pensar que, si no fuera porque tengo mala suerte, podría asegurar que no tengo suerte ninguna (69).

Ojalá pudiera caer en sus brazos sin caer en sus manos, como solía decirse antes (91).

El cerdo es hermoso para el cerdo (98).

La abuela es una extraordinaria psicóloga, donde nosotras vemos migas, ella ve al panadero (165).

Pero supongo que no dejo de hacerlo porque, como diría Gorgias, soy igual que aquellos pretendientes de Penélope, que la deseaban a ella, pero se acostaban con sus doncellas (184).

Asimismo, es frecuente la parodia de géneros, estilos y textos conocidos de la literatura clásica o contemporánea, como por ejemplo: «Cuando el dinosaurio se extinguió, la cucaracha ya estaba allí» *(Los estados carenciales,* 115), donde parodia el célebre microrrelato de Augusto Monterroso («Cuando despertó, el dinosaurio seguía allí»). Y, naturalmente, abundan los juegos de palabras, que en ocasiones pueden resultar un tanto chuscos:

> Te he preguntado que si puedo tutearte, no que si puedo putearte *(Los estados carenciales,* 123).

> Mi hermana Reyes —a quien llamamos Brandy porque, según parece, mi padre estaba hasta las cejas de Brandy 103 cuando la concibió *(A la caza,* 35).

Pero lo más importante es que todos estos recursos humorísticos y algunos más están aquí al servicio de la ridiculización de todo tipo de temas, situaciones, personajes. Se trata, en definitiva, de reírse de los tópicos o lugares comunes, de luchar contra ellos aplicándoles el ácido corrosivo del humor.

Otra característica de la narrativa de Vallvey es la mezcla de elementos heterogéneos e incluso incompatibles o contrapuestos entre sí, como humor y trascendencia, lirismo y crueldad, cosmopolitismo y costumbrismo y, sobre todo, alta cultura y cultura popular. Sobre esto, ha declarado la autora en diversas ocasiones:

> Me gusta mucho mezclar alta cultura y cultura pop, incluso la cultura basura. Soy una gran consumidora de cultura basura o lo que entendemos por cultura basura, aunque ¿cómo la cultura puede ser basura? [...] Me gusta mezclar todo porque creo que se lleva bien este invento de la cultura popular del siglo XX, una época a la que pertenezco, la de la cultura de masas (Romeo, 2002).

De hecho, en sus libros son frecuentes las referencias al mundo de la televisión y de la cultura de masas, mezcladas promiscuamente con todo tipo de imágenes y citas tomadas de la filosofía, la literatura e incluso la ciencia.

Y junto a las numerosas sentencias de los grandes filósofos clásicos y moralistas, están las abundantes manifestaciones de la sabiduría popular: «Espero, para consolarme, que sea cierto aquello que decía mi abuela de que nunca hay que correr detrás de un hombre porque son igualitos que los autobuses de la línea 70: pierdes uno, pero a los cinco minutos llega el siguiente» *(A la caza,* 56). Asimismo, su lenguaje narrativo se caracteriza por la mezcla y la variedad de tonos y registros, desde los más cultos y pedantes hasta los más vulgares y chabacanos. Veamos algún ejemplo significativo: «Busco la *apàtheia,* el dominio de las pasiones que me permita vivir mejor. La buscaron los estoicos y la busco yo. Me temo que aun con peores resultados que ellos» (20). Y en un tono más lírico: «la *apàtheia* es como el mar... Está ahí, tú lo ves, puedes tocarlo, pero no puedes llevártelo a casa» (67). Pero a continuación podemos leer: «¡Joder!, si es que se me acabará cerrando el chichi, de no usarlo; porque eso es una raja, ¿no?, ¡y como cicatrice...!» (68).

Otro rasgo de estas novelas es la utilización, como material narrativo, de experiencias y referencias autobiográficas, sobre todo en sus dos últimas novelas. En este sentido, Vallvey ha declarado que, en *Los estados carenciales,* quería explorar el tema del amor y el sexo «utilizando materiales reales, utilizando mis propios escombros sentimentales; quería diseccionar sensaciones y emociones mías que pueden ser aplicables a cualquiera» (Romeo, 2002). Y otro tanto podría decirse de *No lo llames amor.* Por otra parte, en este último libro, el hecho de que la narradora sea escritora, resida en Ginebra y vaya a pasar las Navidades a Getafe, así como algún que otro detalle conocido, sirven para configurar un espacio que, no siendo estrictamente autobiográfico, remite a él como juego. De hecho, puede decirse que la autora aparece ficcionalizada dentro del texto, hasta el punto de convertirse en el hilo conductor de los relatos que constituyen la novela y el marco narrativo en el que éstos se insertan. Y esta ficcionalización hace que se difuminen las fronteras entre la realidad y la ficción.

En fin, otros rasgos característicos de la narrativa de Ángela Vallvey son el ritmo ágil y, a veces, trepidante de sus novelas, el lirismo de algunas páginas o la gran importancia concedida a los diálogos.

LOS TEMAS FUNDAMENTALES

En cuanto a los temas de sus novelas, hay que decir que todas ellas giran en torno a los conflictos, contradicciones y perplejidades del hombre y la mujer contemporáneos, en un mundo lleno de incertidumbres. «Escribo sobre temas muy actuales —ha declarado, en este sentido, la autora en la citada entrevista televisiva—, pero suelo tomar como referente argumentos clásicos. Mi primera novela, *A la caza del último hombre salvaje,* no se entendería sin la filosofía de Epicuro».

Por lo demás, es evidente que hay algunas constantes temáticas en sus obras, como son, precisamente, la búsqueda de la felicidad y las relaciones amorosas. Consciente de que la literatura se reduce, en realidad, a unos pocos temas, la propia autora ironiza sobre este asunto en la misma entrevista: «Hoy en día todo el mundo es escritor. ¿No hay ya demasiados? ¿Por qué se empeñan en seguir contando lo mismo una vez y otra? Más o menos... desde Shakespeare, ¿no?, todos conocemos algunos de los pocos argumentos posibles.» Pero lo importante, claro está, no son los temas ni los argumentos, sino la personal mirada de la autora, y las curiosas analogías o contrastes que se establecen entre el pasado y el presente.

La búsqueda de la felicidad es, desde luego, uno de los temas centrales de *A la caza del último hombre salvaje* y *Los estados carenciales,* como veremos luego. Y, en este sentido, hay que decir que, más allá del tremendo escepticismo y la ironía que en ellos se respira, ambos libros son una invitación a gozar de la vida y del momento, una actualización del viejo tópico del *carpe diem.* Sin embargo, muchos de los personajes viven obsesionados por la edad y el paso del tiempo, frustrados y amargados por no haber sido capaces de cumplir sus sueños y deseos.

Íntimamente ligado con lo anterior, está el tema de las relaciones amorosas. «[M]e parece que en los tiempos que vivimos la gente le da mucha importancia al amor, al sexo» —declaraba en una entrevista Ángela Vallvey (Romeo, 2002). De ahí que este aspecto siga siendo fuente de sinsabores y conflictos. En torno al amor o a lo que se entiende por tal gira el último libro de la autora. Y en relación con él están también los motivos de los celos, los crímenes pasionales, los amores perversos y, cómo no, el matrimonio. El matrimonio es, de hecho, una de las principales obsesiones de los personajes de Ángela Vallvey y también uno de los principales misterios. «A Penélope le gustaría saber qué es en realidad el matrimonio», se dice en *Los estados carenciales* (249).

A propósito de su primera novela, *A la caza del último hombre salvaje,* la propia Vallvey ha explicado que, aunque la búsqueda de marido no es ya la única prioridad de la mujer de hoy en día, muchas mujeres siguen obsesionadas con la caza del marido perfecto. De ahí que ella arremeta contra ese viejo tópico. La imagen que ofrece del matrimonio es, por lo demás, bastante negra y pesimista y tremendamente irónica. Esto es lo que leemos, por ejemplo, en el libro:

> Si Dios pensara que el matrimonio es bueno, Él mismo se habría casado; y no que, fíjate, buscó una madre de alquiler para su hijo, para evitarse los inconvenientes de una convivencia así como conyugal y eso, eterna —asegura mi hermana mayor—. Claro que en Su caso era mucha tela, ¡eterna, colega!, ¡nada de poder plantear el divorcio más o menos hacia la mitad de la eternidad!, ¿te imaginas? *(A la caza,* 172)

En *Los estados carenciales,* abundan también los ataques contra el matrimonio, sobre el que se leen cosas como la siguiente:

> —Eso es bueno, mujer. Hoy en día todo el mundo se divorcia. Los que no tienen excusas, se las inventan, pero todo el mundo rompe con su pareja por algo. Es lamentable, ya nadie aguanta mucho tiempo una relación. Y menos todavía un matrimonio —sentencia Jana.
> —Es verdad —admite Luz, riéndose de buena gana—. ¡Ni siquiera lo aguantan los que no se separan! (340).

No obstante, hay un pasaje de este libro en el que, irónicamente, se llega a plantear la posibilidad de la poligamia femenina (142).

Por último, llama la atención, en los personajes de estas novelas, una cierta afición a lo escatológico, tanto en sus hábitos o costumbres como en su manera de hablar, y a todo lo que tenga que ver con los fluidos corporales, como la orina, el sudor y otros flujos y residuos humanos: «Se huele los brazos —leemos por ejemplo—, se quita las bragas y las olfatea como si buscara un rastro, frota su nariz contra la parte humedecida que ha llevado pegada al pubis hasta hace un segundo» *(Los estados carenciales,* 207). Esta es, por otra parte, la curiosa forma de venganza contra su ex mujer ideada por un marido divorciado y despechado:

> Luego cojo la Barbie favorita de Carmen, una muñequita que tenía desde que era niña, y que ahora tengo yo... [...] La cojo, es una Barbie muy mona, pelirroja como Carmen, la agarro por los pelos, me la llevo al cuarto de baño, la coloco amorosamente sobre la bañera, me bajo la bragueta y le meo encima todo el whisky que me he bebido esa noche previamente. Después, duermo como un niño de pecho (311).

Pasemos ahora a examinar el segundo ciclo —o ciclo mayor— de la trayectoria narrativa de Ángela Vallvey.

El segundo reconocimiento:
A LA CAZA DEL ÚLTIMO HOMBRE SALVAJE (1999)

A la caza del último hombre salvaje podría definirse como una versión perversa de *Mujercitas,* el clásico de Louisa May Alcott (1832-1888), tal y como sugiere la propia narradora y protagonista en un momento dado de la novela: «Todas nosotras parecemos una versión perversa y gastronómica de *Mujercitas*» (39). Y, en efecto, se trata de una mirada un tanto cínica sobre la situación de la mujer actual, a partir del relato de los secretos y mentiras de una familia compuesta casi exclusivamente por mujeres (el marido y padre están ausentes) y de las incertidumbres y perplejidades de la protagonista. La novela está narrada en primera persona por su protagonista, una mujer joven —*semiuniversitaria* y empleada en una pequeña empresa de pompas fúnebres— que está marcada por el abandono del padre, a quien de alguna forma tiene mitificado (para ella, es el último hombre salvaje sobre la tierra). Junto a ella, aparece una interesante galería de personajes femeninos de muy diferentes edades y condiciones: sus hermanas, su madre, su tía-abuela y su abuela. El título alude irónicamente a la búsqueda del padre y, claro está, a esa caza del marido que, según señala la narradora, obsesiona todavía a muchas mujeres, que piensan que un marido es la solución a todos sus problemas. También hay una continua ridiculización de las actitudes machistas que aún perduran en la sociedad española:

> —¿Y por qué siempre salía él ganando? —se interesaba Carmina.
> —Pues normal, porque votaba él más sus cojones. Él y sus dos huevos suman tres, que yo sepa. Por eso siempre perdía yo. Me diréis... (109).

Hay, por otra parte, continuas referencias al pasado proletario de la familia de la protagonista. Pero no hay en ello una intencionalidad política o una manifestación de la conciencia de clase, sino más bien un resignado escepticismo.

Son muy frecuentes ya en esta novela las citas y referencias —debidamente actualizadas y adaptadas al lenguaje coloquial— a filósofos clásicos, fundamentalmente griegos, y generalmente en torno a la búsqueda de la felicidad, lo que anticipa uno de los rasgos que vamos a ver en *Los estados carenciales*. Veamos algunos ejemplos:

> Personalmente en este asunto, yo procuro seguir los consejos de Epicuro. No temas a la muerte y no temerás la vida. La muerte es nada para mí, puesto que estoy viva. Y una vez muerta..., ¿qué carajo puede importarme? (69).

> Según Aristóteles —leemos al comienzo de uno de los capítulos—, decía Parón que es en el tiempo donde todo comienza y deja de existir, que el tiempo trae todo conocimiento, pero asimismo la ignorancia más supina, porque también en él todo acaba siendo olvidado (183).

La novela presenta, por último, un final irónico y abierto, de carácter metanarrativo, puesto que sugiere la inexistencia o improcedencia de los finales, tanto en la vida como en la literatura:

—Vamos, quiero que lo veas de una vez, al fin —insiste la abuelita—. Acabarás por verlo tú misma, por fin. ¡Hoy es el fin de nuestras preocupaciones!, por lo menos de unas cuantas... ¡El fin, Candela, por fin!

¿Por fin?, me pregunto para mis adentros mientras la sigo hasta el salón con paso seguro, ¿por fin...?, ¿el fin? ¡Como si los finales existieran, abuela!

Y si existieran, como si importaran (252).

Y para dejar más claro todavía su escepticismo y desengaño, el libro se cierra con una cita atribuida al filósofo Heráclito que dice: «El cosmos más hermoso es un montón de residuos reunidos al azar» (252).

Con esta novela, obtiene Ángela Vallvey un importante éxito literario y un gran reconocimiento, tanto dentro como fuera de España. De hecho, la novela ha sido traducida a más de una docena de idiomas (en editoriales tan importantes como Penguin, Feltrinelli, Fisher...), y, a juzgar por las reseñas, ha suscitado bastante interés en algunos de los países donde se ha publicado. Se da la circunstancia, por otra parte, de que el conocido director irlandés Neil Jordan se interesó por los derechos de la novela para llevarla al cine, pero al final no hubo acuerdo y terminó comprándolos una productora española. La adaptación de la novela ha sido llevada a cabo por Rafael Azcona, cuyo humor conecta, en buena medida, con el de Ángela Vallvey, y el director es Sebastián Grousset.

UN PARÉNTESIS: *VÍAS DE EXTINCIÓN* (2000)

Su siguiente novela es *Vías de extinción*. La propia autora ha declarado que esta novela trata sobre la desideologización de la sociedad y sobre la obscenidad del capitalismo desbocado. Y, en este sentido, podría decirse que narra, en clave humorística y caricaturesca, una disparatada escena de la lucha de clases en el Madrid de 1999. La dedicatoria es, por otra parte, bastante irónica: «Como no soy aficionada a la fiesta, y a falta de toro, le brindo esta novela a mi padre, Manuel. / Con mi respeto por todas aquellas personas que han sido, como él, efectos de rareza proletaria, supervivientes *horroris causa* de la clase obrera, que les vio nacer y largarse de su seno en cuanto les fue posible.»

Al comienzo de la novela, el narrador se dirige a un hipotético lector del futuro para comentarle algunas circunstancias de la historia que le va a contar:

Ésta es otra más de aquellas muchas extraordinarias —o pequeñas— historias que nos ofreció el siglo xx, un siglo que por entonces se moría ante nuestros incrédulos ojos, tan habituados a él. Si en algo fue pródiga la última centuria del segundo milenio fue en Historia. Historia, sí; e historias de esas que, si las cuentas, te hacen grande (15).

Después de una larga retahíla en la que aparecen los más diversos eventos y personajes del pasado siglo, nos presenta a la protagonista de esta historia: «El siglo xx nos dio también a Soledad Cuestas —más conocida como la Sole—, que fue importante, a su manera, para unos cuantos individuos de aquel entonces, porque se convirtió para ellos en un símbolo» (15). Y entre esos individuos está un grupo muy pintoresco de colgados con una misión bastante peculiar: vengarse del empresario que le ha defraudado cinco mil pesetas a la Sole, que se gana la vida como prostituta. Se trata, en fin, de una novela paródica y excesivamente costumbrista y caricaturesca, tan sólo un divertimento y un paréntesis en la trayectoria narrativa de Ángela Vallvey.

LA CONSAGRACIÓN: *LOS ESTADOS CARENCIALES* (2002)

Con *Los estados carenciales,* obtiene Ángela Vallvey el Premio Nadal en el año 2002 y su consagración definitiva como narradora. Por un lado, este libro es una especie de homenaje a la *Odisea* y al mundo antiguo, y una revisión o actualización irónica del mito de Ulises y Penélope, considerados como pareja arquetípica. De hecho, la autora parte de la *Odisea* de Homero como un modelo válido para explicar, en clave alegórica, algunos aspectos de la vida contemporánea, como el amor y el desamor en el mundo actual. En este sentido, señala Vallvey: «La pareja de Ulises y Penélope resulta universal y como arquetipo es perfecto.» Pero yo le «he dado la vuelta a la historia. Él, que es pintor, se queda en casa con su hijo pequeño de dos años, Telémaco, mientras ella, que es diseñadora de moda, abandona el hogar tras sufrir una grave crisis sentimental, a causa de las infidelidades de su marido» (Romeo, 2002).

Por otro lado, esta novela es una sátira de los libros de autoayuda, y una invitación a la lectura de algunos libros de filosofía y literatura. Y, en este sentido, conviene señalar que el título alude a un célebre anuncio publicitario que invitaba a tomar una aspirina para superar los estados carenciales, y, por lo tanto, sugiere también el poder curativo y terapéutico de la literatura y la filosofía. El tema central es, por supuesto, la búsqueda de la felicidad.

En cuanto a la estructura, hay que decir que la novela aparece dividida en tres partes, que, a su vez, están divididas en breves escenas. Todas ellas llevan un título irónico o paródico y una cita, generalmente humorística y de autores clásicos grecolatinos o de moralistas franceses, a los que tan aficionada es la autora. La razón de esta división en tres partes la explica la propia autora en una nota con la que se cierra la novela: «Debo advertirte —le dice al lector— de que la historia está dividida en tres partes —«Lo que representamos», «Lo que tenemos» y «Lo que somos»—, en honor a Arthur Schopenhauer, porque según él esos son los tres puntos que conforman *La suerte de los mortales*» (365-366). La novela, de hecho, se cierra con la siguiente sentencia: «Nunca olvides que tu felicidad depende de ti mismo, de lo que eres, no de lo que tienes ni de lo que representas» (363). Lo que importa no es, pues, lo que tenemos ni lo que representamos, sino lo que somos. O, como decían los estoicos y repite Ángela Vallvey, lo que importa es justamente eso que nadie nos puede robar.

La primera parte está narrada en pasado y en tercera persona, y se centra, sobre todo, en las conflictivas relaciones entre Ulises y Penélope y en el personaje de Vili y su curiosa Academia. Esta primera parte termina precisamente con el cierre de la Academia. La segunda parte está narrada en presente y en tercera persona, y se centra, sobre todo, en la vida de Penélope, que va por la vida tejiendo y destejiendo su rencor hacia los hombres. Por último, la tercera parte aparece narrada en presente, como la anterior, pero en segunda persona del singular, y se centra en Ulises, visto en contraposición a Penélope: «A diferencia de Penélope —comienza diciendo—, tú nunca miras atrás. Sabes que no puedes cambiar el pasado» (293). Esta parte —y, por lo tanto, la novela propiamente dicha— termina con la aparente reconciliación de Ulises y Penélope. El final del relato es, de nuevo, abierto.

Pero la novela, en realidad, termina con un Apéndice, titulado «Eudemonología *(Pequeño Arte de ser feliz)*. Apuntes para un libro imposible de escribir, por Viliulfo Alberola», en el que la autora recoge, inventa, recrea y parafrasea diversas sentencias en torno a la felicidad. Y a ello hay que añadir una «Nota de la autora», donde nos da algunas claves de la novela y, sobre todo, de su estructura, como ya hemos visto. También revela en ella algunas de sus fuentes: «Esta novela que tienes en tus manos, lectora o lector, es en cierta manera deudora de mis lecturas de algunos filósofos, que son mencionados (citados) a lo largo de sus páginas cuando les corresponde. Personalmente, pocas cosas me han producido en la vida tanta felicidad como leer a los filósofos: ellos me han ayudado siempre a comprender» (365). Y, al final, señala lo siguiente: «para escribir la Eudemonología (o *Pequeño Arte de ser feliz)* que la concluye, he usado, y *abusado,* de otro texto de Schopenhauer, elaborado con fragmentos dispersos, recogidos bajo el título español de *El arte de ser feliz* [...], cuya lectura recomiendo vivamente» (366).

Este nuevo libro enlaza directamente, por su temática, con una cita de Lily Tomlin que viene al frente del libro anterior, *Los estados carenciales,* y que dice así: «Si el amor es la respuesta, ¿podría volver a plantear la pregunta, por favor?» Lo que va a hacer Ángela Vallvey en este libro es replantear no sólo la pregunta sino también la respuesta, a través de diversos casos o ejemplos que en el libro aparecen narrados. Es el amor visto como fuente de infidelidades, tragedias y desdichas; el amor como una enfermedad contagiosa, ineludible e incurable. De hecho, el libro es una especie de viaje a los infiernos, las cloacas y los purgatorios del amor. Y, en este sentido, ha declarado la autora:

> En *Los estados carenciales,* traté de hacer literatura con buenos sentimientos. Ahora he elegido el camino contrario: partir de la amargura, de la tristeza que habita en todo lo viviente. De alguna manera, podemos decir que *No lo llames amor* es la antítesis o el reverso de *Los estados carenciales,* o si lo prefieren su complementario necesario. Y, por supuesto, un libro mucho más negativo y desesperanzado (Romeo, 10).

Y aclara en otro momento de la entrevista: «Literariamente hablando, no creo en los amores felices sino en los tortuosos, en los destructivos» (10). Lo que explica que estemos ante un libro tremendamente duro y pesimista, en el que, entre otras cosas, aparecen el infierno de los celos, la obsesión del deseo, la angustia de la culpa, el miedo al abandono, el terror doméstico. «Las peores guerras de hoy día —dice, por ejemplo, la narradora— son las que se libran en la intimidad, porque son las que dejan mayor número de muertos y de heridos» (207). Son palabras terribles y certeras que a mí me recuerdan otras del novelista Miguel Espinosa, en una entrevista televisiva:

> Es terrible la bomba de Hiroshima, son terribles los campos de concentración nazis, pero más terrible y más densa es la relación cotidiana entre dos personas; es más pasmoso, más inacabable, más inabarcable y más angustioso; entonces, el escritor debe penetrar ahí constantemente, en lo cotidiano, y demostrar que lo cotidiano, lo efímero, lo que parece vulgar puede ser pasmoso, puede ser terrible, puede ser angustioso... o puede ser glorioso.

Y eso es lo que, de alguna forma, ha intentado hacer Ángela Vallvey en este libro. Al final, la narradora se plantea directamente la cuestión en torno a la cual gira toda la obra: *¿a qué llamamos amor?* Dice así:

> ¿Encuentra alguien la verdad del amor en la práctica del amor, en su usanza? No lo sé. Todavía sé poco sobre el amor. (Sé poco, en general.) Aunque quizás la mayoría de la gente simplemente confunde el amor con otra cosa.
>
> De cualquier manera, ahora me temo que no amar es monstruoso, y que amar es monstruoso.
>
> Ya lo ven (212).

Desde un punto de vista formal, el primer problema que plantea la novela es el de su adscripción genérica. ¿Es una novela o un libro de relatos? La propia autora habla de una novela construida con relatos: «pienso que la mejor novela de hoy día es la que puede hacerse con cuentos» (Romeo, 10). Este planteamiento, naturalmente, tiene mucho que ver con la gran renovación de la novela que tuvo lugar en las primeras décadas del siglo XX, cuando comienza a pensarse que, dada la complejidad e inestabilidad del mundo, ya no es posible hacer grandes relatos o relatos unitarios, sino relatos fragmentarios. De hecho, este fragmentarismo narrativo es una característica fundamental de la novela moderna (García Jambrina, 114-123). No obstante, en el libro de Ángela Vallvey, hay una especie de marco narrativo en el que se van insertando los diferentes relatos (agrupados en varias partes, si bien todos ellos giran en torno al amor), y un hilo conductor, que es un momento de la vida de la propia autora, que, como ya he dicho antes, aparece ficcionalizada en el texto.

No lo llames amor está encabezado por el famoso soneto de Lope sobre el amor, y los sentimientos y las emociones encontradas que produce, «quien lo probó lo sabe». Después viene una especie de prólogo en primera persona y fechado en Ginebra (Suiza) y Gaillard (Alta Saboya, Francia), donde vive la autora, el 3 de marzo de 2003. En este prólogo, nos presenta la primera historia como algo efectivamente sucedido, y como algo que va a desencadenar, en cierto modo, todo lo que viene después. Otra particularidad de esta primera historia es que queda pronto interrumpida o suspendida, y no vuelve a reanudarse hasta el final, en el desenlace del libro. Incluso, entonces la narradora interrumpe de nuevo su relato para contarnos otra cosa que se la ha venido a la cabeza, como si quisiera diferir continuamente el relato de la misma a causa del horror que le produce.

Dentro del marco narrativo, la narradora, que en este caso identificamos con la propia autora, efectúa un viaje, con motivo de las fiestas navideñas, de Ginebra a Barcelona, y luego otro a Madrid, a lo largo del cual va insertando los diferentes relatos que le cuentan algunas de las personas con las que se encuentra, como si fuera dando voz a diferentes narradores, que, en unos casos, son meros trasmisores, y, en otros, testigos o, incluso, protagonistas de las historias. La mayor parte de ellas van agrupadas en dos secciones, tituladas «Adictos a la atrocidad» y «El color del amor». En esta última, se establece una serie de analogías entre determinadas parejas de colores y un tipo o aspecto del amor. Así el amaranto y el rosa representan el amor noble; el amarillo pálido y el rosa, el amor traicionado; el naranja y el violeta, la dulce intimidad; el plomo y el rosa, el amor sensible; el azul y el rojo, la fidelidad; el índigo y el rosa, el amor desgraciado; y, por último, el negro y el negro, la muerte por amor.

El libro se cierra con un comentario muy pesimista acerca de la historia principal y una breve secuencia en la que la narradora, en plena noche, regresa a casa con su hermana. Ésta viene de la fiesta de la que se habla en uno de los cuentos, un cuento en el que se alude a la narradora en tercera persona. De esta forma tan sutil se diluyen definitivamente las fronteras entre realidad y ficción.

Estamos, pues, ante una especie de gran retablo o carrusel sobre el amor en el mundo contemporáneo, a través de los diferentes casos o parejas, todas ellas urbanas y burguesas. Y, a este respecto, su estructura recuerda algo a la de *La fea burguesía* (1990), del ya citado Miguel Espinosa. Como contraste, eso sí, hay un relato, titulado «Diario de una seducción», en el que se evoca, con humor, la tradición del amor cortés en el mundo actual: «Lo que Gustavo ansiaba —dice la narradora— era una pasión, vivir *l'amour courtois* en los tiempos del sida, del ciberespacio, de la Aldea Global [...] y de Derrida» (157).

Con este libro, en fin, se cierra por ahora la interesante trayectoria narrativa de Ángela Vallvey, que, a buen seguro, muy pronto nos deparará nuevos logros y sorpresas.

Obras citadas

Espinosa, Miguel (1990), *La fea burguesía,* Madrid, Alfaguara.
García Jambrina, Luis (2002), «La novela como fragmento de vida: la renovación literaria de 1902», *Revista de Occidente,* 259, Madrid, diciembre, págs. 114-123.
Romeo, Félix, «Ángela Vallvey: "He utilizado mis propios escombros sentimentales"», *ABC,* supl. «Blanco y Negro Cultural», Madrid, 19-II-2002.
— «Ángela Vallvey: "Me gusta mutar como un virus"», *ABC,* supl. «Blanco y Negro Cultural», Madrid, 17-V-2003, pág. 10.
Vallvey, Ángela (2002), *A la caza del último hombre salvaje,* Barcelona, Salamandra/Quinteto (1.ª ed., Barcelona, Emecé, 1999).
— (1998), «Cómo contar el tercer milenio», *El Extramundi y los Papeles de Iria Flavia,* 15, Padrón (La Coruña), Fundación Camilo José Cela, Iria Flavia, invierno, págs. 191-227.
— (2002), *Donde todos somos John Wayne,* Madrid, SM (Madrid, Acento, 1997).

VALLVEY, Ángela (2002), *Los estados carenciales,* Barcelona, Destino. Premio Nadal de Novela.
— (1995), *Kippel y la mirada electrónica,* Madrid, SM.
— (2003), *No lo llames amor,* Barcelona, Destino.
— (2000), *Vías de extinción,* Barcelona, Emecé.
— (1997), *Vida sentimental de Bugs Bunny,* Madrid, SM.

Capítulo IX

En busca del secreto de la narrativa de Luisa Castro

Ángeles Encinar
Saint Louis University, Madrid Campus

Con tan sólo dieciocho años Luisa Castro (Foz, Lugo, 1966) publicó su primer libro de poemas, *Odisea definitiva*: *libro póstumo,* título un tanto sorpresivo al considerar la juventud de la autora, al que siguieron otros volúmenes con los que obtuvo un pronto reconocimiento. Fueron el primer Premio Hiperión con *Los versos del eunuco* (1986) y el sexto premio Rey Juan Carlos de Poesía por su obra *Los hábitos del artillero* (1989). Su primera novela, *El somier,* apareció en 1990 y desde entonces su trayectoria literaria parece haberse centrado más en la narrativa. A ésta se le han unido *La fiebre amarilla* (1994), *El secreto de la lejía* (2001) y *Viajes con mi padre* (2003). Su prosa se asienta, según Santos Sanz Villanueva, en el territorio de «la confesión directa de unas vivencias intensas, comunes, pero potenciadas por la peculiar sensibilidad propia de un artista» (12).

El universo gallego ha estado muy presente en sus textos aunque en *El secreto de la lejía* el espacio narrativo que cobra mayor importancia es la ciudad de Madrid y el desplazamiento local de la protagonista narradora se convierte sobre todo en un viaje de ida y vuelta interior. En esta novela, foco de nuestro análisis, en la que ficción y realidad aparecen plenamente imbricadas, se encuentran también algunos temas que se pueden considerar como constantes en su obra y que se han reiterado con admirable significamiento y tensión en varios de sus relatos, como veremos.

Las relaciones madre-hija han estado presentes en la narrativa de las últimas décadas aunque no se les haya prestado la suficiente atención crítica hasta los años 90[1]. En una de las más emblemáticas novelas escritas en lengua catalana, *La Plaza del Diamante* (1962), se subraya desde las primeras páginas la importancia de la figura materna y cómo su ausencia ha dejado una huella indeleble que ha marcado la vida de la protagonista, Natalia. La recurrencia de la frase «mi madre muerta y sin poder aconsejarme» (Rodoreda, 8) reverbera a lo largo del texto. También Esther Tusquets en *El mismo mar de todos los veranos* (1978) y en su impresionante relato autobiográfico «Carta a la madre» pone de manifiesto la necesidad imperiosa de establecer un vínculo adecuado entre madre e hija. Podría enumerarse, a este respecto, un nutrido grupo de obras y de autoras, por mencionar algunos nombres, Josefina Aldecoa, Carmen Martín Gaite, Concha Alós, Nuria Amat, Soledad Puértolas, Clara Sánchez y Cristina Fernández Cubas[2].

Aunque no lo parezca a primera vista, en *El secreto de la lejía* estas relaciones, asimismo, adquieren un papel determinante. En el comienzo del texto, cuando África relata a su madre la invitación al programa de radio donde han leído uno de sus poemas, es ella quien la anima de manera rotunda y su influencia es la que acaba por convencer a la indecisa protagonista. Si bien sigue la sugerencia materna, deja patente su inicial falta de inclinación por el viaje («Así de absurda fue mi decisión, por no quedar de maleducada ni ante mi madre ni ante el locutor [...] Mi madre tuvo que despertarme [...] la maleta que mi madre me había preparado [...] y le dije adiós con la mano a mi madre» [15]) y tan sólo unos párrafos más adelante evidenciará la ambivalente relación que mantiene con su madre a quien no otorga ningún valor positivo como confirman sus propias palabras: «Sólo en una ocasión, que yo recuerde, me opuse a la autoridad materna, si se podría llamar así aquella indolente presencia que era mi madre, que nunca decía nada ni preguntaba nada» (18). Y si al rememorar la ocasión señalada, la hija parece salir victoriosa de la contienda, también se subraya a la vez la naturaleza conflictiva del vínculo establecido entre ambas.

La novela es el recuento realizado por la protagonista desde el momento en que recibió la llamada telefónica del locutor de radio y abandonó su pueblo gallego para desplazarse a Madrid, movida por intere-

---

[1] Lo ha señalado Concha Alborg en su artículo «Madres e hijas en la narrativa española contemporánea escrita por mujeres: ¿mártires, monstruos o musas?». También se refiere a esto Laura Freixas en su prólogo al volumen *Madres e hijas;* y en un sentido similar lo he manifestado en «Las relaciones materno-filiales: eje estructurador en "Carta a la madre", "Gente que vino a mi boda" y "Cuánto de ella guardaba yo de mí"».

[2] En el cine más reciente dirigido por mujeres también es evidente la importancia de esta relación. Puede verse en la película de Isabel Coixet, *Mi vida sin mí,* y en la indudable ganadora de los premios Goya 2004, *Te doy mis ojos* de Icíar Bollaín.

ses literarios, hasta el día en que sale de su reclusión en el sanatorio psiquiátrico, diez años después de su llegada a la gran ciudad.

La madre que en el primer capítulo aparecía como impulsora de esta aventura, a pesar de la extraña relación mantenida con su hija, también reaparece en el último en términos muy similares. África manifiesta que las visitas realizadas por ella durante su internamiento le suponían una inquietud y hasta cierto punto un rechazo. En el sanatorio se siente protegida y el anuncio de su próxima salida no le produce ninguna sensación de alegría. Al afrontar la mirada de su madre no experimenta tranquilidad ni cariño sino el sentimiento de encontrarse con algo indeseado, con una vida que no quiere hacer suya. En la línea teórica de Nancy Chodorow podría concluirse que esta conducta filial demuestra la resistencia de África a identificarse con una madre devaluada, pasiva, cuya propia autoestima es baja. Según Chodorow la mayoría de los estudiosos psicoanalíticos y sociales afirman que la madre representa inevitablemente para la hija regresión, pasividad, dependencia y falta de orientación a la realidad mientras que el padre representa progresión, actividad, independencia y orientación hacia la realidad *(Feminism and Psychoanalytic,* 64). Es interesante mencionar que el padre no aparece nunca en el texto. Sin embargo, cuando África llega a Madrid se relacionará de forma más directa con hombres, posibles figuras paternas, Isaac, Eleuterio Costa y Alberto.

En *The Mother/Daughter Plot,* Marianne Hirsch al referirse a las novelas y ensayos de Virginia Woolf y Colette señala que puede verse una preocupación intensa, apasionada y ambivalente con la madre, que oscila entre el deseo de aproximación y la necesidad de separación (96). Esto mismo podría decirse de la protagonista de *El secreto de la lejía.* No sólo al principio y el final de la novela, sino todo el desarrollo argumental está salpicado por este sentimiento ambiguo de inquietud o angustia, por un lado, y de acercamiento a la madre, por otro. África, al llegar a la capital mantendrá con ella una mínima comunicación telefónica para informarla de su situación o, en otras ocasiones, para buscar un atisbo de sosiego en mitad de lo desconocido. Su inseguridad la empuja en alguna circunstancia a querer entablar un lazo afectivo («Pensé que ahora era el momento de decirle a mi madre las cosas que nunca se dicen» [62]) pero a medida que va hundiéndose en la inestabilidad, crece el distanciamiento entre ellas y se hace notable la situación contradictoria. En su última llamada al hogar familiar cuelga, después de oír la voz de su madre, y en ese instantáneo fragmento temporal el sonido escuchado alude a una imagen desagradable y equívoca: «el trote brutal de una rata gordísima que huía a galope, campo a través del silencio telefónico, con la barriga hinchada y el lomo encrespado» (133).

«Mi madre en la ventana» es el relato con el que Luisa Castro participó en el volumen colectivo *Madres e hijas*. El mismo título lleva a pensar en una situación de mera observación o pasividad forzosa, obligada o supuesta en las mujeres en el contexto político-social de la España de postguerra, como expuso con brillantez Carmen Martín Gaite en su libro de ensayos *Desde la ventana*. La dedicatoria parcial de la autora gallega, «A mi madre, por todos los malentendidos» (227), y la historia contada sitúan a la protagonista en una línea de incomprensión y ambivalencia frente a la conducta materna, similar a la mantenida por la narradora de *El secreto de la lejía*. El yo infantil del relato recuerda que al intentar buscar apoyo del lado materno «hallaba una mujer extraña que se lavaba las manos y me dejaba perpleja con su imparcialidad» (233). Aunque la conclusión narrativa del cuento permite cierto optimismo, existe un rechazo ante la falta de complicidad y de acción y el abandono experimentados por la joven protagonista, rememorados con amargura por el yo actual.

Volviendo a la novela estudiada, se ha mencionado anteriormente la ausencia de la figura del padre. Ni en su casa de Armor, ni durante su estancia en Madrid, se ve a África entrar en relación directa con él. Sin embargo, en su aterrizaje en la capital aparecen tres hombres de edad madura que desempeñarán un papel fundamental. Para entender el entramado de relaciones establecido entre estos individuos y la narradora resultan ilustradoras las propuestas realizadas por Jessica Benjamin en su libro *Los lazos de amor*. Según ella tanto el niño como la niña buscan una identificación con la madre y el padre, la frustración del amor identificatorio temprano entre hija-padre hace que algunas mujeres busquen una forma de reparación en su vida adulta y por ello se vean arrastradas por un amor ideal como una segunda oportunidad (146). En esta órbita cabe explicar la conducta de África en Madrid. En primer lugar está Isaac, la persona que la invita a venir y a conocer el ambiente literario donde es factible que encuentre oportunidades. Desde su llegada, se erige en su protector e intenta introducirle en los círculos culturales a pesar de que haya fracasado en su oferta prevista de participación en el programa radiofónico. La narradora, no obstante, no se siente defraudada y comienza a sentirse cercana a él: «Recordando mi encuentro con Isaac, intuía ahora en su aspereza a un hombre encantador del que me daba una pena inmensa despedirme» (48). De forma paulatina se consolida la empatía entre ellos. Isaac se convierte en un modesto mecenas que le facilita vestimenta, dinero y la publicación de su primer libro de poemas. Se puede observar toda una filosofía del regalo y de la correspondencia. Por su parte, África sentirá una profunda inclinación hacia este hombre, cercano a los cincuenta, de quien recibe apoyo, aliento y consejo, y con quien es consciente de haber establecido una fuerte conexión como es capaz de reconocer: «Mi relación con Isaac era extraña. Yo misma me había distanciado de él pero en el fondo necesitaba que estuviera ahí, como una especie de hermano mayor, o de padre» (112). Estas palabras hacen posible aventurar que el yo narrador ha encontrado en él al padre idealizado que le permite la reescenificación de la temprana frustrada relación de identificación y reconocimiento, sugerida por Benjamin. Ahondando en esta sutil relación puede comprobarse que esta «constelación parental revela una escisión entre el padre de la excitación, que falta, y la madre presente pero desvalorizada» (148), como los comentarios y la actitud de África han confirmado.

El anciano Eleuterio Costa también representa una figura parental pero más ceñida al entorno literario y al mundo gallego del que ambos proceden. La narradora se acerca a él por razón de vecindad y movida por la exaltada alabanza sobre su persona efectuada por Isaac. Busca en este escritor marginado, pero admirado por los intelectuales, el reconocimiento que ella desea obtener. Sin embargo, es él quien le hace ver que está sólo al comienzo del camino y que, dando origen al título de la novela, a sus poemas les faltan «el secreto de la poesía», algo difícil de explicar pero posible de identificar cuando se encuentra. Desde entonces, la protagonista persistirá en la elaboración de una historia de la zona gallega común a ambos con la exclusiva finalidad de alcanzar el beneplácito de este hombre capaz de emprender con ella un diálogo profundo y emocional. Se trata de una búsqueda del reconocimiento del otro para así confirmarse a sí misma. De ahí que en la conclusión textual regrese a despedirle y admita que «No había dejado de pensar en él durante todo el tiempo que duró mi internamiento» (Castro, 234).

Por último está Alberto, anterior pareja de las otras dos mujeres que más se han relacionado con la narradora. La trama novelesca conduce a África hacia este hombre de cuarenta y cinco años por motivos de intriga, para desentrañar un malentendido económico, pero termina por establecer una relación amorosa con él, sin duda con la finalidad de lograr sustitutivamente algo que no tiene dentro de ella misma (Benjamin, 115). A pesar de la extraña situación, fuera de toda lógica, la protagonista se aferra a lo que considera la protección física y afectiva de él aunque en varias ocasiones es consciente de la distorsión psíquica que esto supone: «siempre tuve la impresión desde el principio, de que yo iba y él volvía. De que él me sorprendía a mí, pero que yo no le sorprendía a él [...] Supongo que debí marcharme de allí. Pero no lo hice. En su indiferencia, yo leía una inmensa necesidad. Con su crueldad, Alberto me transmitía un gran amor» (199 y 205). Paulatinamente, pierde el control sobre su propia consciencia y se mete en una espiral de absoluta dependencia y dominación de Alberto (enamoramiento). Se vuelve a observar una situación de amor ideal —alejada ahora de Isaac— donde ella considera al otro un sustituto de su propia agencia, acepta su voluntad y su deseo como propios. Puede hablarse de una «perversión de la identificación, una deformación del amor identificatorio que se convierte en sumisión» (Benjamin, 154). África pierde todos los parámetros de su conducta y se somete de forma incondicional porque adora a ese otro ser humano que representa todo lo que ella no es.

Las relaciones padre-hija, hombre maduro-mujer joven son un motivo recurrente en la narrativa de Luisa Castro. En *La fiebre amarilla* desarrolló el tema dentro de las coordenadas del género fantástico[3]. Una mujer en su lecho de muerte es visitada por su padre que les había abandonado siendo ella una niña. Esta aparición actualiza y reaviva afectos largamente postergados por la hija. En *Viajes con mi padre,* su novela más reciente, vuelve a esta relación y lo hace desde unas premisas ficticias pero con un claro tono confesional y con rasgos autobiográficos. «El amor inútil» relato escrito para el volumen de jóvenes narradores, *Páginas amarillas,* expone la anécdota desde otro ángulo. El narrador omnisciente refiere la historia de Alberto León, un hombre de treinta años, que se enamora de su ahijada de tres meses y para dar una oportunidad a esta relación en el futuro decide alejarse de ella hasta que alcance la mayoría de edad. Al final, se confirma que la distancia y el tiempo no han servido de factores disuasorios de esta atípica relación inclinada a perpetuar el destino original. Queda demostrado de modo claro al establecerse entre padrino y ahijada en pocos días una correspondencia tal que fecundará en un hijo de ambos. «Cocodrilos» es un relato que guarda varios puntos en común con *El secreto de la lejía.* El yo narrador es también una joven poeta y asimismo es invitada a realizar una lectura de su obra. La protagonista posee rasgos de carácter muy similares a África. Desde el comienzo deja claro la falta de voluntad que ha imperado en su vida y su conducta parece fruto de la casualidad o del estado de ánimo victorioso en cada momento. El núcleo narrativo se plantea con prontitud y con un marcado humor sarcástico. A la narradora le cuesta trabajo entender, e incluso llega a calificarlo de degenerado, la existencia de parejas formadas por una mujer joven y un hombre mayor y de modo espontáneo afirma algo que deja ver al lector el tono narrativo predominante: «Yo no podría dormir con un cocodrilo al lado.» Al llegar al destino transatlántico de su invitación, la ironía irrumpe en la historia. La poeta compartirá audiencia y actividades con un filósofo de edad madura y en esos pocos días iniciará una relación amorosa que, en la conclusión, vislumbra posibilidades de boda. El yo narrador se esfuerza en resaltar lo incon-

---

[3] También lo ha señalado Béatrice Rodríguez en su artículo «Luisa Castro o la escritura doble».

gruente de la situación presentada, insultando internamente a su compañero y descalificando su comportamiento afectivo («volví a pensar que era idiota [...] Me dio un beso que no me supo a nada. Me abrazaba sin intimidad [...] Me desnudé como para una radiografía» [13]), sin embargo, al final, admite una extraña atracción, aunque no deja de reflexionar sobre la gran diferencia de edad entre ambos de 27 a 53 años. Este yo narrador, al igual que África, se decanta por un amor ideal y en esta entrega intenta encontrar una identificación en la que «el propio deseo y la propia subjetividad puedan finalmente ser reconocidos e idealizados» (Benjamin, 146); ella parece perderse en el otro que representa la auténtica actividad, de ahí podría provenir su persistente escepticismo: «Pero sigo sin entender cómo se puede dormir con un cocodrilo» (15).

«Lo que voy a contar ocurrió en Madrid [...] Hace quince años» (7) afirma la narradora de *El secreto de la lejía*. El lector sabe, por tanto, desde la primera página que se encuentra frente a una novela escrita en forma de memorias y será testigo de las experiencias vividas por la protagonista durante casi un año de su existencia en esta ciudad. Unos meses de suma importancia en su proceso de maduración como persona y como escritora. Al final del texto también comprobará que el recuento efectuado supone no sólo una indagación incesante sobre el acto mismo de escribir sino también un camino hacia el conocimiento de sí misma (Ciplijauskaité, 70). La escritura está constantemente en primer plano: es el motivo de su viaje, el medio para conocer gente, el método de subsistencia, el foco de sus reflexiones y lo que anticipa como su profesión futura. En su primera etapa madrileña, podrá distanciarse de lo ya escrito y evaluarlo, también se ejercitará en el oficio gracias a sus colaboraciones periodísticas y a su empeño en escribir la historia del pueblo común con su paisano, Eleuterio Costa, para lograr su aprobación y demostrarle su madera de escritora. Vida y literatura están inextricablemente unidas para la narradora y los comentarios autorreferenciales aparecen explícitos. Habría que hablar en varias ocasiones de la parodia posmoderna señalada por Linda Hutcheon que permite a un autor usar las convenciones e ironizar al mismo tiempo sobre ellas (26). África admite sin reparos: «Ahora no tenía un duro, pero tenía una historia que contar. Todo lo que dejaba atrás le hubiera bastado a cualquier novelista para montar una novela. Desde luego, los ingredientes no faltaban. Estaba Isaac el Bueno, estaba Stoneman el Oscuro, estaba Piedad la víctima, estaba Lucía la Mala, y Alberto» (177). Lo verosímil e inverosímil se han ido desarrollando en la historia de forma conjunta. El yo narrador ha compartido el mismo escenario de esos seres estereotipados a los que se ha referido y se da cuenta de que ha llegado el momento de transformar ese presente turbio en pasado, de encontrar un desenlace a la maraña de acontecimientos. De nue-

vo, se remite al mundo novelesco y se acepta que los propios protagonistas son los que deberían poner el final.

El aprendizaje de escritora corre paralelo al proceso de formación de la protagonista. La falsa seguridad de la joven África, en su
hogar, deja paso a un manifiesto desconocimiento personal e ingenuidad en la gran urbe. La duda, el seguir adelante o el regreso, el
pulso continuo con lo inesperado y con gente diversa ponen constantemente a prueba a la narradora y le muestran las dificultades que
todos los individuos afrontan en su vida personal y profesional. Pero
el proceso de concienciación se realiza de forma evidente cuando
aparece la figura de Piedad, anunciada en la primera página del texto, y sólo recuperada con la trama ficticia ya en marcha. La introducción de este personaje a modo de doble o «sombra» de la protagonista es un recurso técnico común en las novelas de concienciación.
Mediante esta representación negativa del mismo sexo que el «yo»,
se reconocen los aspectos «sombríos» de su personalidad y se intenta dominarlos (Ciplijauskaité, 73-75). Piedad representa esta contra-
figura. África queda deslumbrada desde el primer instante por esta
mujer con quien se identifica de inmediato. En ella reconoce los valores y los ideales de una artista, ve la fuerza expresiva de su arte,
aquello a lo que también ella misma aspira, aunque es consciente de
sus rasgos de locura. La poderosa atracción experimentada supera al
rechazo y, al principio, se cree capaz de encauzar esta relación: «Me
empeñé en olvidarme [...] y empezar una nueva vida [...] para entre-
garme en cuerpo y alma a la escritura de mi obra, una obra lumino-
sa y redentora que dejaría muy claro las diferencias que había entre
el bien y el mal, entre una pobre loca y un artista. Creo, ahora, que
le debo muchas cosas a Piedad, entre otras mi vocación» (101). El
contraste inicial entre estas dos figuras va difuminándose y llegará
hasta el extremo de la inversión situacional. El lector observa que todos los rasgos de este doble de la protagonista, los «no valores» reconocidos en «la sombra» (Ciplijauskaité, 75) empiezan a ser características de la heroína y terminan llevándola por el camino del
desequilibrio y la locura. El anticipado «Somos almas gemelas»
(143) y «Ella soy yo» (167) de Piedad se convierten en una realidad
alienante para África, como se evidencia textualmente al ser incapaz
el yo narrador de reconocerse a sí misma («como si por primera vez
en mi vida me mirara al espejo y no reconociera a la mujer que había allí» [210]) y terminar aceptando como propio el nombre de la
otra. Es interesante subrayar que en ambas mujeres la locura se ha
revelado como el resultado de una manipulación masculina del mismo hombre —Alberto— y también en ambas el enloquecimiento ha
sido la vía de escape para una futura curación.

El tema del doble, de la sustitución o suplantación de un individuo por otro se reitera en otros dos relatos de esta autora desde pers-

pectivas diversas. La originalidad argumental ocupa un primer plano en «Muertos». En el marco fantástico del cuento, el modo de vida en el mundo de los muertos, también hay espacio para el amor y, en consecuencia, para la traición o la sustitución de una persona por otra. En el sorprendente final, el nuevo muerto idéntico en su aspecto físico a la amante del protagonista —se le supone un hermano o quizá el padre[4]— le usurpa de inmediato su lugar amoroso y a éste no le queda más remedio que aceptar «que se trataba de unos de esos amores aplazados de los que hablan los vivos» («Muertos», 21). La suposición del incesto planea de forma difusa sobre esta relación emprendida en un mundo regido por otras normas. En «No es un regalo» la opción de la sustitución de un ser querido por otro parece colmar las últimas expectativas del protagonista. Se trata de un hombre ya adulto cuya inmadurez y dependencia se hacen patentes desde el primer párrafo pues aún está subordinado al apoyo económico de su madre y de su tía. Prefiere seguir considerándose un eterno estudiante para regresar a Madrid y recordar con nostalgia los años de juventud y un amor frustrado del que nunca se ha recuperado. Valentín se manifiesta ante el lector como un personaje patético ya que su vida es el resultado de un continuo fracaso a todos los niveles. El encuentro casual con un joven de dieciocho años, aparente mendigo callejero, y su posterior relación con él le hace revivir antiguas experiencias («Pero aquel chico tenía algo que no le escandalizaba, algo familiar y casi reconocible» [«No es un regalo», 251]) que se transforman en la certidumbre de que el chico podría ser el hijo de su antigua novia. Lo más sorprendente de la exposición narrativa es que el protagonista tome la decisión de rehacer su vida con Pascual, suplantando la pérdida de la mujer que amó en la juventud por este joven, probable hijo de aquella, a quien decide unirse con un afecto de cariz incestuoso: «Así sellarían su destino juntos. El nombre de Valentín ocuparía el vacío en la tarjeta de identidad de su hijo. ¿Era su hijo? Podría ser su hijo»[5]. El final del relato contrapone las conductas de ambos hombres y, en consecuencia, destaca la personalidad inmadura de Valentín al haber adoptado una determinación inconsistente y ambigua, resaltada frente al abandono meditado del joven quien, a pesar de las circunstancias, es capaz de ejercer un mayor control sobre su propia vida.

---

[4] En la versión del cuento publicada en *Blanco y Negro* se habla de un encuentro entre hermano o padre y el párrafo se concluye con «el emotivo encuentro de dos hermanos» (21); sin embargo, en una versión revisada del cuento pero aún inédita se menciona hermano o primo y al final del párrafo se especifica «el emotivo encuentro de dos parientes». Le agradezco a la escritora que me haya facilitado la última versión.

[5] Estas frases aparecen en una versión del cuento revisada por la autora pero aún inédita. En la versión que aparece en *Vidas de mujer* sólo se dice: «Así sellarían su destino juntos, quizá su amor» (252).

La noción de «sujeto nómade» de Rosi Braidotti ayuda a entender en profundidad la situación de la protagonista de *El secreto de la lejía*. Cuando «ejes de diferenciación tales como la clase, la raza, la etnia, el género, la edad y otros entren en intersección e interacción entre sí para constituir la subjetividad» se puede hablar de este concepto (Braidotti, 30). La novela comienza con la frase «Todo el mundo sabe que los gallegos somos de una reticencia inescrutable» *(El secreto de la lejía,* 7) y una y otra vez a lo largo del texto se resalta la consciencia de pertenecer a una clase y a una etnia. Al taxista que le conduce en su primera incursión por las calles madrileñas le asegura «Somos humildes [...] Somos una raza esclava» (24). También al final de la novela, al regresar para despedirse de su antiguo vecino se presenta antes que con su nombre como la poeta gallega. Su condición de gallega es lo que más le une al anciano y elogiado escritor y el propósito de escribir las historias de las Urdes gallegas, lugar común a ambos, es la tarea que emprende para demostrar su talento. No obstante, su continuo enfrentamiento, su insolencia y el cuestionamiento de las conductas planteadas y esperadas por los demás, especialmente las figuras que representan cierta autoridad (su madre, Isaac, Belén, Eleuterio), ponen de manifiesto su tendencia a la subversión de las convenciones establecidas, rasgo que, según Braidotti, mejor define al estado nómade (31). Este modo de comportamiento diferencial de la personalidad de la protagonista también es destacado por la autora real como una característica inherente al verdadero artista quien «debe ser siempre un transgresor de las conductas establecidas» (Fortes, www.barcelonareview).

El viaje desde Armor a Madrid debe ser considerado ante todo un proceso de transformación de África. Su originario modo de ser se ve sometido a una serie de nuevas experiencias, personales y literarias. El encuentro con individuos insólitos, pobladores del medio cultural donde cree que debe sumergirse, sus pretensiones y sugerencias ponen a constante prueba las decisiones de ésta y se comienza a observar una progresiva y vertiginosa deconstrucción de su identidad, típica del nomadismo (Braidotti, 48). En numerosas ocasiones piensa en regresar a su punto de partida, su querida Galicia, pero le falta valor y cada vez se va adentrando más en un estado de pánico e inercia que le lleva a preguntarse por su propia locura. El agravamiento de esta situación y la concatenación de sucesos extraños a los que es incapaz de dar una respuesta adecuada le arrastran al internamiento psiquiátrico final. En el presente del yo narrador en el que se rememora esa etapa pasada, fundamental en su vida, desde la distancia y la objetivación del momento actual, se deja translucir que la nueva identidad se ha construido en base a los aspectos «múltiples» y «fracturados» del sí mismo, y que en ella se han integrado a cierto nivel los vínculos con el «otro», la memoria, los recuerdos y la imágenes inconscientes internalizadas (Braidotti, 195). Y al hacer referencia —mediante el recuerdo— a la retrospección, reafirmada en un proceso genealógico, conviene tener muy en cuenta que para la protagonista, al igual que para la escritora Luisa Castro, «Galicia no es un ente abstracto, es la familia, la educación, la formación, la lengua y lo que transmite la lengua, los valores culturales» (Fortes, www.barcelonareview).

No hay ninguna duda de que al pensar en la modernidad se sitúa a la ciudad como el núcleo de ese movimiento emergente. El nombre de ciudad, uno de los más metafóricos, «se usa para compendiar todas las disputas y perplejidades que nos provoca el espectáculo de la diversidad y la convivencia humanas, de sus pasiones y de sus ideales» (González Quirós, XIV). La ciudad de Madrid se puede considerar uno de los personajes más trascendentales de *El secreto de la lejía*. Madrid aparece en la primera página, en numerosas ocasiones y es la última palabra del texto, la que lo concluye: «Por eso yo vine a Madrid» (249). Esta ciudad es el símbolo y el conglomerado de todas las vivencias de la protagonista durante unos meses decisivos en su existencia. África proviene de la periferia y se asienta en la periferia, el barrio de Manoteras. Su mudanza a la calle Zurbano, un lugar muy por encima de sus posibilidades, concurre con su azaroso estallido de suerte —la publicación de su libro de poemas y el adelanto económico— pero también en ese espacio añadido se inician sus problemas, su pulso personal con la ciudad y sus habitantes, y ésta acaba vencedora pues, a pesar de mostrarse generosa y esperanzadora al principio, termina por expulsarla del útero confortable y le hace deambular sin rumbo fijo por zonas urbanas diversas y ajenas —la casa del paseo de Delicias, el parque del Retiro, el barrio de Chamberí— que acaban con su confinamiento. Madrid ha sido metáfora de anhelo, regalo y de éxito pero también lo ha sido de confusión, fracaso y de enajenación. Este espacio urbano ha sido la sede de su encrucijada vivencial. Nuevamente, las ideas sugeridas en la ficción corren paralelas a las expuestas por Luisa Castro: «Porque Madrid, como a todos los que hemos caído aquí, nos atrapa con las mismas mañas que una droga dulce y asequible. Primero se ofrece gratis; luego, cuando ya no puedes dejarlo, se paga caro. Y eso es esta ciudad. Primero te invitan, la pruebas. Luego, no hay solución para salir de aquí, ni días libres, ni vacaciones, ni huidas» *(Diario de los años apresurados,* 79).

Algunos escritores contemporáneos han afirmado que su escritura es una vía de liberación de obsesiones que han marcado su vida; otros la consideran un medio para expulsar los fantasmas que les han acompañado desde la niñez; otro grupo de autores y teóricos de la literatura juzgan la obra creativa como un proceso catártico que posibilita un renacimiento del creador. Ninguna de estas opciones se ajusta a lo que la palabra escrita significa para nuestra autora. Para ella es, por encima de todo, un modo de enfrentarse e intentar aprehender la realidad y el mundo circundante: «Porque no escribo para dar con la verdad, ni para acertar, no escribo para deshacerme de mis fantasmas, ni para curarme, ni para curar. Escribo, quizás, para cazar antílopes, como los hombres de las cavernas, por hambre, y por si sirve de algo dibujar el objeto del deseo para atraparlo, por si sirve de algo conjurar la vida con palabras para meterle el diente» *(Diario, 69)*.

Existen unas preocupaciones reiteradas en la obra literaria de Luisa Castro. Las relaciones madre-hija-padre, la búsqueda de identidad, el proceso de formación, las relaciones interpersonales, el doble o la suplantación son temas que fluyen por el cauce sinuoso de su narrativa, apareciendo y ocultándose en novelas y cuentos, arrastrando en su camino un caudal de muy diverso origen y facturación, pero siempre erosionado por la mirada cristalina e intensa de la escritora gallega.

OBRAS CITADAS

ALBORG, Concha, «Madres e hijas en la narrativa española contemporánea escrita por mujeres: ¿mártires, monstruos o musas?», en Marina Villalba (coord.), *Mujeres novelistas,* págs. 13-32.

BENJAMIN, Jessica (1996), *Los lazos de amor. Psicoanálisis, feminismo y el problema de la dominación,* Jorge Piatigorsky (trad.), Buenos Aires, Paidós.

BRAIDOTTI, Rosi (2000), *Sujetos nómades. Corporización y diferencia sexual en la teoría feminista contemporánea,* Buenos Aires, Paidós.

CASTRO, Luisa (1996), «Cocodrilos», *Relatos de mujeres, El Mundo,* agosto.

— (1998), *Diario de los años apresurados,* Madrid, Hiperión.

— (1997), «El amor inútil», en *Páginas amarillas,* Madrid, Lengua de Trapo, págs. 135-145.

— (2001), *El secreto de la lejía,* Barcelona, Planeta.

— (1990), *El somier,* Barcelona, Anagrama.

— (1994), *La fiebre amarilla,* Barcelona, Anagrama.

— «Mi madre en la ventana», en Laura Freixas (ed.), *Madres e hijas,* págs. 225-236.

— «Muertos», *Blanco y Negro,* 23-IV-1989, págs. 20-21.

— (1998), «No es un regalo», en Mercedes Monmany (ed.), *Vidas de mujer,* Madrid, Alianza, págs. 245-253.

— (2003), *Viajes con mi padre,* Barcelona, Planeta.

CIPLIJAUSKAITÉ, Biruté (1988), *La novela femenina contemporánea (1970-1985). Hacia una tipología de la narración en primera persona,* Barcelona, Anthropos.

— «Más allá de la sentimentalidad: mirada lúcida y visión imparcial», en Eva Löfquist (ed.), *Literatura escrita por mujeres,* págs. 1-14.

CHODOROW, Nancy J. (1994), *Feminities, Masculinities, Sexualities. Freud and Beyond,* Londres, Free Association Books.

— (1989), *Feminism and Psychoanalytic Theory,* Oxford, Polity Press y Basil Blackwell.

ENCINAR, Ángeles, «Las relaciones materno-filiales: eje estructurador en "Carta a la madre", "Gente que vino a mi boda" y "Cuánto de ella guardaba yo de mí"», en Eva Löfquist (ed.), *Literatura escrita por mujeres,* págs. 115-124.

FORTES, Belén, «Entrevista a Luisa Castro», http://www.barcelonaview.com/31/s_lc_ent.htm

FREIXAS, Laura (ed.) (1996), «Prólogo», *Madres e hijas,* Barcelona, Anagrama, págs. 9-20.

GLENN, Kathleen M., «Escritura e identidad en *La hija del caníbal* de Rosa Montero», en Marina Villalba (coord.), *Mujeres novelistas,* págs. 273-279.

GONZÁLEZ QUIRÓS, José Luis (ed.) (2003), «Prólogo», *Ciudades posibles,* Madrid, Lengua de Trapo, págs. XII-XXIII.

HIRSCH, Marianne (1989), *The Mother/Daughter Plot. Narrative, Psychoanalysis, Feminism,* Bloomington e Indianapolis, Indiana University Press.

HUTCHEON, Linda (1988), *A Poetics of Postmodernism: History, Theory, Fiction,* Nueva York, Routledge.

LÖFQUIST, Eva (ed.) (2002), *Literatura escrita por mujeres en el ámbito hispánico,* Estocolmo, Aspasia.

RODOREDA, Mercè (1984), *La Plaza del Diamante,* Barcelona, Edhasa.

RODRÍGUEZ, Béatrice (2003), «Luisa Castro o la escritura doble», en Alicia Redondo Goicoechea (coord.), *Mujeres novelistas. Jóvenes narradoras de los 90,* Madrid, Narcea, págs. 97-107.

SANZ VILLANUEVA, Santos, *«Viajes con mi padre», El Cultural,* 13-II-2003, pág. 12.

TUSQUETS, Esther, «Carta a la madre», en Laura Freixas (ed.), *Madres e hijas,* págs. 75-93.

— (1978), *El mismo mar de todos los veranos,* Barcelona, Lumen.

VILLALBA, Marina (coord.) (2000), *Mujeres novelistas en el panorama literario del siglo xx,* Cuenca, Universidad de Castilla-La Mancha.

Capítulo X

El pasado no está muerto: la memoria histórica en la novela de guerra *El nombre de los nuestros* de Lorenzo Silva

Silvia Bermúdez
University of California-Santa Barbara

Como todo lo relacionado con la memoria, parte de la citadísima frase de William Faulkner que encabeza este ensayo, y tal como circula en el imaginario cultural de España, es en realidad una interpretación de la frase literal enunciada por Gavin Stevens en *Réquiem por una monja* (1951). En su versión en el original, tal como se recoge en *William Faulkner. Novels 1942-1954,* la frase en inglés dice así: «The past is *never* dead. It's not even past» (Act I, Scene III, 535, las cursivas son mías). La frase completa se traduce, generalmente, como «el pasado no está muerto. Ni siquiera está pasado» y no recoge ese énfatico «nunca» *(«never»)* con el que Gavin Stevens busca expresar que el pasado individual nunca deja de resonar en el presente. Traigo a colación la dramática frase de Faulkner pues quizás en ninguna de las novelas que se han escrito en España en torno a la guerra de África (1909-1926) en los últimos quince años se dramatiza mejor que en *El nombre de los nuestros* (2001) la concreta resonancia individual que tiene en su autor, Lorenzo Silva (1966), la que fuera política colonial de España en el protectorado de Marruecos[1].

---

[1] Autor polifacético, Lorenzo Silva ha incursionado con éxito en varias modalidades literarias entre las que se encuentran las de literatura infantil y juvenil, el ensayo y los relatos de viaje. Hasta la fecha estas son sus publicaciones: *Noviembre sin violetas,* Madrid, Ediciones Libertarias, 1995; *La sustancia interior,* Madrid, Huerga y Fierro, 1996; *La flaqueza del bolchevique,* Barcelona, Destino, 1997; *El lejano*

De hecho la «Advertencia preliminar» con la que se recibe a lectores y lectoras cumple la función de avisarnos que la historia se nutre de las vivencias personales de su abuelo y homónimo, Lorenzo Silva Molina, sargento del ejército de África y quien vive de cerca los trágicos eventos de junio y julio de 1921 que culminarán en lo que ha pasado a conocerse como el desastre de Annual. Al anunciarnos esta conexión, el autor nos invita a tener presente que las demarcaciones entre «verdad histórica» y «visión narrativa» que plantea la modalidad de la novela histórica no deben impedirnos reconocer que aún aquellos personajes que tienen referencias históricas se caracterizan por «su condición de criaturas de fantasía» (8). Hemos pues de entender esta novela no sólo desde su claro afán de reconstruir la historia de aquel verano de 1921, sino, también desde su dimensión metafórica.

país de los estanques, Barcelona, Destino, 1998 (premio «El Ojo Crítico» de narrativa); *El ángel oculto,* Barcelona, Destino, 1999; *El urinario,* Valencia, Pre-Textos, 1999; *El alquimista impaciente,* Barcelona, Destino, 2000 (Premio Nadal del mismo año); *El nombre de los nuestros,* Barcelona, Destino, 2001; *La niebla y la doncella,* Barcelona, Destino, 2002. En marzo del 2004 recibe el «Premio Primavera de novela» por *Carta blanca,* Madrid, Espasa-Calpe, una novela ambientada entre la Guerra de Marruecos y la Guerra Civil. Inmerso en las esferas de producción de su tiempo y atento a los modos de circulación de la literatura en la primera década del siglo XXI, Silva involucra a sus lectores en la escritura de *La isla del fin de la suerte,* Madrid, Círculo de Lectores, 2002. Esta novela interactiva se escribe, originalmente, a través de la página web del Círculo de Lectores —www.circulo.es— a lo largo de diez semanas en el transcurso del 2001. El público participa por medio de un sistema de votos, al ser invitado a elegir entre tres alternativas posibles a cada uno de los seis capítulos en los que se divide la novela. En las modalidades de novela juvenil ha publicado hasta la fecha cuatro novelas: «La trilogía de Getafe», constituida por *El cazador del desierto,* Madrid, Anaya, 1998; *Algún día, cuando pueda llevarte a Varsovia,* Madrid, Anaya, 1998 y *La lluvia de París,* Madrid, Anaya, 2000; la última es *Los amores lunáticos,* Madrid, Anaya, 2002. En la modalidad infantil tiene *Laura y el corazón de las cosas,* Barcelona, Destino Infantil y Juvenil, 2002, con ilustraciones de Jordi Sàbat. El libro les valió a ambos el «Premio Destino Infantil-Apel.les Mestres 2002-2003». En la categoría libros de viajes tiene: *Del Rif al Yebala: Viaje al sueño y pesadilla de Marruecos,* Barcelona, Destino, 2001 y la narración «Un viaje a Sidi-Dris», 2002, en su página web. Con *Viajes escritos y escritos viajeros,* Madrid, Anaya, 2000, Silva nos ofrece sus reflexiones sobre la literatura de viajes; y en *El déspota adolescente,* Barcelona, Destino, 2003 recoge relatos escritos a lo largo de 14 años que tienen como eje central «la juventud».

La última década del XX en España ve un resurgir en la novelización de la guerra con Marruecos y así tenemos las siguientes novelas: de Severiano Gil Ruiz, *Prisioneros en el Rif,* Melilla, Artes Gráficas Marfe, 1990; *El cañón del Gurugú,* Melilla, Ayuntamiento de Melilla, 1992 y *La tierra entregada,* Melilla, Ayuntamiento de Melilla, 1992; *Quebdani. El cerco de la estirpe,* Barcelona, Ediciones 29, 1997 de Antonio Abad. Las autoras que han novelado períodos de la guerra son: Josefina Aldecoa en *Historia de una maestra,* Barcelona, Anagrama, 1990 y María Charles en *Etxezarra,* Barcelona, Anagrama, 1993. La última novela del propio Silva, *Carta blanca,* debe incluirse entre aquellas producciones que novelan períodos de la guerra.

Es desde ambas que el peso de la historia del abuelo es tal que nuestro escritor, el nieto, se siente emplazado a narrar todo lo que los soldados del verano de 1921 dejaron enterrado en defensa de «El imperio de arena»[2]. La fuerza de ese peso se expande más allá de esta particular novela pues Lorenzo Silva se ha abocado a lo que parece un compromiso vital con su abuelo y aquellos soldados que murieron en el norte de África: se ha dedicado a reintegrar a la memoria colectiva de España la trágica empresa colonial desde varias esferas de producción cultural. Así, junto a *El nombre de los nuestros*, dos relatos de viajes, uno en forma de libro y el otro en forma cibernética, recogen sus impresiones al visitar El Rif y El Yebala, las dos regiones en las que se dividía el Marruecos del protectorado español. El resultado del recorrido por los lugares que transitó el abuelo paterno de 1920 a 1926 se recogen en *Del Rif al Yebala. Viaje al sueño y la pesadilla de Marruecos* (2001) y en sus primeras páginas nos explica los motivos que lo impulsan a visitar estos lugares:

> Vengo a Melilla porque esperaba encontrar más o menos esto, un lugar que ha quedado descolgado del tiempo, como un residuo dejado por la historia. Vengo en parte por esa historia, y por eso vengo a finales de julio. Fue a finales de julio de 1921 cuando el ejército español sufrió en la zona de Melilla uno de sus más sonados reveses [...] Cuando menos, es el descalabro más extraordinario del siglo, y aunque casi todos los españoles de mi generación tienen o han debido tener un abuelo o un tío abuelo que participó en aquella infausta guerra, una espesa capa de silencio y de vergüenza la ha mantenido ajena a la conciencia de mis compatriotas (14-15).

En su ímpetu por disipar esta espesura Silva vuelve a visitar estos parajes en su relato cibernético «Un viaje a Sidi-Dris». Fechado en septiembre del 2002, y a disposición de lectores y lectoras en su página web, el texto es un homenaje a los soldados españoles cuyos huesos todavía hoy se queman al sol en esa desoladora franja del norte de África. Este último viaje, además, sienta las bases para el documental que junto a los cineastas Manu Horrillo y Benito Zambrano prepara sobre la nefasta empresa como allí nos indica. Recordemos que la derrota colonial en África supone un desastre de magnitudes horrendas por el número de muertos —los números que se barajan van de los nueve a los catorce mil— y que implicó que en unos pocos días desapareciera la presencia española en la zona del

---

[2] *El imperio de arena*, Barcelona, Plaza y Janés, 1998, es el título de la novela de Jesús Torbado que ambientada en el Sáhara también resalta la banalidad de las aspiraciones coloniales españolas en las desiertas arenas de África.

protectorado[3]. Sidi Dris es relevante, además, porque es uno de los ejes estructurales de la novela ya que la misma se narra intercaladamente desde tres frentes, Sidi Dris, Afrau y Talilit, con excepción de los episodios 3, 11 y 17 que se ambientan en el cañonero «Laya».

Volviendo a la novela que me ocupa y al peso que el pasado ejerce sobre el presente vemos que los paratextos que la enmarcan dejan en claro que *El nombre de los nuestros* es, ante todo, una historia personal, familiar, específicamente paterno-filial en la que se enlazan tres generaciones. El propio novelista nos aclara en dos instancias paratextuales el papel fundamental que cumple su padre, Juan José Silva, en la creación de la historia que leemos. La conciencia de linaje que enlaza a nuestro autor a los hechos de 1921 se reconoce en la dedicatoria que nos recibe en el umbral del texto y en la que se establece que el padre es, «en más de un sentido coautor de este libro» (5). Los «Agradecimientos» (287) que cierran la novela nos aclaran que Lorenzo Silva considera coautor a su padre debido a que es él quien, en el acto de (re)contar oralmente las experiencias de su padre, enlaza el pasado al presente, al abuelo con el nieto: «[d]ebo agradecer en primer lugar a mi padre, Juan José Silva, la eficacia con que ofició para mí como vehículo de transmisión oral (que quizá es la más genuina) de las historias africanas de su padre» (287).

El modo personal en que Lorenzo Silva se involucra en la (re)presentación de esta guerra se pone también de manifiesto en otro elemento paratextual: la ilustración de cubierta que aparece tanto en la edición original de Destino del 2001 como en la edición de bolsillo del 2002 con la que trabajo. En la contrapágina de los derechos de autor se indica que la foto de los jóvenes soldados pobremente vestidos de la cubierta ha sido cedida por Lorenzo Silva: la foto es de 1924, y los rostros que nos miran desde su lejanía son soldados españoles en Marruecos. Al preguntarle al autor en un correo electrónico si alguno de esos jóvenes alineados con fusiles al hombro y acompañados de un cachorro y un perro con guerrera era Lorenzo Silva Molina, me respondió afirmativamente: «Mi abuelo es uno de esos hombres, sí. Por lo que he podido averiguar y deducir, la foto está tomada en un lugar llamado Ain Grana (en la zona occidental

---

[3] En sus memorias *Entre España y Marruecos. Testimonio de una época: 1923-1975*, Madrid, Editorial Catriel, 1999, Ignacio Alcaraz Cánovas determina las pérdidas humanas y de armamento del siguiente modo: «[e]l número de bajas se estimó en catorce mil y el de los desaparecidos nunca se supo. Se perdieron 20.000 fusiles, 400 ametralladoras, 129 cañones y grandes cantidades de material» (15). Por su parte, Ramón Salas Larrazábal, en *El protectorado de España en Marruecos*, Madrid, Editorial Mapfre, 1992 resume el episodio así «[e]l resultado fue que se perdió en pocos días lo que pacientemente se había conseguido en doce años y ello al precio altísimo de varios millares de muertos» (143).

del protectorado), y todos los que en ella acompañan a mi abuelo murieron al caer la posición en manos de los marroquíes, después de que mi abuelo la abandonara por traslado a otra unidad» (19-III-2004). No sorprende, por ello, que la «Advertencia preliminar» concluya con unas sentidas palabras en honor de su abuelo y de los que allí se dejaron la vida: «Este libro quiere ser, en su limitación, un homenaje a él y a aquellos olvidados soldados de Ceriñola, que padecieron el infortunio de encontrarse a la vez en el peor lugar y en el peor momento y que se vieron obligados, por ello, a sacrificarlo todo a cambio de nada» (8).

La retórica del sacrificio y la gloria nunca alcanzada que se esboza en la advertencia nos indica que nos encontramos ante una novela que revisita el género de las novelas de guerra de modo general y que, de modo particular, revisita las llamadas novelas de la guerra africana. En relación a este segundo aspecto, no olvidemos que *El nombre de los nuestros* ha de inscribirse en lo que es ya una larga tradición de novelas sobre la guerra de África y que ha llevado al estudioso Antonio M. Carrasco González a crear una categoría específica en *La novela colonial hispanoafricana. Las colonias africanas de España a través de la historia de la novela* (2000). Para Carrasco González la categoría abarca tanto las novelas escritas al calor de la guerra de 1859-1860 —entre las que destaca *Diario de un testigo de la guerra de África* de Pedro Antonio de Alarcón— como las resultantes a raíz de la derrota del ejército español el 21 de julio de 1921 a manos de la tropa de Abd-el-Krim. En esta segunda categoría tenemos los ya clásicos textos *El blocao* (1928) de José Díaz Fernández, *Imán* (1930) de Ramón J. Sender y la serie de *La forja de un rebelde* (1941-1944) de Arturo Barea, además de todos aquellos producidos a lo largo del XX y que en este final de siglo han llevado a que el tema se presente incluso en novelas dirigidas a un público juvenil como *Morirás en Chafarinas* (1990) de Fernando Lalana, *Raisuni* (1991) de David López García y *Una guerra africana* de Ignacio Martínez de Pisón (2000)[4].

Vemos pues que dos son los modos en que el pasado nunca muere en *El nombre de los nuestros*. Por un lado, la novela continúa la tradición de lo que Carrasco González denomina «La novela colonial hispanoafricana». Por otro lado, en la clara conciencia colectiva que Lorenzo Silva busca convocar desde la resonancia individual que tiene en su vida la experiencia de la guerra. Al presentar la guerra desde ese evocador *El nombre de los nuestros,* el autor nos re-

---

[4] Un especialista en el tema de la Guerra de África, David López García es también autor de un importante estudio, *El blocao y el oriente: una introducción al estudio de la narrativa del siglo XX de tema marroquí,* Murcia, Universidad de Murcia, 1994.

cuerda que la misma tuvo consecuencias históricas para todos los españoles y nos obliga a dilucidar el trauma como perteneciente al inconsciente colectivo de España. De hecho, el ahínco con que el tema se revisita en la última década del xx y en lo que llevamos de la del veintiuno ha de entenderse como un claro síntoma de la necesidad de examinar a nivel nacional lo que asumimos y aceptamos como verdades de nuestro tiempo para poder, en última instancia, sanar la herida abierta por la experiencia de la funesta aventura de España en El Rif pues, «[e]s lástima, también que no acabe de llegarse a un acuerdo con el país vecino que permita ahorrarse los buques de guerra» (Silva, «Un viaje»).

Los anhelos de Lorenzo Silva adquieren un cariz de urgencia en el contexto de los eventos del 17de julio del 2002 cuando las Fuerzas Armadas españolas toman posesión de la Isla Leila o El Perejil —según sea el lado desde el que se mire el desierto islote. Los eventos confirman la frase faulkneriana pues las profundas heridas del pasado siguen vigentes en las siempre complejas relaciones hispano-marroquíes. Al resolverse la crisis mediante las armas se sigue dando soluciones militares al problema con Marruecos, a pesar de las nefastas consecuencias que éstas han tenido como lo demuestra el desastre de Annual. Recordemos que el descalabro militar de 1921 llevó a la creación del llamado «Expediente Picasso» —nombre derivado de la comisión presidida por el general Juan Picasso González— cuyas conclusiones, unidas a la inestabilidad política, se consideran causantes del golpe de Estado del general Miguel Primo de Rivera de 1923 y de la dictadura que se prolonga hasta enero de 1930.

El peso paradigmático de la empresa colonial española en Marruecos es tal que para Juan Goytisolo en la misma se forjan los cimientos de la dictadura franquista. En *De la Ceca a la Meca,* Goytisolo enlaza la una con la otra al afirmar que «la guerra del Rif y la derrota final de Abd-el-Krim tuvieron consecuencias desastrosas para el régimen democrático y sentaron las bases de una dictadura que se prolongó por espacio de cuarenta años... [pues] Franco, Sanjurjo, Millán Astray, Mola, Yagüe y Muñoz Grande templaron su espíritu de lucha en Marruecos y prepararon desde allí su sangrienta "salvación" de España» (47, comillas en el original)[5]. Esta es también la evaluación de Dionisio García quien en la «Introducción» a

---

[5] Recordemos que Francisco Franco contribuye a la producción literaria de la «Guerra de África» con la serie de artículos publicados entre 1924 y 1928 en la *Revista de Tropas Coloniales.* Los escritos se recogen bajo *Diario de una bandera, La hora de Xauen* y *Diario de Alhucemas.* En 1986 la Fundación Nacional Francisco Franco publica *Papeles de la Guerra de Marruecos* donde además de los tres títulos mencionados se recogen «Reflexiones políticas» y «Tánger».

Las campañas de Marruecos (1909-1927) considera que si bien la dictadura de Primo de Rivera resolvió militarmente la guerra con Marruecos no pudo con los problemas económicos, sociales y políticos que «ya albergaban la semilla de la futura guerra civil» (7).

ESCRIBIR/HISTORIAR LA GUERRA EN *EL NOMBRE DE LOS NUESTROS*

La doble revisitación que Lorenzo Silva lleva a cabo de la novela histórica y de la novela de guerra ha de entenderse en el contexto de la pluralidad narrativa que este volumen propone. La vigencia de la modalidad de la novela histórica española en el inaugurado siglo XXI no se pone en duda, pero sólo dos autores, Silva y Severiano Gil Ruiz, puede decirse que trabajan la novela de guerra. La vitalidad de la novela histórica en España tiene sus mejores emblemas en la popularidad con que se recibe en los ochenta a *Urraca* (1982) de Lourdes Ortiz y *El rapto del Santo Grial, o, el Caballero de la Verde Oliva* (1984) de Paloma Díaz-Mas, quien obtendrá el Premio Herralde de novela en 1992 por *El sueño de Venecia,* y en los éxitos de ventas de Arturo Pérez Reverte con *El capitán Alatriste* (1996) y sus aventuras sin fin que aún continúan y siguen siendo reclamadas por lectores y lectoras[6]. Los límites de este ensayo me impiden evaluar las distintas causas que expliquen el renovado interés de la narrativa española por la historia, pero sostengo que este reflorecimiento puede todavía entenderse a la luz de lo propuesto por George Lukács cuando explica a la novela histórica como una consecuencia «[...] necesaria de las grandes revoluciones sociales de los tiempos modernos» *(La novela histórica,* 13)[7]. Y aunque no podemos hablar de «revoluciones sociales» en sentido estricto en el caso específico de la España de este entresiglos, sí podemos aludir a las grandes y rápidas transformaciones sociales que sufre el país. No olvidemos que en un período de menos de 20 años —de 1975 al simbólico año de 1992— España emerge de una larga dictadura para transformarse en modélica democracia que nuevamente pasa a ocupar una poderosa posición geopolítica en el mundo. Sin embargo, como es sabido, el precio de esa rápi-

---

[6] No pretendo reducir la vastísima producción de esta modalidad narrativa a este número limitado de autores, sólo busco resaltar lo indicativo de que Alatriste haya pasado a formar parte del imaginario cultural de la España del tardío siglo XX con sus siempre esperadas aventuras y de la popularidad de las escritoras que dominan el género de la ficción historiográfica.

[7] Sobre la preponderancia de la novela histórica en las últimas décadas del XX véase, entre otros estudios, *Metaficción historiográfica. La novela histórica en la narrativa hispánica postmodernista*, Madrid, Fundamentos, 1995, de Amalia Pulgarín Cuadrado y *Del franquismo a la posmodernidad. La novela española, 1975-1999,* Alicante, Universidad de Alicante, 2000, de M. Mar Langa Pizarro.

da y próspera transformación ha sido una esquizofrenia social donde «lo arcaico y lo moderno coexisten» tal como indican Helen Graham y Antonio Sánchez en «The Politics of 1992» (410). Ambos señalan, específicamente, la rapidez del cambio y una heterogeneidad creciente como las razones «que le otorgan a la sociedad española su mareante identidad postmoderna» (410).

No me parece irrelevante que la identidad postmoderna española se perciba como mareante ya que la misma permite explicar, entre otras posibilidades, el auge de la novela histórica en el país y más allá del retorno a lo real que se evidencia en las literaturas de fin de siglo. Para Kurt Spang, las otras razones serían que «[l]as épocas de crisis política, filosófica y religiosa suelen ser épocas en las que la novela histórica experimenta un cultivo y una popularidad notables. Así es como después del auge de la novela histórica del Romanticismo en la segunda mitad del siglo XIX, observamos por los mismos motivos también en nuestro siglo, sobre todo en sus dos últimos tercios, un sorprendente resurgimiento del género» (9). La observación de Spang no reconoce la compleja relación que de por sí tienen historia escrita y verdad empírica como formulan los postulados historiográficos de Hayden White *(Figural Realism. Studies in the Mimesis Effect)*, pero es reveladora de la conexión que se establece entre la necesidad de leer «historias verdaderas» —o que se le parezcan mucho— en contextos históricos donde se producen cambios que alteran nuestro entendimiento y relación con la realidad. Una de esas alteraciones es la que hace que la España de este entresiglos tenga que hacer frente a la creciente heterogeneidad planteada por la inmigración de poblaciones étnicas y culturales que se perciben tan «otras» que su presencia en el territorio nacional se entiende como un momento de crisis para la propia identidad.

En este sentido, entonces, el renovado interés por las novelas históricas que regresan a la guerra de África puede entenderse como un deseo de afianzar la identidad pues el gesto de recordar el valor y la entereza de aquellos que sufrieron trágicas circunstancias se nutre de aquello que se considera uno de los más valiosos patrimonios culturales de una nación: los héroes de guerra[8]. Al buscar dar «nombre» a todos aquellos soldados masacrados en julio de 1921, Silva contribuye a que pasen a formar parte del imaginario nacional: a que se reconozca su heroísmo al haber sacrificado «todo a cambio de nada» («Advertencia preliminar», 8). No en vano, y como señala Eduardo-

---

[8] Como sabemos, la ansiedad con respecto a la identidad nacional no es nueva y tal como indica Susan Martin-Márquez en «Here's Spain Looking at You: Shifting Perspectives on North African Otherness in Galdós and Fortuny», la conflictiva naturaleza del discurso socio-político contemporáneo recoge las ansiedades del siglo XIX (8).

Martín Larequi García en su «La guerra de África desde las trincheras: *El nombre de los nuestros* de Lorenzo Silva» (2001) recogido en
la página web del escritor, el texto es «una novela de guerra en sentido estricto, caracterizada por la crudeza de sus episodios bélicos y
narrada desde la perspectiva exclusiva de uno de los dos bandos en
conflicto» (www.lorenzo-silva.com).

En efecto, el texto debe considerarse una importante contribución
a la modalidad de la novela de guerra por su descripción realista del
combate y su valoración de los emblemas de masculinidad propias del
género: la admiración por el coraje, el sentido del deber, lealtad y es-
toicismo de los soldados. Así, en el episodio 10 titulado «La retirada»
y localizado en el frente de Talilit, la crudeza de la batalla se describe
con precisión al relatar como el cabo Rosales, uno de los personajes-
eje como veremos más adelante, es nuevamente malherido:

> Alguno tiró el fusil para ir más rápido. No fue ése el caso de
> Rosales. Mientras arrastraba trabajosamente el fusil, con su único
> brazo disponible, vio su carrera truncada por un tiro que le atra-
> vesó de parte a parte. Andreu, al verle caer, retrocedió para soco-
> rrerle. Se agachó junto a él y le observó la herida. Era un agujero
> pequeño y redondo, a la altura del pulmón derecho [...] la bala, al
> salir, había abierto un cráter de piltrafas sanguinolentas por el que
> asomaba una costilla (143).

Además la brutalidad de la guerra se demuestra en que no sólo
hay que acatar la máxima de «sálvese quien pueda» sino que hay que
evitar a toda costa ser hecho prisionero por el bando enemigo: «El
teniente artillero manejaba bien el máuser. Disparó sus cinco cartu-
chos contra los asaltantes [...] soltó el fusil, empuñó su pistola y gas-
tó cinco de los seis tiros. El último, cuando ya se le echaba la harka
encima, se lo descerrajó en la sien» (145).

La novela de Silva carece de la contundente sanción al militaris-
mo que presenta Erich Maria Remarque (1898-1970) en *Sin novedad en el frente* (1929) o la enfática condena a la sinrazón de la guerra que ofrece Robert Graves en *Adiós a todo eso* (1929), pero aún
así debe alinearse con estas paradigmáticas novelas de guerra naci-
das en las trincheras de la Primera Guerra Mundial[9]. Como bien señala Eduardo-Martín Larequi García en el título de su ensayo, la historia se narra desde las trincheras —ahora convertidas en infames
blocaos— de las posiciones de Sidi Dris, Afrau y Talilit. No en vano

---

[9] En su lúcido *Deadly Embrace. Morocco and the Road to the Spanish Civil War*
(2002), Sebastian Balfour compara las espantosas condiciones de los soldados españoles en la guerra con Marruecos con las de los soldados de la Primera Guerra Mundial (xi).

es desde la movilización masiva de soldados de reemplazo en la Primera Guerra Mundial que el soldado anónimo, de a pie, se convierte en la figura trágica de los horrores de la guerra. El impacto causado por la matanza de millares de estos soldados en el Desastre de Annual «va a determinar un cambio radical en la manera dominante de narrar. La guerra será la protagonista, y en la guerra el soldado en tierra extraña víctima de la crueldad y de las miserias de la naturaleza humana» (Carrasco González, 75). De estos soldados trata, precisamente, *El nombre de los nuestros* emblematizados en las figuras del sargento Molina, el cabo Amador, el cabo Rosales, el soldado catalán Andreu, el alférez Veiga, el contramaestre Duarte y el sargento Haddú, musulmán de la sección de caballería de la policía indígena alistado a las fuerzas españolas. Todos ellos personajes-eje en cuanto que los eventos del verano de 1921 se relatan desde el impacto que tienen en la vida de estos personajes específicos.

Dividida en 19 episodios y un epílogo, estrategias que indican su contrato con lo real, la novela se inicia con la angustiosa premonición del recluta Pulido: «[t]odas las noches en la oscuridad calurosa y un poco hedionda de la tienda, se oía el mismo sollozo, entrecortado y obsesivo: —Me matan. A mí me matan aquí» (11). La anunciada muerte se cumple «[l]a segunda noche de junio, que se presentó despejada y fatídica, a Pulido le degollaron de un solo tajo de gumía en su puesto de centinela» (13-14). Sin embargo, antes de llegar al fatal desenlace, Silva nos presenta a uno de sus soldados dando muestras de esa solidaridad y camaradería que, en las novelas y películas de guerra, distingue a los hombres de a pie capaces de elevarse por encima de la deshumanización de sus circunstancias. El narrador nos informa que ante los lamentos de Pulido, un soldado catalán que ha escapado a las balas de los guardias en Barcelona llamado Andreu, «se acercaba a su catre e intentaba consolarle: —Coño, Pulido, que somos muchos. ¿Por qué va a tocarte a ti?» (11).

Cada uno de los soldados mencionados —Molina, Amador, Rosales, Veiga, Andrade, Andreu y Haddú— se comporta de manera digna y noble, pero nuestro autor reserva para Molina las virtudes más altas del héroe. Lo primero que el narrador destaca en él es su «visión romántica del deber» (30). Esta será la consigna que guíe a Molina a lo largo de la novela y se presenta en el episodio 2 en una anécdota que deja en claro su sentido del honor:

> Cuando le había tocado África, su tío, que era un pequeño terrateniente de algunos posibles, le había comprado un sustituto, es decir, alguien dispuesto a ocupar su plaza a cambio de una suma de dinero. Era ésta una corruptela que las leyes permitían. Pero Molina rechazó indignado el favor. *Nadie iba a morir en su lugar por unas perras, le dijo a su tío* (30, las cursivas son mías).

El acto no es irrelevante si tenemos en cuenta que el grueso de la tropa que fue a Marruecos era de extracción social baja, en su mayoría hijos de campesinos y jornaleros. Esto se reconoce en la novela cuando Molina, en conversación con el cabo González en el episodio 9, descubre que éste prefiere no regresar a su pueblo pues en el frente pasa menos miseria. El cabo explica así su situación: «[soy] de Cáceres. Pero no se crea usted, mi sargento —se apresuró a aclarar el cabo—, no es que por allí no haya también sus cosas buenas. Lo que pasa es que a mi familia no le tocó ninguna, más que trabajar como bestias y a veces hasta gratis» (125).

La referencia a «trabajar de gratis» no se escapa a lectores y lectoras pues en un episodio anterior, el 5, Molina le relata a Amador una historia que da cuenta del nivel de miseria en el que vivían un gran número de españoles. En este caso la historia sucede en el pueblo de Molina cuando el señorito del lugar contrata a 30 hombres para escardar trigo con la promesa de una prima si terminan el trabajo ese mismo día. Una vez concluido el duro trabajo, el mayoral rehúsa pagar y Molina ve a «[t]reinta hombres hechos y derechos, dándose la vuelta resignados a no cobrar por haber trabajado como burros» (71). Un Molina de apenas diecisiete años protesta y amenaza con llevarse las herramientas y consigue que les paguen, pero a partir de ese momento le es difícil conseguir faena mientras los otros siguen trabajando como si nada. Para Molina este episodio le hace descubrir una verdad que explica a Rosales en forma de sentencia: «[l]o que yo te cuente, cabo. Las perras corrompen, pero la miseria corrompe todavía más. Esa es la mala ley de la vida» (71).

La miseria, entonces, pasa a ser el referente histórico que domina a la novela y sus reverberaciones metafóricas hemos de entenderlas a varios niveles: la miseria es la que motiva que soldados como Molina y Amador estén en esta guerra y detrás de esa miseria lo que hay es hambre. El hambre de unos, los soldados, se hace eco del hambre de los otros, políticos y militares de España, que ante la hambruna de poderes dejada por las pérdidas de las colonias americanas a lo largo del siglo XIX, ven en la supuestamente fácil colonización del norte del África una manera de saciar ese hambre. De hecho, el hambre es una clara metáfora de los anhelos imperialistas que inducirían a España a meterse en la empresa del Protectorado, pues como indica Dionisio García, «impulsados en gran medida por los intereses imperialistas de las dos grandes superpotencias de la época, Francia y Gran Bretaña, y ayudados por varios políticos españoles que, tras la pérdida de nuestras colonias en América y Asia en 1898, veían en Marruecos el terreno ideal para mantener un pequeño colonial que, como se vio posteriormente, España no estaba en condiciones de asegurar» (6).

La invitación a enfrentarnos a las verdades temporales de los eventos de 1921 que propone *El nombre de los nuestros* requiere que no olvidemos las reflexiones de nuestro sargento con respecto a la historia en el episodio 17, titulado «La perplejidad del Desastre», «[e]n todo caso, la historia no había de parar ahí. La historia, se dijo Molina, nunca para, siempre sigue adonde pueda provocar nuevas tribulaciones» (244). La nota fatalista nos previene contra una recuperación inocente del pasado, pero no la impide completamente y de ahí que la mirada al pasado que Lorenzo Silva plantea sea ambiguamente nostálgica. En un sentido muy obvio, la novela no mira de modo nostálgico la virulencia del combate ni la devastación humana de la derrota y posterior intento de huida en los episodios 10, 12, 13, 14, 15 y 16: la carnicería que describe nos impide mirarlo así. No se da, tampoco, la nostalgia por un glorioso pasado imperial. Las varias instancias donde se cuestiona la presencia de España en Marruecos no dejan lugar a dudas y se resumen, claramente, en boca de Amador en el episodio 5: «¿[Estamos] para ayudarles a qué? Estamos para quitarles el hierro de las minas, o porque les conviene a las otras potencias o le conviene al Rey o les conviene a todos, menos a nosotros y a esos moros que tenemos enfrente» (77).

Sin embargo, es nostálgico el tono épico con el que los párrafos finales de la novela recuperan las brutales experiencias de la guerra desde la gloria, por escatimada y pequeña que sea, asignada a esta experiencia límite por las narraciones bélicas: «[n]unca sentiría la sed como fuego, el sueño como plomo, el calor, el cansancio de animal, la inmundicia de establo, de blocao, de parapeto [...] Nunca tocaría la madera fría del fusil [...] la carne yerta o deshecha del camarada muerto. Nunca tendría las sensaciones mínimas, absolutas, invencibles, de las que estaba hecha aquella guerra [...]» (284). Vemos pues que en el «Epílogo» la recuperación literaria de la historia —bien documentada como se nos aclara en los «Agradecimientos»— transforma los cruentos eventos descritos a lo largo de 19 episodios en momentos trascendentales que buscan superar la transitoriedad y crueldad de los eventos. De modo que *El nombre de los nuestros* concluye reconociendo otra manera en que el pasado nunca muere: nunca muere porque vive siempre en las ficciones verdaderas de la novela histórica.

Obras citadas

Abad, Antonio (1997), *Quebdani. El cerco de la estirpe*, Barcelona, Ediciones 29.

ALCARAZ CÁNOVAS, Ignacio (1999), *Entre España y Marruecos. Testimonio de una época: 1923-1975,* Madrid, Catriel.

ALDECOA, Josefina (1990), *Historia de una maestra,* Barcelona, Destino.

BALFOUR, Sebastian (2002), *Deadly Embrace. Morocco and the Road to the Spanish Civil War,* Oxford-Nueva York, Oxford University Press.

CARRASCO GONZÁLEZ, Antonio M. (2000), *La novela colonial hispanoafricana. Las colonias africanas de España a través de la historia de la novela,* Madrid, Sial.

CHARLES, María (1993), *Etxezarra,* Barcelona, Anagrama.

DÍAZ-MAS, Paloma (1984), *El rapto del Santo Grial, o el Caballero de la Verde Oliva,* Barcelona, Anagrama.

— (1992), *El sueño de Venecia,* Barcelona, Anagrama.

FAULKNER, William (1994), *William Faulkner. Novels 1942-1954,* Nueva York, Penguin Books.

FRANCO BAHAMONDE, Francisco (1986), *Papeles de la Guerra de Marruecos. Diario de una bandera, La hora de Xauen, Diario de Alhucemas,* Madrid, Fundación Nacional Francisco Franco.

GARCÍA, Dionisio (2001), «Introducción», Roberto Muñoz Bolaños, José Luis de Mesa Gutiérrez, Carlos Lázaro Ávila y Jesús Narciso Núñez Calvo, *Las campañas de Marruecos (1909-1927),* Madrid, Almena.

GIL RUIZ, Severiano (1992), *El cañón del Gurugú,* Melilla, Ayuntamiento de Melilla.

— (1990), *Prisioneros en el Rif,* Melilla, Artes Gráficas Marfe.

— (1992), *La tierra entregada,* Melilla, Ayuntamiento de Melilla.

GOYTISOLO, Juan (1997), *De la Ceca a la Meca,* Madrid, Alfaguara.

GRAHAM, Helen y SÁNCHEZ, Antonio (1995), «The Politics of 1992», en Helen Graham y Jo Labanyi (eds.), *Spanish Cultural Studies. An Introduction,* Oxford y Nueva York, Oxford University Press, págs. 406-418.

LALANA, Fernando (1990), *Morirás en Chafarinas,* Madrid, Anaya.

LANGA PIZARRO, M. Mar (2000), *Del franquismo a la posmodernidad. La novela española, 1975-1999,* Alicante, Universidad de Alicante.

LAREQUI GARCÍA, Eduardo-Martín (2001), «La guerra de África desde las trincheras: *El nombre de los nuestros* de Lorenzo Silva», *Página de Lorenzo Silva,* <http://www.lorenzo-silva.com/index_espanol.htm>.

LÓPEZ GARCÍA, David (1991), *Raisuni,* Madrid, Alfaguara.

LUKÁCS, George (1977), *La novela histórica,* México, Biblioteca Era.

MARTIN-MÁRQUEZ, Susan (2001), «"Here's Spain Looking at You": Shifting Perspectives on North African Otherness in Galdós and Fortuny», *Arizona Journal of Hispanic Cultural Studies,* 5, págs. 7-23.

MARTÍNEZ DE PISÓN, Ignacio (2000), *Una guerra africana,* Madrid, Anaya.

ORTIZ, Lourdes (1991), *Urraca,* Madrid, Debate.

PÉREZ REVERTE, Arturo (1996), *El Capitán Alatriste,* Madrid, Alfaguara.

SALAS LARRAZÁBAL, Ramón (1992), *El protectorado de España en Marruecos,* Madrid, Mapfre.

SILVA, Lorenzo (1998), *Algún día cuando pueda llevarte a Varsovia,* Madrid, Anaya.

— (2000), *El alquimista impaciente,* Barcelona, Destino.

— (2002), *Los amores lunáticos,* Madrid, Anaya.

— (1999), *El ángel oculto,* Barcelona, Destino.

Silva, Lorenzo (2004), *Carta blanca,* Madrid, Espasa-Calpe.
— *Correo electrónico a la autora,* 19-III-2004.
— (1998), *El cazador del desierto,* Madrid, Anaya.
— (2003), *El déspota adolescente,* Barcelona, Destino.
— (1997), *La flaqueza del bolchevique,* Barcelona, Destino.
— (2002), *La isla del fin de la suerte,* Madrid, Círculo de Lectores.
— (2002), *Laura y el corazón de las cosas,* Barcelona, Destino Infantil y Juvenil.
— (1998), *El lejano país de los estanques,* Barcelona, Destino.
— (2000), *La lluvia de París,* Madrid, Anaya.
— (2002), *La niebla y la doncella,* Barcelona, Destino.
— (2001), *El nombre de los nuestros,* Barcelona, Destino.
— (1995), *Noviembre sin violetas,* Madrid, Ediciones Libertarias.
— (1996), *La sustancia interior,* Madrid, Huerga y Fierro.
— (2002), «Un viaje a Sidi-Dris», *Página de Lorenzo Silva,* septiembre, <http://www.lorenzo-silva.com/index_espanol.htm>.
— (1999), *El urinario,* Valencia, Pre-Textos.
— (2000), *Viajes escritos y escritos viajeros,* Madrid, Anaya.
Spang, Kurt (1998), «Presentación», en *La novela histórica: Teoría y Comentarios,* Kurt Spang, Ignacio Arrelano y Carlos Mata (eds.), 2.ª ed., Pamplona, Ediciones Universidad de Navarra, págs. 9-10.
Torbado, Jesús (1998), *El imperio de arena,* Barcelona, Plaza y Janés.
White, Hayden (1999), *Figural Realism. Studies in the Mimesis Effect,* Baltimore y Londres, Johns Hopkins University Press.

Capítulo XI

La nostalgia del futuro: amnesia global y hábitos de consumo en *Tokio ya no nos quiere* de Ray Loriga

José F. Colmeiro
Michigan State University

La notable persistencia del síndrome de la amnesia como enfermedad de carácter crónico en el campo cultural español contemporáneo ha sido observada por comentaristas políticos, historiadores y críticos culturales. Coinciden la mayoría al atribuir dicha amnesia histórica al resultado de la peculiar transición política del franquismo a la democracia, que echó tierra por encima y firmó un doble pacto de amnistía política y amnesia histórica con el pasado reciente de la guerra civil y sobre todo de la dictadura franquista[1]. Otros fenómenos contemporáneos de carácter global se han sumado a la particularidad española, tales como la aceleración de la historia y el consiguiente retraimiento de la memoria (Nora), el efecto homogeneizador de la globalización económica y cultural, y los consiguientes cambios en los hábitos de consumo y en los procesos de formación de identidades, ya no necesariamente basados en antiguas concepciones nacionales y políticas, sino basados en las pautas del consumo (García Canclini).

Una de las áreas de la cultura española donde se ha constatado este fenómeno de manera especialmente emblemática es en el cine, lo cual sugiere una lectura sintomática de este fenómeno ampliable

---

[1] Para un análisis de estos comentarios véase mi artículo «La crisis de la memoria».

al resto de la sociedad por la carga que el cine tiene de imagen simbólica de la nación. Resulta altamente significativo que algunos de los directores cinematográficos españoles más representativos de los últimos años aborden precisamente la problemática de la amnesia como producto de un trauma original en algunas de sus películas más conocidas. Tal es el caso de Pedro Almodóvar (en *Tacones lejanos, La ley del deseo, La flor de mi secreto, o Todo sobre mi madre),* Julio Menem (en *La ardilla roja),* Agustín Díaz Yanes (en *Nadie hablará de nosotras cuando hayamos muerto),* Patricia Ferreira (en *Sé quién eres)* o Alejandro Amenábar (en *Abre los ojos),* por citar solamente algunos de los más reconocidos[2]. En todas estas películas, aparece como un leitmotiv recurrente la traumática pérdida de la memoria a nivel individual, que sin embargo se convierte en telón de fondo ambiental de una desmemorización colectiva mucho más profunda. Anteriormente, sobre todo en la década de los años 70, la amnesia temporal funcionaba como un elemento indicativo de la represión individual y colectiva y de la necesidad de catarsis, como en el caso de Carlos Saura (en *El jardín de las delicias)* o Carmen Martín Gaite (en *El cuarto de atrás),* por citar dos obras emblemáticas de aquella década. En los albores del siglo XXI, la pérdida de la memoria se presenta ahora, sin embargo, como síndrome crónico de una pérdida de identidad que rebasa lo meramente coyuntural, funcionando como metáfora de una crisis cultural más amplia caracterizada por el desarraigamiento, el simulacro de identidades, el vacío de pasado y la falta de memoria histórica.

Tokio ya no nos quiere (1999) de Ray Loriga lleva todavía más allá el síndrome amnésico, convirtiéndolo ya no en una enfermedad traumática, sino en un hábito de consumo dirigido en un futuro muy cercano. En esta novela, la memoria, y no la amnesia, es el nuevo mal a erradicar en una sociedad futura que se parece mucho a la contemporánea. *Tokio* es un texto básicamente híbrido, con elementos de ciencia ficción, relato de viajes y pesadilla alucinada, con evidentes huellas intertextuales[3]. La acción de la novela está situada

---

[2] Nathan Richardson ha realizado una brillante lectura de *Abre los ojos* en clave alegórica que revela la operación sistemática de borradura del pasado histórico.

[3] La borradura del pasado es también un tema central del clásico de ciencia-ficción *Fahrenheit 451,* de Ray Bradbury, que presenta una sociedad del futuro en donde se persigue la memoria encerrada en los libros, y la resistencia de la comunidad de memoria que se encarga de mantenerla colectivamente de forma clandestina. En la novela aparecen asimismo huellas intertextuales apenas camufladas de reciente películas de ciencia ficción que también narran casos de amnesia forzada, de sueños manipulados, de realidades virtuales que se confunden con la realidad, y de cambios y suplantaciones de identidades, como *Men in Black* y *Abre los ojos.* El paseo del protagonista de *Tokio* por la Gran Vía madrileña («[...] sólo la Gran Vía se parece a las ciudades que aparecen en los sueños» [245]), sugiere la escena del sueño aluci-

justo al comienzo del siglo XXI, en un futuro inmediato casi presente, lo que sugiere una proyección metafórica de la realidad contemporánea, más que una ficción fantástica futurista. La novela parece imbuida de un cierto espíritu milenarista, de tono nihilista y apocalíptico, que representa un tiempo fronterizo entre siglos y de salto en el vacío hacia el futuro. El tono catastrofista es subrayado por la constante ocurrencia a lo largo de toda la novela de accidentes aéreos, sobredosis letales, suicidios y enfermedades terminales.

La novela de Loriga presenta de manera hiperbólica las condiciones materiales de una sociedad en su fase de capitalismo tardío, postindustrial, global y postnacional. La libertad genérica que permite la ciencia ficción hace posible agudizar las condiciones culturales de la sociedad contemporánea, que resulta perfectamente reconocible sin llegar a hacerla inverosímil. El panorama presentado es el del triunfo del neoliberalismo a nivel mundial que amenaza con borrar las huellas culturales particulares, y la memoria del pasado aparece como un lastre incómodo e innecesario. El apocaliptismo de la novela acentúa sobre todo la pérdida de la identidad y la desaparición del pasado, o lo que es igual, de la memoria del pasado.

En *Tokio,* el narrador protagonista es un agente comercial de una empresa farmacéutica multinacional que viaja por el mundo vendiendo drogas legales diseñadas para borrar la memoria. Dado el gran volumen de negocios que mueve y el interés universalmente suscitado por estas drogas, da la impresión de que todos los personajes tienen algo que olvidar: ya sean malas conciencias, recuerdos dolorosos, transgresiones sexuales, episodios traumáticos, o la simple insoportable levedad de ser en una sociedad deshumanizada. Los personajes de la novela consumen drogas para olvidarse de sus conciencias y poder seguir su vida aparentemente normal, para olvidar sus traumas, la memoria dolorida, o para mantener artificialmente la inocencia sexual en los prostíbulos. La ritualización del carnaval como transgresión cíclica de la normalidad estudiada por Bakhtin, necesita ahora la ayuda farmacológica para la borradura de la transgresión y la restauración de la normalidad. De esta manera, los excesos carnavalescos de cada día son convenientemente borrados de la conciencia post facto, mientras la normalidad y el orden son aparentemente restaurados: «La gente siempre hace todo lo que no debe durante el carnaval y después necesitan la ayuda de la química para olvidarlo todo» (17). La visión cínica y escéptica del narrador prota-

---

nado del protagonista de *Abre los ojos* caminando por una Gran Vía soñada y vaciada de personas. La conflagración del poder y la alta tecnología, subtexto de toda la novela de Loriga, es uno de los pilares de *Men in Black* donde los convergentes intereses de estos grupos se han unido para crear instrumentos para borrar la memoria del pasado a la vez que para limpiar las zonas fronterizas de inmigrantes ilegales.

gonista revela en el fondo una actitud de desconfianza y rechazo de la memoria como verdad ontológica, y una apuesta por vivir el momento presente sin ligaduras con el pasado: «¿No es estúpida esa fe que la gente deposita en el pasado, como si el pasado fuera más cierto que el presente o el futuro?» (29); «La memoria es el perro más estúpido, le lanzas un palo y te trae cualquier cosa» (56). Sin embargo, la borradura del pasado se revela como un efecto ideológico dirigido. Sintomáticamente, el siglo XXI comprueba el triunfo del negocio de la amnesia legalizada, y del control de la memoria en manos de una organización global, algo que el narrador subraya irónicamente: «[...] la compañía nunca, y eso quiere decir nunca, olvida. Lo cual no deja de ser curioso teniendo en cuenta que borrar recuerdos es precisamente nuestro negocio» (25). La compañía farmacéutica multinacional funciona aquí como metáfora de la globalización capitalista, de su implantación universal, y de sus efectos destructores sobre las culturas locales y las identidades que pierden el nexo común de la memoria.

A pesar de que las drogas se comercializan nominalmente como MCP («reducción de memoria a corto plazo») o MLP («reducción de memoria a largo plazo»), los verdaderos efectos de las drogas son difíciles de calibrar, algo que queda oculto de la luz pública. Como indica el narrador protagonista, «legalmente yo estaría vendiendo dosis controladas de reductores de memoria en lugar de arrancarle a la gente los recuerdos a patadas» (68). Se demuestra así la doble función del *pharmakon* platónico, pero en vez de ser una receta-escritura para avivar la memoria como en la farmacia de Platón, se trata ahora de una receta-borradura para provocar el olvido. En *Tokio,* lo que en principio era una droga-remedio, para liberarse de memorias no deseadas, se acaba volviendo una droga-veneno, que degrada, desorienta, y desidentifica al individuo.

Esta doble faceta se evidencia en el caso del narrador protagonista, el cual también consume las drogas que vende a escondidas de la compañía, aparte de consumir otras muchas variedades de drogas legales e ilegales, como derivados de anfetamina, cocaína, fármacos para la euforia, antidepresivos y niveladores. El caso del narrador que se olvida de su propia trama, de lo que ha dicho y de lo que le ha ocurrido previamente, continuamente desorientado y dislocado, se asemeja a una caricatura de una narrativa postmoderna. En efecto, *Tokio* presenta características típicas de la cultura postmoderna, tales como la desconfianza de los grandes relatos, la dislocación espacio-temporal, la fragmentación narrativa, la hibridación, la suplantación y el simulacro, como veremos más adelante. Pero también presenta, como efecto de la erosión de la memoria y de las señas de identidad, un proceso de homogeneización cultural a escala universal, por el que las identidades, el patrimonio cultural y los imaginarios comunitarios, son sólo productos de consumo en un gran super-mercado global. Como sería de esperar, el motor social primordial del nuevo orden global es el sector terciario de servicios, de consumo de ocio, de alta tecnología en la asistencia médica, las comunicaciones instantáneas y las transacciones económicas globales. De acuerdo a este paradigma, las identidades se definen primordialmente por sus hábitos de consumo, lo que coincide con el patrón examinado por García Canclini en las culturas híbridas de la postmodernidad.

La novela representa el pleno impacto de la globalización económica, y por extensión, cultural, reflejada en el intenso flujo de capitales, mercancías, información y masas humanas, gracias fundamentalmente a los adelantos tecnológicos y al final de la guerra fría, con la consiguiente hegemonía universal del bloque capitalista. La acción se desarrolla a lo largo de tres continentes, en ocho países representativos del triunfo de la globalización y de las zonas conflictivas generadas: en la zona fronteriza entre los Estados Unidos y México, en los nuevos «tigres» emergentes de Asia, Tailandia, Malasia, Vietnam y Japón, en un Berlín reunificado y un Madrid multiracial y cosmopolita. Sin embargo, a pesar de la diversidad de ambientes y regiones, muy poco cambia aparte del paisaje y la marca de cerveza consumida. Lo que predomina son los «no-lugares», según la denominación de Marc Augé, lugares sin identidad, genéricos, globales y fácilmente intercambiables: «a space which cannot be defined as relational, or historical, or concerned with identity» (77-78). En la novela se presenta un paisaje deshistorificado compuesto de autopistas solitarias, gigantescos aeropuertos, centros comerciales despersonalizados y hoteles de encuentros anónimos. Estos no-lugares, como ha señalado García Canclini, favorecen la desterritorialización y la deshistorización *(Consumers,* 73). La sucesión de aviones, moteles, McDonalds, casas prefabricadas, malls, y la constante presencia descorporalizada de la televisión y del correo electrónico como nexos virtuales, sugiere que estos no-lugares de paso, en vez de ser espacios de memoria, son lugares sin memoria. La profunda erosión de las marcas de identidad cultural locales se muestra de manera especialmente palpable en dos paisajes de la novela: el gran parque temático de Las Vegas, compendio de la cultura de la suplantación y el simulacro, y la réplica de la Torre Eiffel en Tokio. Lejos de representar metonímicamente señas de identidad locales o nacionales, estos nuevos espacios artificiales son ya productos de consumo supeditados a un nuevo orden global que las ha suplantado.

El tropo del viaje funciona como hilo narrativo y como metáfora siempre presente de la condición del sujeto globalizado. A lo largo de la novela comprobamos una larga serie de desplazamientos masivos de inmigrantes, agentes comerciales, gentes de negocios y turistas, siempre en permanente movimiento. El desplazamiento constante, el ritmo vertiginoso, y el empacho audiovisual de imágenes e informaciones, no favorecen precisamente la conservación de la memoria, sino el continuo desplazamiento de una memoria y su apresurada sustitución por otra nueva, lo cual conlleva en definitiva su rápido olvido.

Dentro de este horizonte globalizado, el tiempo y el espacio funcionan como coordenadas fluctuantes y alienantes que desorientan al individuo. La movilidad permanente y la transitoriedad del hotel son metáforas de la propia extrañeza del sujeto consigo mismo, absolutamente desidentificado: «Me muevo dentro de mi propia vida con la arrogancia de un completo extraño. No reconozco nada. Mi habitación es la habitación de un extraño. Mis amigos son los amigos de un extraño» (130). De esta manera se confunden las habitaciones de los hoteles y los hospitales, que aparecen intercambiables: «La habitación está vacía. No reconozco la habitación, y no reconozco lo que llevo dentro [...] Estoy aquí y estoy en muchos otros sitios. Como las maletas extraviadas de un pasajero rumbo a un país distinto» (159).

El propio ritmo vertiginoso de los avances tecnológicos, como la transitoriedad de los recuerdos estimulados artificialmente, constituyen otra forma de desidentificación. La superposición de diferentes temporalidades que se revelan totalmente inconmensurables produce un desfase entre la memoria y el futuro, la historia y la ciencia. El protagonista es consciente de la erosión del pasado producida por la aceleración de los adelantos tecnológicos:

> Mi padre, cuando era pequeño, jugaba al fútbol en mitad de la calle de Alcalá. Cada dos o tres goles pasaba un coche. Mi abuela fue a comprar leche y la mismísima Pasionaria la cogió del brazo al doblar una esquina y la sumó a la revuelta [...] Ahora estoy en Tokio y soy el hombre invisible. Mi abuela no sobreviviría una semana en Tokio. El balón de mi padre tropezaría con los helicópteros. La historia corre más despacio que la ciencia (223).

Los nuevos hábitos de consumo, las drogas legales e ilegales, y el alcohol, a su vez refuerzan la erosión de la memoria. Consumir y consumirse, son dos caras de la misma moneda hedonista, escéptica, autodestructiva. El alcohol es otro hábito de consumo que funciona como otra droga amnésica, que el protagonista consume preferentemente en los no-lugares de paso, espacios siempre anónimos y sin memoria: «No hay nada mejor que beber en el bar de un hotel, también puede uno beber tranquilo en los aviones y en los aeropuertos y en todos los otros sitios sin memoria» (131-132).

Más que una novela-crónica del marasmo de la «Generación X», siguiendo la fórmula conocida de sexo, drogas y rock and roll, *Tokio* es una novela de sexo, drogas y ciencia ficción que plantea la desintegración de la identidad en un mundo hipertecnologizado[4]. Las prácticas de consumo van de la mano de las ofertas promovidas por las nuevas tecnologías científicas. Los avances científicos producen drogas de evasión y de amnesia, y también drogas que neutralizan los virus letales del pasado y que permiten la promiscuidad sexual. Las innovaciones tecnológicas promueven a su vez la construcción de identidades artificiales, mediadas ya no sólo por el cine o la televisión, sino también por la nueva realidad virtual, cibernética, llegándose incluso a los casos extremos y todavía experimentales de la crionización, los trasplantes de cerebro y las identidades reconstruidas virtualmente y las implantaciones de memoria. La nueva realidad se acaba pareciendo peligrosamente a un grandioso parque temático virtual.

Dado que la identidad y la memoria van unidas de manera inseparable, en la novela se establece un circuito vicioso que deja al individuo sin identidad a la vez que sin memoria. La identidad fluctuante del protagonista-narrador, sintomáticamente sin nombre, se encuentra en permanente estado de flujo. Tampoco sabemos su edad, ni su origen. No tiene obvias filiaciones identitarias, nacionales, ni de género, excepto como consumidor. Su identidad es así una incógnita que nunca se llega a despejar. Tampoco tiene una estable identidad sexual, ya que mantiene relaciones sexuales esporádicas y anónimas con hombres y con mujeres, o con ambos a la vez, de cualquier edad y de cualquier raza, a los cuales olvida poco después sin dejar ningún rastro en su conciencia. No se trata pues de recuperar la memoria sino en todo caso el tiempo perdido, tampoco la identidad, sino una especie de suplantación del deseo:

> [...] el precioso camarero [...] y yo nos vamos juntos hasta mi habitación y lo hacemos [...] no porque me muera por tirármelo, sino porque al parecer era un compromiso previo evidentemente ya olvidado y porque desde el final del virus, la gente, aquí y allí y en todas partes, se muere por follar, atropelladamente, para recuperar supongo todos aquellos años de ridícula abstinencia (113).

En *Tokio,* consumir y consumirse son dos lados de la misma moneda. Como anticipamos, de nuevo se comprueba la doble faceta del fármaco, como medicina curativa y como veneno tóxico. Los prolongados excesos del consumo le producen finalmente al protagonista un ataque epiléptico y un episodio de afasia («Afasia es el nombre que le han dado al olvido que borra las palabras» [155]). Estos ex-

---

[4] Sobre la llamada narrativa de la «Generacion X», véase mi trabajo «En busca de la "Generación X": ¿héroes por un día o una nueva generación perdida?».

cesos de consumo le llevan a una estancia en un hospital de recuperación para amnésicos, durante la cual, de forma irónica, la misma ciencia que le ha producido su malestar tratará de deshacer el mal y hacerle recuperar la memoria perdida. No pasan inadvertidas este tipo de ironías al narrador, quien a su vez es consciente de la doble función del fármaco, que la cura puede ser un veneno, y viceversa; la diferencia está en el tratamiento. De la misma forma que un miedo inmediato neutraliza otro miedo futuro, una droga neutraliza a otra, «como una de esas vacunas contra la alergia. Veneno contra veneno» (243).

La estancia de cura en el hospital para amnésicos en Berlín y la constatación de la pérdida selectiva de la memoria revelan que se trata de algo más que de una simple pérdida química de memoria. Surgen preguntas sobre si en lugar de simple olvido no se trataría más bien de ciertos mecanismos de ocultación o represión, como su propio médico señala, «Creo que esconde cosas que aún no ha perdido» (176); «Puede que por medio de un proceso de inhibición, de origen afectivo, esté reprimiendo usted un recuerdo vinculado a una emoción negativa, pero también puede ser que un proceso de filtrado esté dando prioridad a determinada información desplazando al resto de sus recuerdos a una situación de espera» (176). En realidad los lectores nunca llegamos a saber por qué el protagonista quería olvidar, ni qué parte de su pasado reprime, algo que el mismo se pregunta:

> ¿Qué he olvidado?
> Todas las oraciones, el nombre de mis padres, la sombra de los árboles junto a la valla del colegio, el mundial de fútbol del 78, si he ido alguna vez en barco, las heridas de bala, si las ha habido, los hijos, si los hay, sus caras, las caras de un millón de mujeres, por alguna extraña razón no demasiadas películas, pero desde luego algunas, números, puede que algún idioma, mañanas, tardes, noches, el sabor de muchas cosas y también el color de muchas cosas, cientos de canciones, cientos de libros, favores, deudas, promesas, direcciones, amenazas, calles, playas, puertos, ciudades enteras, he olvidado Berlín y he olvidado Roma, por supuesto no he olvidado Tokio, he olvidado el día de ayer, completamente, como olvidaré el de hoy y después el de mañana.
> ¿Qué más he olvidado? (185-186).

A pesar de que la historia está aparentemente olvidada y ausente a lo largo de la novela, todavía permanecen huellas y rastros silenciosos de la memoria que ha sido borrada de la superficie narrativa. Los horrores históricos de las guerras que se quisieran olvidar son aludidos directa o indirectamente, como la subliminal referencia al eje Berlín-Roma-Tokio anteriormente señalada (186). En algunas ocasiones se alude a las grandes narrativas históricas del pasado que han sido archivadas en la historia, pero han casi desaparecido de la memoria colectiva: «La revolución ya está olvidada, como todo lo demás, a pesar de las cámaras de video y de su estúpida manera de archivar los gestos más insignificantes, los paisajes más vulgares, los días más absurdos» (114), aunque la mención de Vietnam o la revolución de Ho Chi Minh puede hacer todavía presentes ante el lector los horrores del pasado suprimidos de la memoria. En otras ocasiones se hacen más concretas las alusiones, como la fiesta aniversario de los nostálgicos de Hitler en Tailandia, o la referencia al Checkpoint Charlie «la herida abierta entre las dos viejas Alemanias heladas. Una de las muchas cicatrices de esta ciudad aún agarrada al dolor de la memoria» (239).

Solamente al final de la novela penetra la historia plenamente dentro de la narración, al revelarse que la investigación y desarrollo de drogas químicas contra la memoria son parte de un proyecto que tiene raíces históricas previamente ocultas. Así lo revela finalmente el viejo alemán Krumper, que cumple la función de un «Deus ex machina» en la novela, simbólicamente aunando poder y tecnología. Krumper es literalmente mantenido por una máquina, su cerebro ha sido transplantado artificialmente en el cuerpo de una niña mexicana y su identidad se mantiene virtualmente en una pantalla de ordenador, una metáfora de la descorporalización del sujeto subalterno realizada por la globalización. La figura de Krumper, controlando ocultamente los pasos del narrador a lo largo de la novela y enviándole mensajes electrónicos a las cuatro esquinas del planeta para provocar el encuentro final, se revela como un emblema del todopoderoso dominio tecnológico. En el momento final revela su función del mago controlador detrás de la máquina y revelador de la verdad escamoteada, como el mago de Oz que se esconde tras la cortina.

De esta manera fantástica, la historia entra en la novela por la puerta de atrás, ofreciendo por fin las claves escamoteadas a lo largo de la narrativa, y al mismo tiempo devolviendo la memoria del pasado que explica el presente-futuro. Así se nos revela retrospectivamente que el proyecto de la droga amnésica se remonta al final de la segunda guerra mundial cuando Krumper, un soldado alemán traumatizado tanto por la pérdida personal de una córnea como por la pérdida colectiva de la guerra, permanece durante un periodo de rehabilitación en un hospital donde es testigo de la operación de demolición de las ruinas de la guerra. Es allí que encuentra la clave de su proyecto científico al entender que la demolición de las ruinas es una metáfora clave de la demolición del pasado: «Viendo ya con absoluta claridad la paz que invadía a esos obreros al finalizar su trabajo, decidí depositar toda mi fe en la demolición del pasado [...] Regresamos a Alemania en los lentos trenes vencidos, como extraños expulsados del paraíso por extraños. La destrucción del pasado me pareció entonces la única esperanza posible» (258). El trabajo individual de Krumper en pos de la droga amnésica no llegaría a dar su fruto hasta bastantes años más tarde con la caída del muro de Berlín, otra operación de demolición de las ruinas del pasado y de cicatrización de las viejas heridas, gracias a los «espectaculares avances realizados por el KGB ruso en el campo de la amnesia retrógrada sobre antiguos soldados de la guerra de Afganistán» (259). En un intento de eliminar la memoria de los horrores de la guerra, esta vez un proyecto organizado desde el poder, «[...] trataban de borrar las huellas mnemónicas de los soldados llegados del frente, mientras trataban de eliminar las matanzas de niños y otros borrosos semejantes que hundirían sin remedio a los jóvenes combatientes en el mar negro de la culpa» (260). La operación de tachadura de los recuerdos, como la operación de censura ideológica de un libro, subraya el selectivo borrón de memorias incómodas para el proyecto de historia oficial. Un descubrimiento aparentemente asombroso durante la operación de crear «lagunas» en los recuerdos de los soldados rusos —la supervivencia de memorias de otras personas en las conciencias de los soldados— es el detonante que desata una crisis inesperada:

> [...] tras someter a sus hombres a penosos procesos de hipnosis con el fin de localizar los recuerdos atroces que debían de ser tachados, como las páginas innobles de un libro por lo demás glorioso, vieja aspiración comunista, los dueños del proyecto laguna, así se denominaba la tarea, se dieron de narices con recuerdos aún más antiguos, con experiencias vividas por sus soldados en otras guerras, en otras vidas [...] La culpa que pretendían aplastar se extendía así en la noche de los tiempos, como una serpiente hundida en el barro de los siglos que se asomaba y se escondía y que seguiría asomándose y escondiéndose hasta dios sabe cuándo (260).

Detrás de este descubrimiento, que sugiere tanto las teorías del «inconsciente colectivo» de Carl Jung como del «inconsciente político» de Fredric Jameson, se desvela una metáfora de la continuidad de la memoria histórica transmitida de generación en generación por encima de las coyunturas temporales. En cierta manera este fenómeno se asemeja a esas memorias traumáticas heredadas, pero no experimentadas directamente, que se podrían calificar como «postmemorias», según la terminología de Marianne Hirsch. Este ejemplo viene a corroborar la tesis de la persistencia de la memoria y de su fundamental naturaleza colectiva, basada en la comunidad de memoria más allá de las meras experiencias individuales.

No resulta casual que el escenario central de la novela elegido para la terapia de recuperación de la memoria sea Berlín, un lugar sobrecargado de memorias traumáticas individuales y colectivas y también de múltiples amnesias históricas con ramificaciones y paralelos que se aproximan a las coyunturas históricas españolas. Berlín, y por extensión Alemania, es el escenario narrativo que funciona, tanto por su colosal pérdida de memoria histórica como por su gran avance tecnológico, como un espejo que parece reflejar la propia historia reciente española. Las conexiones entre ambas realidades históricas no son casuales. En ambos casos se trata de países ideológicamente divididos durante largo tiempo, lo que ha dejado una secuela de «cicatrices». También es importante recordar que Alemania fue el aliado y el modelo referencial del franquismo, primero durante la guerra civil y la guerra mundial y después durante la etapa del desarrollismo. La relación conflictiva entre tecnología y memoria establecida a lo largo de la novela parece sugerir que el adelanto y la modernización, con las grandes narrativas del progreso y la normalización democrática, léase Transición en el caso español, han servido para eclipsar y reprimir, en ambos países, una memoria traumática e incómoda del pasado. Las consecuencias de esos traumas históricos no resueltos, sino meramente encubiertos, son las cuentas todavía sin ajustar y los agravios sin reparar, por parte de unas sociedades que se niegan a enfrentarse con los fantasmas de su propio pasado y a reconocer un sentido no abiertamente expresado de culpabilidad colectiva. La proyección foránea de la propia problemática relación de España con su pasado, resulta una manera harto sintomática de mostrar que ni tan siquiera es posible acercarse directamente a ella, sino por medios retóricos de metáforas, metonimias, y elipsis narrativas.

También Tokio es otro espejo reflector en el que el protagonista se mira, quizás como una imagen del futuro por venir, ya que «Un hombre sin memoria ve constantemente imágenes del futuro. La nostalgia desaparece y en su lugar se instalan un millón de adivinanzas» (81). El episodio de la estancia en Tokio, olvidado o reprimido en la memoria del narrador, es revivido como una memoria virtual, o una experiencia de memoria activada artificialmente, según el método Penfield de aplicar corrientes eléctricas estimulantes sobre los lóbulos temporales de la memoria, lo que produce experiencias «más reales que un recuerdo», pero que se desvanecen al retirar el estímulo (196). Tokio sólo existe gracias a la tecnología que permite esas rememoraciones virtuales, lo cual resulta una apropiada metáfora para definir un tiempo y un espacio en que tecnología y memoria llegan a su máximo punto de irreductibilidad e inconmensurabilidad.

Tokio funciona como metáfora del futuro que se avecina, epítome de la sociedad del futuro, de avances tecnológicos asombrosos, de velocidades de vértigo, del amor reducido a cubículos, de los hábitos de consumismo extremado: «aquí todo el mundo compra con vehemencia y es difícil no verse arrastrado. En Tokio se compra por la misma razón que en La Meca se reza» (224). El exceso del futuro implica una erosión del pasado. La proyección hacia el futuro es un espejo que refleja la desconexión con el pasado y la desidentificación con un futuro que no ofrece otro espacio que no sea un no-lugar. La gran paradoja que presenta la novela es que una sociedad, como un individuo, que se queda sin pasado y sin identidad, acaso también se queda sin futuro y sin posibilidades de encontrarse a sí misma. De ahí el sentimiento de nostalgia futurista que se desprende de *Tokio ya no nos quiere,* y que está ya inscrito en su mismo título.

OBRAS CITADAS

AUGÉ, Marc (1995), *Non-places. Introduction to an Anthropology of Super-modernity,* Londres, Verso.
COLMEIRO, José F. (2000), «La crisis de la memoria», *Anthropos,* 189-190, págs. 221-227.
— (2001), «En busca de la "Generación X": ¿héroes por un día o una nueva generación perdida?», *España Contemporánea,* 14, 1, págs. 7-26.
DERRIDA, Jacques (1981), *Dissemination,* Chicago, University of Chicago Press.
GARCÍA CANCLINI, Néstor (2001), *Consumers and Citizens. Globalization and Multicultural Conflicts,* Minneapolis, University of Minnesota Press.
— (1995), *Hybrid Cultures. Strategies for Entering and Leaving Modernity,* Minneapolis, University of Minnesota Press.
HIRSCH, Marianne (1997), *Family Frames. Photography, Narrative, and Postmemory,* Cambridge, Harvard University Press.
LORIGA, Ray (1999), *Tokio ya no nos quiere,* Barcelona, Plaza & Janés.
NORA, Pierre (1989), «Between Memory and History: *Les Lieux de Mémoire*», *Representations,* 26, págs. 7-25.
RICHARDSON, Nathan (2003), «Youth Culture, Visual Spain, and the Limits of History in Alejandro Amenábar's *Abre los ojos*», *Revista Canadiense de Estudios Hispánicos,* 27, 2, págs. 327-346.

Capítulo XII

Silencios que cuentan:
la narrativa de Marcos Giralt Torrente

Kathleen M. Glenn

Silences shape all speech.

Pierre Macherey.

1
Los mejores cuentos son los que ocultan más
de lo que dicen.

Marcos Giralt Torrente.

La palabra *silencio* tiene varias acepciones: «1. Hecho o situación de no estar hablando una o más personas [...] 2. Falta total o
parcial de ruido [...] 3. Efecto de no manifestarse de palabra, ya sea
hablada o escrita [...] 4. Reserva, secreto» *(Diccionario Salamanca)*.
Se puede *guardar* o *imponer silencio, pasar en silencio* cierta cosa,
reducir al silencio o *romper el silencio.* El silencio que me interesa
enfocar es el que se manifiesta en la literatura y particularmente en
dos obras de Marcos Giralt Torrente: *Entiéndame* (1995) y *París*
(1999), Premio Herralde de Novela, pero antes de centrarme en
ellas introduzco unas consideraciones generales sobre los silencios
literarios y presento algunos ejemplos de ellos[1].

El concepto de silencio que empleo abarca no sólo lo que no se
dice sino también lo que se desdice y los esfuerzos por contrarrestar
los efectos de silencios impuestos anteriormente. El silencio puede

---

[1] El silencio, por supuesto, no se limita a las obras literarias. Considérense la pintura de Edward Hopper o una composición como *4'33''* de John Cage en la que *no*
se toca música.

adoptar la forma de una presencia o de una ausencia textual, de lagunas o de espacios en blanco, incluso los espacios que separan una sección o una palabra de un texto de otras. Hay silencios que ponen trabas a la comunicación y otros que comunican con elocuencia. Un texto puede ser formalmente sigiloso, como «Tell Me a Riddle» y «Hey Sailor, What Ship?» de Tillie Olsen, donde «the narrative is continuously disrupted by intimations of the past, a past secreted in brief relations and fragments of conversation and memory, rather than made manifest» (Rosenfelt, 52). Hay textos, como «Hills Like White Elephants», que ilustran bien la analogía del iceberg formulada por Hemingway: «If a writer of prose knows enough about what he is writing about he may omit things that he knows and the reader, if the writer is writing truly enough, will have a feeling of those things as strongly as though the writer had stated them. The dignity of movement of an ice-berg is due to only one-eighth of it being a-bove water» *(Death in the Afternoon, 192)*.

La literatura española contemporánea abunda en narraciones donde los silencios «cuentan». Un ejemplo destacado es un relato de Carme Riera, «Te deix, amor, la mar com a penyora», galardonado con el Premio Recull en 1974. Se trata de una carta escrita por una joven casada unos días antes del nacimiento de su primer hijo, carta en la que se despide de su primer amor, una persona mayor que ella que le daba clases de matemáticas en el instituto. Al leer el último párrafo nos enteramos de que el destinatario de la carta no es hombre, sino mujer, Maria —nombre que Riera ha silenciado hasta el final. Riera aquí juega con las expectativas de sus lectores: lo «natural» es que una chica se enamore de un chico —y aún más en 1974— y se da por sentado que los profesores de matemáticas son masculinos. Es conocida la insistencia de Riera en que los escritores tienen que seducir a los lectores y sorprenderles y la seducción como tema y técnica narrativa es evidente en «Te deix», texto en que ella juega con normas literarias y sexuales. El cuento es altamente transgresor ya que la relación lésbica descrita, infringe códigos sociales y religiosos y el narrar esta relación, es una nueva agresión contra la sociedad. Riera tiene una sensibilidad especial para con los que han sido marginados por su sexo y preferencias sexuales, edad o religión, y da voz a mujeres, viejos y judíos. Con frecuencia deja que la mujer cuente su propia historia y se haga oír. Esto es especialmente notable en cuatro cuentos que son un homenaje a una serie de figuras femeninas que Riera conoció en la isla donde nació, Mallorca. Las protagonistas de «Noltros no hem tengut sort amb sos homos...», de *Te deix, amor, la mar com a penyora*, y «Te banyaré i te trauré defora», «Es nus, es buit» y «De jove embellia» de la sección «Bisti de Càrrega» de *Jo pos per testimoni les gavines* son mujeres del pueblo y hablan desde una situación de inferioridad sexual, social y económica.

En cada cuento una mujer suelta un torrente de palabras y su interlocutor —un médico, alguien que viaja en el mismo autobús, un *vostè* no identificado— escucha sin decir nada. El hecho de que los interlocutores estén mudos mientras que las mujeres tomen la palabra invierte la situación «normal» en que éstas están calladas[2].

Parecida inversión se encuentra en dos novelas recientes de Dulce Chacón: *Cielos de barro,* Premio Azorín de Novela 2000, y *La voz dormida,* elegida por los libreros de Madrid como Libro del Año 2002. La primera novela se ambienta en un cortijo extremeño y recuerda el mundo de *Los santos inocentes.* Chacón, con cierta tendencia al maniqueísmo, enfrenta dos clases sociales distintas. La voz más importante es la de Antonio, un viejo alfarero, quien contesta las preguntas del comisario que investiga un crimen cometido en el cortijo. Se deducen las preguntas y los comentarios del policía —cuyo nombre no se da— pero no se oye su voz. Aquí el que goza de autoridad es silenciado y se concede la palabra a un hombre sin poder ni categoría social. La relación entre los dos evoluciona durante el curso de la novela y el de arriba llega a respetar al de abajo y a tener fe en lo que dice. La información que suministra Antonio permite que el comisario y nosotros los lectores nos enteremos de lo que ha pasado y que reconstruyamos la historia silenciada. En la segunda novela Chacón da voz a una serie de mujeres —madres, esposas, hijas— que lucharon con el bando republicano o ayudaron a la guerrilla antifascista y sufrieron la represión franquista en la posguerra. En declaraciones hechas después de la publicación de *La voz dormida,* título significativo, la autora subrayó la intención reivindicativa del libro y su deseo de rescatar la memoria de los que perdieron la Guerra Civil y homenajear a mujeres obligadas a callarse durante mucho tiempo.

Tanto Riera como Chacón utilizan los silencios y la ruptura narrativa de silencios impuestos para expresar su oposición a desigualdades e injusticias sexuales, socioeconómicas y políticas[3]. Janet Pérez ha estudiado cómo el silencio puede funcionar para comunicar resistencia, crítica o disidencia y ha enumerado algunos de los recursos de una retórica de oposición:

> circumlocution, periphrasis, euphemism, indirectness, verbosity, syntactic complexity, vagueness, omission, oblique or elliptical presentation, incomplete or truncated versions of events, impassiv-

---

[2] He estudiado estos cuentos en «Seducción».

[3] Riera y Chacón, por supuesto, no son las únicas. Rosa Regàs y Maruja Torres recurren a una retórica de oposición en *Luna lunera* y *Un calor tan cercano* (véase mi «Reading Silence»). Los silencios también jalonan la narrativa de Mercè Rodoreda y de Maria Barbal. El presente ensayo forma parte de un estudio más amplio de la función de silencios y secretos en la narrativa española contemporánea.

ity, selectivity, objectivism, accumulation of detail governed by essentially negative criteria, temporal and spatial evasion, narrative discontinuity, reiteration, parallelism, irony, allegory, the false overture and false protagonist («Functions», 129).

Giralt Torrente empleará algunos de estos recursos pero con otra finalidad.

A diferencia de lo que ocurre en la narrativa de Riera y Chacón, en la de Cristina Fernández Cubas el silencio tiene implicaciones epistemológicas. En la obra de esta escritora predomina lo que no puede ser descifrado. Personaje tras personaje se hunde en un mar de dudas y por mucho que luche por comprender el mundo que le rodea, sus esfuerzos son inútiles. Algunas de las estrategias que emplea ya en su primer cuento, «La ventana del jardín» —narradores que no son de fiar, situaciones confusas, una retórica de ambigüedad y la técnica de «desnarrar» lo ya narrado— serán características años más tarde de la narrativa de Giralt Torrente⁴. Se ha descrito de varias maneras esta técnica. Pérez habla de «unwriting», «rewriting», o «diswriting» y de «devices of erasure [that] include an almost constant rectification, self-correction or emendation of what has just been said». El resultado es que el mundo ficcional de Fernández Cubas se aleja cada vez más del alcance del lector, «slipping from the unknown into the unknowable» («Cristina Fernández Cubas», 35 y 37). «La ventana del jardín» está repleto de conjeturas, hipótesis y suposiciones que resultan erróneas. En un momento el narrador decide que los amigos a quienes visita están locos o intentan ocultarle algo, como «el hecho» de haber matado a su hijo: «Ignoro la razón pero cada vez con más fuerza acudía a mi mente la idea de que los Albert se habían deshecho de aquella carga [su hijo] de alguna manera inconfesable. Pero de nuevo me había equivocado» *(Mi hermana Elba,* 40). El se ve obligado repetidamente a rectificar o retractar las interpretaciones que propone y el lector, de manera semejante, tiene que modificar reiteradamente su propia interpretación del texto y al acabar éste queda tan perplejo como el narrador. Los lectores de los textos de Giralt Torrente experimentan perplejidad parecida.

El hecho de que hasta ahora me haya fijado exclusivamente en obras de escritoras no debe interpretarse como señal de que sólo ellas se interesan por el silencio como tema o técnica. De ningún

---

⁴ No debe confundirse mi «desnarrar» con la frase «the disnarrated» que Gerald Prince emplea para «terms, phrases, and passages that consider what did not or does not take place ("this could've happened but didn't"; "this didn't happen but could've")» (3). En el caso de «desnarrar» o el de «deshacer», «desdecir» y otros verbos formados del mismo modo el prefijo indica una inversión del significado de la palabra primitiva.

modo. En efecto el autor español contemporáneo que se ha dedicado con más ahínco a explorar silencios y secretos, deseos de saber o no saber, de contar o no contar, es Javier Marías, autor a quien Giralt Torrente admira[5]. Con respecto a obras de autores estudiados en este libro, mucha de la fuerza de *Carreteras secundarias* deriva de lo que no se dice explícitamente sino que se insinúa. La técnica de desnarrar, rectificar e intentar precisar o aclarar lo ya escrito es básica en *Soldados de Salamina*. Y un entramado de silencios y secretos sostiene *La sombra del viento,* novela de Carlos Ruiz Zafón ya comentada en nuestra «Introducción». Pero el análisis de estas obras queda para otra ocasión y entro ahora en el estudio de la colección de cuentos y la novela de Giralt Torrente[6].

Como entrada a esta narrativa cito las palabras del escritor respecto a los principios que la sostienen. Aunque el no saber o el no conocer es tema importante en la obra de Giralt Torrente, él insiste en que no es su intención negar la posibilidad del conocimiento:

> Considero que el objetivo de la literatura, como el de la filosofía, es precisamente el conocimiento. La diferencia es que mientras la filosofía lo alcanza o *trata de alcanzarlo* por medio de la lógica y la razón, la literatura, como el arte en general, lo hace a través de la intuición poética. Para que un texto me guste debe permitirme entrever territorios morales insólitos, descubrir realidades desconocidas, obligarme a pensar cosas que no he pensado antes. Y debe, por supuesto, [...] entrañar algún tipo de riesgo formal que le dé categoría estética. Pero ese riesgo formal no debe, como a menudo sucede en la literatura posmoderna, ser el único objetivo ni dificultar o ahogar la que para mí es la meta fundamental de la narrativa: contar una historia (Correo electrónico, las cursivas son mías).

Así que la literatura es un medio de explorar cuestiones fundamentales pero sin perder de vista nunca el propósito de contar bien una historia que interese.

Las apenas trece páginas del primer cuento, «Entiéndame», son una magnífica introducción al mundo narrativo de Giralt Torrente y al tipo de narrador que le interesa, uno que relata en primera persona, no se muestra excesivamente y permanece en un segundo plano como observador (Entrevista). Este narrador, además, suele ser una

---

[5] Recuérdense las primeras palabras de *Corazón tan blanco* («No he querido saber, pero he sabido que» [11]) y de *Tu rostro mañana. Fiebre y lanza* («No debería uno contar nunca nada» [13]).

[6] Las obras de Marías, Martínez de Pisón, Cercas y Ruiz Zafón dan idea de la variedad de funciones que desempeñan silencios y secretos en la narrativa contemporánea.

persona insegura que se halla en una situación ambigua. La incertidumbre predomina en «Entiéndame» y por eso resulta bastante irónico el título del cuento, que se refiere al latiguillo empleado por uno de los personajes (el taxista) e indirectamente a los esfuerzos por entender del narrador y el lector. El episodio recordado es el de un viaje a un aeropuerto, se supone que Barajas, en taxi. Los dos párrafos iniciales, separados del resto del texto por un espacio en blanco, suministran información sobre el carácter del narrador y sobre su asistenta Luisa, el único nombre propio del cuento. Aquél parece ser un hombre no muy seguro de sí (habla de «la incertidumbre que me producía dejar un cabo seguro por uno provisional» [11]) y, tal vez por eso, se acoge al orden y la precisión como medidas de seguridad: «El día en cuestión amanecí apenas unos segundos antes de *lo programado* [...] Recuerdo que, con las maletas preparadas y apiladas *en orden* junto a la puerta [...]» (11, las cursivas son mías). Y especifica que Luisa lleva trabajando para él «un año, dos horas al día tres días a la semana» (11), detalle que en el primer momento parece superfluo. Su contacto con Luisa durante este período ha sido mínimo y cuando él se marcha «*hubiera considerado* bastante remota la posibilidad de volver a pensar en ella» (12, las cursivas son mías). El tiempo verbal de esta última frase llama la atención y alerta de la posibilidad contraria, de que sí vuelva a pensar en ella.

Las primeras palabras del taxista sobrecogen: «Menuda zorra [...] Ésa no me engaña. En realidad ninguna me engaña, ¿sabe? Hace mucho que no me dejo engañar» (13). La «zorra» es una mujer que intentaba coger el mismo taxi; llamarla «pobre» hubiera sido más apropiado, y la exageración y violencia del taxista dicen más de él que de ella. Unos momentos más tarde anuncia que va a matar a su mujer porque, según él, «esa zorra lo hace [fuma] sólo para joderme» (18). Y le «jode» que ella trabaje de asistenta (él emplea el término peyorativo «fregona») desde hace un año (la especificación anterior ahora cobra sentido) cuando él gana lo suficiente para mantener a los dos. La noticia del trabajo de la mujer sobresalta al narrador, cada vez más desconcertado e inquieto, y pregunta el nombre de la mujer pero no recibe contestación, tampoco cuando después de llegar al aeropuerto y salir del coche repite la pregunta, ahora suplicante. La última oración del cuento —«No vi la matrícula y no sé siquiera si hubiese servido de algo» (23)— deja el final abierto.

El viaje al aeropuerto —el fluir del tráfico, los semáforos en rojo o en verde, cambios de dirección, de marcha y de velocidad, frenazos, un desvío y el paso por un túnel oscuro— es metáfora del itinerario mental que sigue el lector en su recorrido por el texto y las dificultades (baches figurados) con los que se encuentra en el camino. Los textos literarios, los que tienen un valor estético y no meramente informativo, siempre contienen espacios en blanco o lagunas, pero en algunos el número de éstas es mayor, son más importantes, y es más difícil si no imposible rellenarlas[7].

Una rápida mirada al estudio del acto de leer hecho por Wolfgang Iser ayudará a comprender mejor la importancia de lo que no se dice en «Entiéndame». Iser hace hincapié en que la comunicación literaria es resultado de una interacción entre lo explícito y lo implícito, entre la revelación y la ocultación. «What is concealed spurs the reader into action, but this action is also controlled by what is revealed; the explicit in its turn is transformed when the implicit has been brought to light» (169). Iser insiste en que lagunas y negaciones («basic structures of indeterminacy in the text» [182]) son esenciales al proceso de comunicación entre texto y lector:

> Blanks and negations both control the process of communication in their own different ways: the blanks leave open the connections between perspectives in the text, and so spur the reader into coordinating these perspectives —in other words, they induce the reader to perform basic operations *within* the text. The various types of negation invoke familiar or determinate elements only to cancel them out. What is canceled, however, remains in view, and thus brings about modifications in the reader's attitude toward what is familiar or determinate —in other words, he is guided to adopt a position *in relation to* the text (169)[8].

El texto de Giralt Torrente nunca afirma de manera explícita que Luisa y la mujer del taxista sean la misma persona pero la creciente inquietud del narrador induce a creer que sí, como también lo hace nuestro conocimiento de que un principio de economía gobierna los cuentos. Según este principio, si se menciona un gancho hay que colgar algo, o a alguien, de él, o como lo expresó Chekhov, si un autor introduce un revólver o una escopeta en la primera parte de una historia, el arma debe dispararse antes del final.

La incertidumbre del narrador, quien resulta ser profesor que todavía no ha obtenido una plaza de su elección, puede ser calificada de intelectual. El taxista también sufre de inseguridad, pero en su caso las dudas tienen que ver con su masculinidad y el miedo a que su esposa le engañe (ella ya no quiere acostarse con él) y es posible que su repetición machacona de la palabra «joder» tenga implicaciones freudianas. De todos modos, como en «La ventana del jardín», «Entiéndame» pone de relieve lo que *no* se sabe y dos comentarios

---

[7] Aun en los textos informativos rige un principio de selección y por eso contienen espacios en blanco. No se dice todo.

[8] Mi interpretación de «blanks» y «negations» difiere ligeramente de la de Iser. Véanse 163-231 de *The Act of Reading*.

hechos por el narrador —«No comprendo» y «Sigo sin comprender» (16)— recalcan la falta de comprensión.

Un pasaje del tercer cuento corrobora lo que dice Iser sobre las lagunas: «blanks [...] stimulate the reader's imaginative activity» (19l). En el pasaje en cuestión el narrador describe cómo actuaba cierta persona y, en consecuencia, lo que tenía que hacer él: «Contestaba a mis preguntas con abierta ambigüedad y yo era quien, interpretando silencios, relacionando datos inconexos y desechando mucho de lo referido, cerraba la dispersión. De ese modo plagado de sobrentendidos y a veces incoherente, pude, no obstante, hacerme una idea bastante lineal de su vida, aunque desde luego no sé si real» (49). Tenemos aquí una descripción del papel activo que tiene que cumplir el lector de este cuento: esforzarse por interpretar silencios, relacionar datos inconexos e intentar comprender sobrentendidos y ambigüedades. La primera ambigüedad es el título: «En apariencia un encuentro.» *Encuentro* puede significar «coincidencia de dos o más personas en un lugar» y «riña entre dos o más personas» *(Diccionario Salamanca)* y la frase «en apariencia» sugiere que el encuentro en cuestión o no es accidental o no implica una riña. Peter Rabinowitz señala que los títulos ocupan una posición privilegiada. «Titles not only guide our reading process by telling us where to concentrate; they also provide a core around which to organize an interpretation. As a general rule, we approach a book with the expectation that we should formulate an interpretation to which the title is in fact appropriate» (61). Rabinowitz advierte que a veces es sólo con retrospección que esto es posible, como ocurre con *The Postman Always Rings Twice* de James Cain (61) y «En apariencia un encuentro».

El narrador menciona su «inveterada costumbre de observar a todo aquel que tenga a bien ponerse a tiro» (41) y recuerda las ocasiones en que ha coincidido con un embaucador, primero en un pueblo de la costa de Cádiz, luego en una terraza de la plaza Mayor de Madrid y, hace unas horas, en una fiesta privada celebrada en una discoteca de Palma de Mallorca. En la primera ocasión el embaucador se ha congraciado con una familia adinerada, haciéndose pasar por antiguo compañero de su hijo muerto e insinuándose con la hija, pero antes de que se celebre la boda, él se marcha llevándose consigo el coche de la familia y varios objetos valiosos. En Madrid acompaña a «un magnífico ejemplar de señorona enjoyada y estreñida» (45). Cuando ella se va sin pagar la cuenta el narrador se ofrece a abonarla. Y en Mallorca el embaucador ha ganado el afecto de la hermana del amigo en cuya casa se aloja el narrador. La presencia de los dos en la fiesta echa por tierra los planes de un nuevo engaño. Lo curioso es que en la fiesta el embaucador no huye del narrador, medio escondido detrás de una columna, sino que le busca: «Nadie que no me buscara, o que no quisiera a su vez huir del tumulto, hubiera ido a parar donde yo estaba» (52). Para que pueda escapar, el narrador le deja su coche y los dos acuerdan verse en el aeropuerto para que el embaucador le devuelva las llaves. El narrador recuerda que mientras se escabullía el embaucador, «traté de acostumbrarme a pensar en él como si no fuera a verlo más, como si la cita que habíamos concertado para un rato más tarde, para ahora mismo, no hubiera sido nunca concertada» (54). Las cláusulas introducidas por «como si» ponen en duda lo que va a pasar, duda que ronda todo el cuento. La relación entre los dos personajes es compleja. ¿Qué siente el narrador por el embaucador —sólo curiosidad o hay algo mas? ¿Admira el talento con que éste se burla de las mujeres y, como él, las desprecia? ¿Por qué le saca las castañas del fuego en Madrid y Mallorca? Y el embaucador, ¿es tan diestro en torear a cierta clase de hombre como a las mujeres y se ha dado cuenta de que el narrador va por la vida de observador y no va a molestarse en delatarle? Las preguntas, como las lagunas y silencios del texto, abundan.

En el segundo cuento, «Ese inaudito invisible», la inseguridad del narrador se acentúa formalmente por medio de la sobreabundancia de cláusulas parentéticas en su discurso: 78 en 16 páginas. Sirven para aclarar, rectificar, dar información suplementaria, explicar y volver a explicar lo ya explicado. Así a «mi mujer (Paula)» sigue «(mi mujer, Paula [...])», «Paula (mi mujer)» y «nosotros (Paula y yo)» (25, 26, 27, 30). Es como si por medio de la precisión lingüística intentara adquirir la seguridad que le falta. El cuento, algo gótico, versa sobre un presunto caso de posesión por los espíritus de un matrimonio alemán y se insinúa que, como la extranjera había envenenado a su esposo, Paula tratará de envenenar al suyo. Lo que de verdad le inquieta al narrador es el color del pelo de su hijo recién nacido, rubio, aunque él y Paula tienen el pelo negro; no sabe si esto tiene explicación natural o sobrenatural. Así se representa dentro del texto la vacilación que, sentida por el lector, es consubstancial a la literatura fantástica (véase Todorov).

En el sexto relato Giralt Torrente desarrolla un tema de larga tradición literaria, el del doble. La introducción de «Una inquietud muy razonable» alude a esta tradición y «la recurrente pregunta acerca de la propia identidad» (94); de esta manera establece un contexto y unas expectativas que orientan al lector. El narrador, que aquí es protagonista, cuenta cómo empezó a frecuentar cierto bar de copas y entabló amistad con una camarera[9]. Después de ausentarse de Ma-

---

[9] El escenario y «la trama de espejos enfrentados» (97) hacen pensar en «Helicón» del libro *El ángulo del horror* de Fernández Cubas, quien ha tratado insistentemente el tema del doble.

drid durante el verano regresa al bar y descubre, sorprendido y luego angustiado, que ella cree que existe una relación íntima entre los dos. Ella le confunde con otro, o confunde a otro con él. «Para ella yo era él y él era yo, no había ninguna diferencia. ¿Cómo podría demostrarle que no éramos el mismo?» (110). Se muere de ganas de conocer al otro para saber en qué se diferencian pero cuando ella rompe con el otro queda destruida esta posibilidad. Las últimas oraciones del relato hacen hincapié en el no saber y el dudar: «no puedo saberlo [si el otro utilizara la violencia con ella], nadie puede saberlo. Y recuerdo que mis ojos fueron sus ojos y los suyos los míos, que todo yo fui él y todo él fue yo, y me pregunto si fue así porque siempre lo fue y aún ahora lo es o si sólo fuimos lo mismo entonces porque desembocamos iguales en ella» (110-111).

Lo indirecto, impreciso, vago, incompleto y elíptico; lo que se supone, se sospecha, se intuye y se da a entender; lo que no se dice, no se conoce, no se sabe; cláusulas hipotéticas y puntos suspensivos; preguntas sin contestar, dudas sin aclarar, secretos sin revelar. En suma, indeterminación, incertidumbre y perplejidad caracterizan los cuentos de *Entiéndame*. Antes de comentar el significado de esto, miremos brevemente la novela *París*.

En su estudio de *Under Western Eyes* de Conrad, Frank Kermode dice que esta novela «advertises and conceals its secrets» (95). También lo hace *París*. Giralt Torrente subrayó esto en una entrevista. En respuesta a las preguntas «¿Novela sobre la memoria y el peso del pasado? ¿Sobre la mentira y la identidad? ¿Sobre el alejamiento...? ¿Qué es *París*?» declaró:

> Una novela sobre la memoria, en efecto. Sobre secretos familiares; sobre veladuras y desveladuras; sobre la herencia. Y sobre todo, una novela nocturna, que trata de reflejar esa búsqueda del hombre cuando en ciertas noches de insomnio se queda a solas consigo mismo y con las preguntas sin resolver de lo que es o ha sido o será su vida. He tratado de plasmar ese estado de ánimo, esa incertidumbre vital que nos acosa en determinados momentos (Entrevista).

Cuando se le preguntó qué sucedió en París, cuestión que se cierne sobre toda la novela, Giralt Torrente contestó «No lo puedo decir porque ni yo mismo lo sé [...] He querido dejar esa pregunta en el aire para que cada uno la responda. Además, no es determinante saber si ocurrió o no algo en París» (Entrevista). Secretos, veladuras y desveladuras, preguntas sin resolver o que quedan en el aire, incertidumbre vital: éstas son las notas distintivas del mundo presentado en *París*.

El narrador, como es costumbre en la obra de Giralt Torrente, siente la necesidad de saber pero se da cuenta de lo difícil que es hacerlo y su discurso destaca esta dificultad. Nunca llega a aclarar si en París había ocurrido algo entre su madre y su padre (que resulta no ser su padre). Esta pregunta central lleva aparejadas otras muchas:

> No se trataba tan sólo de saber de una vez por todas si habían estado juntos en París ni, en caso afirmativo, qué es lo que habían hecho allí, sino de saber, al mismo tiempo, qué les había llevado a ello, qué les faltaba, qué carencias y qué anhelos ocultaban, si se sentían solos o no echaban de menos nada, qué pensaban, qué esperaban, cómo había sido su infancia, si se parecían a mí o no tenían nada que ver conmigo, si había sido París lo que los separó o la separación se hubiera acabado produciendo igualmente (209).

Este diluvio de preguntas es expresión de su deseo de saberlo todo y es significativo que ninguna de ellas recibe contestación. El hecho de que la memoria no es fiable y el paso del tiempo merma aún más la confianza en ella aumenta la precariedad de los recuerdos. En relación con unas llamadas telefónicas el narrador observa que «No sé asimismo si fueron tan frecuentes como me lo parece ahora o por el contrario sólo unas pocas que mi mente infantil y el tiempo transcurrido han incrementado» (65). Sus recuerdos del día de una discusión violenta entre su madre y su tía Delfina son aún más inciertos, como subrayan las repeticiones obsesivas que siguen a la declaración inicial:

> Creo recordar, por ejemplo, pero no estoy seguro de que no se trate de una visión retrospectivamente contaminada por lo que habría de venir después [...] Creo recordar [...] creo recordar [...] Recuerdo, o creo que recuerdo [...] Recuerdo [...] Creo que recuerdo [...] Creo que recuerdo, o así me lo parece ahora [...] Recuerdo [...] Creo que recuerdo [...] creo que recuerdo [...] Recuerdo todo eso, o así me lo parece, y creo igualmente [...] Creo que [...] Creo que [...] Y creo que [...] (241-242).

Tal acumulación de «credos» comunica duda en vez de confianza.

Otra estrategia empleada en *París* es la que Yvor Winters denominó «formula of alternative possibilities» para describir lo que solía hacer Hawthorne: «ascribing one explanation only to qualify it with its opposite or his promoting one motive only to withdraw it, his suggesting one rationale but refusing to confirm it» (Hutner, 47)[10]. Veamos un solo ejemplo de esto: «Supongo que el error residía en la dinámica impuesta por mi madre, pero fuera porque [...] o

---

[10] Martin Kreiswirth ha creado un término sugestivo, «alternarrated», para esta fórmula. Véase Prince, 8, n. 1.

fuera porque [...]» (39). Se presentan varias posibilidades pero sin decidirse por ninguna y como resultado el lector sufre el suplicio de Tántalo; no se satisface su sed de comprender y saber. Tenemos aquí, de nuevo, una retórica de secretismo, de lagunas y negaciones, de ambigüedades e incógnitas que estimula el deseo de saber a la vez que impide su satisfacción.

El que Giralt Torrente se licenciara en Filosofía es indicio de algo que su ficción confirma: un interés profundo por cuestiones existenciales que explora por medio de silencios textuales. Afirma el autor en su declaración de principios poéticos que el objetivo de la filosofía y de la literatura es el conocimiento. Su narrativa demuestra que este objetivo es difícil, si no imposible, de alcanzar. *Entiéndame* y *París* retratan un mundo que no se comprende ni se conoce con facilidad y los personajes no pueden sino resignarse a esto. En las páginas finales de la novela el narrador mantiene que «No hay respuestas, salvo las que yo pueda dar, a las incógnitas sin resolver, pero no debo lamentarme» (299). Si para Pascal el hombre es «un roseau pensant» para Giralt Torrente parece ser «un roseau doutant» y en efecto el narrador de *París* se describe como un ser dubitativo («dudo constantemente» [260]). Pero recordemos que el darse cuenta de que uno sabe poco es un primer paso hacia el conocimiento, por problemático que sea[11].

OBRAS CITADAS

CHACÓN, Dulce (2000), *Cielos de barro*, Barcelona, Planeta.
— (2002), *La voz dormida*, Madrid, Alfaguara.
(1996), *Diccionario Salamanca de la lengua española*, Madrid, Santillana/Universidad de Salamanca.
FERNÁNDEZ CUBAS, Cristina (1990), *El ángulo del horror*, Barcelona, Tusquets.
— (1988), *Mi hermana Elba y Los altillos de Brumal*, Barcelona, Tusquets.
GIRALT TORRENTE, Marcos, Correo electrónico a la autora, 10-IX-2003.
— *Entiéndame*, Barcelona, Anagrama, 1995.
— Entrevista con Antonio Fontana, «Marcos Giralt Torrente: *"París* refleja la incertidumbre vital que nos acosa en las noches de insomnio"», *ABC Cultural*, 27-XII-1999, pág. 19.
— (1999), *París*, Barcelona, Anagrama.
GLENN, Kathleen M. (2000), «Reading Silence in *Luna lunera* and *Un calor tan cercano*», *Monographic Review/Revista Monográfica*, 16, páginas 204-215.

[11] Después de escrito este ensayo, salió una nueva novela de Giralt Torrente, *Los seres felices*,

GLENN, Kathleen (2000), «Seducción, transgresión y marginalidad en la narrativa de Carme Riera», en Iris M. Zavala (coord. gral.), Christina Dupláa, María Jesús Fariña Busto, Beatriz Suárez Briones y Mari Jose Olaziregi Alustiza (coords.), Barcelona, Anthropos, *Breve historia feminista de la literatura española (en lengua catalana, gallega y vasca)*, t. 6, págs. 133-140.

HEMINGWAY, Ernest (1932), *Death in the Afternoon,* Nueva York, Scribner's.

HUTNER, Gordon (1988), *Secrets and Sympathy. Forms of Disclosure in Hawthorne's Novels,* Athens, University of Georgia Press.

ISER, Wolfgang (1978), *The Act of Reading. A Theory of Aesthetic Response,* Baltimore, Johns Hopkins University Press.

KERMODE, Frank (1980), «Secrets and Narrative Sequence», *Critical Inquiry,* 7, págs. 83-101.

MACHEREY, Pierre (1978), *A Theory of Literary Production,* Geoffrey Wall (trad.), Londres, Routledge.

MARÍAS, Javier (1992), *Corazón tan blanco,* Barcelona, Anagrama.

— (2002), *Tu rostro mañana. Fiebre y lanza,* Madrid, Alfaguara.

PÉREZ, Janet (1998), «Cristina Fernández Cubas: Narrative Unreliability and the Flight from Clarity, or, The Quest for Knowledge in the Fog», *Hispanófila,* 122, págs. 29-39.

— (1984), «Functions of the Rhetoric of Silence in Contemporary Spanish Literature», *South Central Review,* 1, 1-2, págs. 108-130.

PRINCE, Gerald (1988), «The Disnarrated», *Style,* 22, págs. 1-8.

RABINOWITZ, Peter J. (1987), *Before Reading. Narrative Conventions and the Politics of Interpretation,* Ithaca, Cornell University Press.

RIERA, Carme (1977), *Jo pos per testimoni les gavines,* Barcelona, Laia.

— (1975), *Te deix, amor, la mar com a penyora,* Barcelona, Laia.

ROSENFELT, Deborah Silverton (1994), «Rereading *Tell Me a Riddle* in the Age of Deconstruction», en Elaine Hedges y Shelley Fisher Fishkin (eds.), *Listening to Silences. New Essays in Feminist Criticism,* Nueva York, Oxford University Press, págs. 49-70.

TODOROV, Tzvetan (1975), *The Fantastic. A Structural Approach to a Literary Genre,* Richard Howard (trad.), Ithaca, Cornell University Press.

CAPÍTULO XIII

Las máscaras del escritor: las primeras novelas de Juan Manuel de Prada

EPICTETO DÍAZ NAVARRO
UNIVERSIDAD COMPLUTENSE DE MADRID

En estas páginas voy a intentar esbozar una aproximación a las novelas de Juan Manuel de Prada, las obras que más han interesado al público lector. Pero hay que recordar que, hasta ahora, además de su primer libro, *Coños* (1995), ha escrito un notable número de relatos y artículos periodísticos, y las semblanzas que constituyen *Desgarrados y excéntricos* (2001), de manera que puede decirse que no ha sido menor su dedicación a otros géneros[1].

Si observamos ya alguno de sus primeros relatos, en *El silencio del patinador* (1995), vemos que Juan Manuel de Prada se ha dedicado a lo que, según Borges, debe ser ocupación fundamental del escritor: la tarea de soñar. Imaginar puede tener como objeto la intimidad femenina, como en su primer libro, la historia de un estudiante de arte en Venecia, o algunas ficciones cinematográficas en sus primeros relatos, y quizá no resulta exagerado afirmar que es un rasgo de su escritura el gusto por lo imaginario, por no limitarse a la mera representación de lo conocido.

En el conjunto de sus novelas, y en el resto de su obra, vemos que hay una serie de temas y motivos que se repiten en diferentes

---

[1] Juan Manuel de Prada nació en Baracaldo, en 1970, y aunque realizó estudios de Derecho, se ha dedicado siempre a la creación literaria. Por *La tempestad* recibió el Pemio Planeta en 1997, y también ha recibido el Premio Ojo Crítico de Narrativa de RNE, por *Las máscaras del héroe,* y el Premio Primavera por *La vida invisible,* y otros han premiado tanto su narrativa como sus artículos periodísticos. Las reseñas suelen mencionar que una revista tan prestigiosa como *The New Yorker* lo eligió como uno de los seis escritores jóvenes más importantes de Europa.

modulaciones. Enumeraremos, antes de ver cómo aparecen en los textos, algunos de los más perceptibles: la definición de la identidad; la literatura, como enfrentamiento al paso del tiempo y a la desaparición del ser; el paso de la infancia a la adolescencia; la sexualidad y el amor en sus múltiples manifestaciones. Esta temática se expone con un lenguaje en el que destaca la imagen sorprendente, a veces una auténtica exhibición de figuras retóricas. Un estilo tan marcado como el de Prada parece desaconsejable en un tiempo en que la novela parece preferir un estilo funcional, indiferenciado. En *La tempestad* y en otros textos encontramos a veces un uso irónico de ese estilo, una inadecuación entre el contexto y el lenguaje que se utiliza, y quizá sea *La vida invisible* la novela en la que el estilo ha alcanzado un equilibrio y depuración notable. Con mucha frecuencia encontramos una visión humorística e irónica que deja ver debajo un destello de dolor.

Uno de estos temas que quizá más preocupa a Prada, desde el título de su primera novela, es el de la identidad, la creación de la misma en el paso de la niñez a la adolescencia, y luego la distancia entre personaje y persona, entre las máscaras y la cara del héroe; la construcción de la figura del escritor o del político, del personaje público y de la persona real. Se da un contraste entre apariencia y verdad, que, se diría, tiene un origen barroco, que aparece ya anclado en el pasado más cercano en su última novela. Otras veces esa identidad está perdida bajo el sedimento de la historia, o asistimos al proceso de su destrucción y a una reconstrucción de resultado incierto.

Si es importante la construcción de la identidad, entonces será lógico que aparezca en su obra el modelo de la novela de aprendizaje, bildungsroman: en *La tempestad,* el aprendizaje del protagonista puede quedar algo escondido por el enigma policiaco que hay que resolver, pero no hay que olvidar que el protagonista es un joven estudiante, que trabaja en el mundo académico y que se muestra consciente de su inexperiencia en la vida. En *La vida invisible* es especialmente el aprendizaje de un personaje, la modelo, el que le sirve al narrador de referencia en su propia experiencia.

Con más intensidad en el primero y en el último de sus libros, descubrimos que el mundo que refleja Prada es un mundo en el que no sólo el sexo ocupa un lugar importante, sino que la sexualidad se muestra de muy diferentes maneras. Casi nunca se trata de visiones agradables, de la visión romántica del amor que quiere imponer a la realidad el joven protagonista de *La tempestad,* sino que se trata de una exposición de tendencias sexuales, la mayor parte rechazadas socialmente o catalogadas como perversiones, de manera que el texto, en una proliferación de discursos, como diría Michel Foucault, nombra lo innombrable.

La primera novela de Juan Manuel de Prada puede calificarse sin duda de precoz[2]. *Las máscaras del héroe* (1996) está compuesta por la carta de un escritor, llamado Pedro Luis de Gálvez, a modo de introducción, y dos grandes capítulos titulados «Museo de espectros» y «La dialéctica de las pistolas», redactadas por un escritor frustrado, Fernando Navales, que constituyen el relato principal, y una «Coda», escrita por una narrador en tercera persona, que cuenta el final de esos dos personajes.

Hasta ahora, en dos de los artículos que se le han dedicado (Gómez y Moreno) se subraya la influencia de Valle-Inclán, y en particular de *Luces de bohemia,* tanto en la materia que narra como en su lenguaje. Es evidente que el mismo Prada señala esa relación cuando narra el velatorio de Alejando Sawa (según se sabe, el personaje que sugirió a Valle la figura de Max Estrella), y recuerda la presencia en él de Valle y Baroja, entre otros. Sin embargo, en cuanto a la anécdota, creo que esta influencia no va más allá de las primeras páginas de «Museo de espectros», y hay que tener en cuenta además que Prada utiliza diversos materiales y relatos de la época (las memorias de Rafael Cansinos y de otros escritores, relatos de Gálvez o de Emilio Carrere, además de incluir referencias históricas precisas a los años 20 y 30). Por todo ello, creo que no deberían buscarse demasiados paralelismos entre ambas obras[3]. En sus aspectos estilísticos, puede verse el influjo de la riqueza lingüística de *Luces de bohemia* en esta novela, pero también habría que señalar que en buena medida el lenguaje de Prada muestra la herencia de Ramón Gómez de la Serna y las vanguardias[4]. No sé si la crítica ha subrayado convenientemente uno de los grandes talentos de Prada: la capacidad de hacer hablar a sus personajes, ya sea Valle o cualquier escritor o figura pública, de manera verosímil, en muy diversas circunstancias; o dicho de otra manera, como a la brillantez del narrador se suma el «espesor» del personaje.

Frente a la configuración dramática del primer esperpento, en *Las máscaras del héroe* encontramos al menos dos relatos, y dos for-

---

[2] Brevemente hay que recordar que importantes críticos la han valorado muy favorablemente. La prensa francesa, *Le Nouvel Observateur, L'Express* y *Le Figaro,* ha publicado reseñas muy positivas y así no resulta extraño que Arturo Pérez-Reverte haya dicho que es una de las mejores novelas de las últimas décadas.

[3] La estructura puede recordar también el tríptico de *Los cuernos de don Friolera,* pero no parece que se dé aquí un contraste de perspectivas semejante al que se da en Valle. Sobre la definición del esperpento no repetiré aquí lo que exponen las aportaciones fundamentales de Cardona y Zahareas en su *Visión del esperpento,* las de Zamora Vicente, o la *Guía de lectura de «Martes de carnaval»* de Manuel Aznar Soler.

[4] En la novela, creo, Gómez de la Serna desempeña un papel más importante, no por su extensión, sino como el modelo de escritor, a quien mejor conoce el protagonista.

mas de narrar, bastante tendenciosos, y únicamente el narrador de las últimas páginas podría merecer cierto crédito en cuanto a su posible objetividad. En la carta que abre el texto, Gálvez dirige una confesión a un Inspector de Prisiones en la que repasaría su vida y daría cuenta de las circunstancias que le llevaron a presidio por injuriar al Rey, y pide ser puesto en libertad. Sin embargo, desde la primera página vemos que el modelo de la novela picaresca es fundamental en la carta de Gálvez: el envío con una actitud humilde para narrar su «caso», la referencia a las circunstancias familiares y sociales para explicar su conducta, la falta de dinero y comida, el culpar al hado por sus acciones, etc., de manera que se compone una autobiografía sospechosa. Pero hay algunos detalles que van más allá y hacen que se intensifiquen nuestras dudas sobre lo narrado: cuenta, por ejemplo, que siendo niño, se enamoró de una joven a la que descubrió en una escena lésbica con su propia hermana, y luego que en una ocasión vio a un sacerdote poniendo unas ropas completamente indecentes a una figura de la Virgen, y, entre otros hechos pintorescos, que ya en la soledad del presidio, cuando fue aislado, sólo tuvo la compañía de una rata, a la que había amaestrado para que hiciera de correo con otro preso y a la que finalmente, sin que se explique la causa, mató. El título de esta sección, «De profundis», según se ve, es claramente irónico, y esto se intensifica en las últimas líneas, cuando de la súplica al Inspector de Prisiones, pasa a la amenaza de hacer públicos su corrupción y sus vicios. Las últimas líneas, creo, son significativas: «Quedo a la espera de tus noticias, mamarracho, sarasa, morfinómano, y los pies y las manos y la punta del capullo que te los bese tu putísima madre» (*Las máscaras del héroe*, 45). Gálvez alterna fanfarronadas, referencias personales y lugares comunes. Lo excesivo del personaje se completa con su visión bohemia de la literatura, pues, en sus palabras, ha sido herido por la literatura, tocado por «el fuego sagrado».

El narrador es otra figura que constantemente construye su máscara, que consiste en parasitar a Gálvez, manteniendo relaciones con una novia a la que no ama, y en trabajar para un empresario teatral al que desprecia. Las esferas personal y profesional se unen a la ideológica, pues colabora con los fundadores de Falange, que le merecen un desprecio semejante al de otros grupos políticos, sea cual sea su ideología. La máscara no puede separarse de la cara, y si esa es una constante, también los personajes actuarán en diversos registros: en esta novela, y en alguno de sus primeros relatos, unos actuarán de manera histriónica, como Gálvez, otros actuarán hipócritamente, como el narrador, y otros se muestran desquiciados. Ramón Gómez de la Serna no es el único escritor canónico que es en cierta medida ridiculizado: en este caso, pierde su aura cuando el lector ve que su literatura es parte de una actividad histriónica (junto a detalles como el pánico que tiene a los anarquistas, o una persistente afición a la horchata). Su incesante escritura es una actividad inevitable, parte de una representación teatral que realiza para los demás y también para sí.

Gálvez será un símbolo de la bohemia con el que contrasta el otro protagonista, Navales, que aporta la perspectiva fundamental de su voz. Así, narra su proceso de maduración desde la adolescencia, que desemboca en una ambición de hacerse escritor, actividad para la que no está dotado, y que se convierte en una progresiva degradación, según vemos ya cuando siendo muy joven deja morir a su padre abandonado.

Tanto Gálvez como Navales sufren un proceso de degeneración (el primero estimulado sobre todo por el abuso de la bebida, aunque ésta no pueda servir de excusa por su traición al comerciar con el enemigo durante la guerra de Marruecos), que vemos en su contexto literario y social. El clima prebélico del Madrid de los años 30 aparece en la tercera parte, que, no sin sarcasmo, se titula «La dialéctica de las pistolas». En ésta, Navales, que ha organizado un grupo de «autodefensa» de Falange, se ofrece para traicionar a José Antonio, quien le había tratado amistosamente y había ayudado a su novia cuando sufrió un aborto espontáneo. Al protagonista no le importa ni la pérdida del embarazo ni el estado de salud de ella. Sólo muestra desprecio e indiferencia hacia personas e ideas. Así, la imagen que proyecta de sí mismo no intenta aparentar sinceridad, sólo es indiferente ante los hechos más deplorables, de manera que parece seguir la máxima de que nada es sagrado y nada merece respeto. Navales podría ser un decadente, si atribuyera importancia a la experiencia artística, pero no lo es porque sólo actúa por voluntad de poder, por miedo o por odio hacia otros personajes.

No hay que olvidar que ese proceso se pone en relación con el paso que hay del modernismo a las vanguardias y la generación del 27, y con la problemática política y social que desemboca en la politización del mundo literario. Escritores populares, novelistas eróticos, aparecen vistiendo monos azules y organizando en un derruido palacio conspiraciones anarquistas. Gálvez había caído mucho antes por la pendiente del deterioro, trabajando como negro para otros escritores, dejando que su mujer se convierta en prostituta, estragado por el alcohol, pero mantiene una vocación literaria inquebrantable, y aunque pueda caer en la mediocridad, se mantiene fiel a ese principio, y a un rechazo anarcoide de la burguesía, del poder político y las clases gobernantes.

La literatura, según se ha dicho, es un tema fundamental, pero aquí también se cuestionan diferentes aspectos. Primero, según hemos visto, la literatura como mito, y sus creadores como figuras de leyenda. Ningún escritor aparece como una figura dotada de grandeza, y así vemos al mismo Valle orinando y en compañía de unas prostitutas[5].

En segundo lugar, una revisión del mundillo cultural muestra que es un conjunto de factores diversos el que influye en el valor de la obra de arte. El éxito no lo alcanza casi nunca quien lo merece sino los cobistas, los amigos del poder, los que adulan y saben comerciar. Así lo que ahora, en las acertadas palabras de José-Carlos Mainer, vemos como una Edad de Plata, no surgió de la libertad o de un estado de cosas envidiable, sino que fue obra de unos cuantos autores, que o no tuvieron un gran reconocimiento público o éste fue tardío.

En tercer lugar, la literatura podía ser vista como un legado para la posteridad, como un modo de sobrevivir y perdurar en la memoria de los hombres, pero vemos que ahora casi todos los autores citados han caído en el olvido, y no sabemos cuántos serán recordados dentro de 50 años. Hasta ahora al escritor le quedaba ese refugio en el futuro posible, pero ahora el espejismo ha desaparecido.

Las secciones humorísticas y los recursos que se ponen en juego para conseguir la comicidad son muy numerosos. Se trata de un humor que no rompe el distanciamiento y la impasibilidad del narrador: así cuando Gálvez se baja de un coche, para sorpresa de quienes lo ven, lo hace «con esa agilidad que le proporcionaba su experiencia anterior de atracador de bancos» (485). Son muy numerosas las manifestaciones de la sexualidad en este registro, alcanzando lo grotesco (según veíamos ya en la carta de Gálvez), y también el humor se manifiesta en anécdotas singulares o absurdas, como Buñuel organizando un negocio de películas folklóricas (525). Pero quizá los casos más perceptibles son aquéllos en que el humor es negro y alcanza el sarcasmo: así, por ejemplo, cuando Navales comenta que con las bombas el edificio de la Telefónica se parece más a un queso Gruyère (559), o cuando para justificar sus acciones como matón recuerda el discurso de las armas y las letras del *Quijote* (515).

El final de la novela puede sumir al lector en la perplejidad: no hay vencedores pero sí vencidos. El contraste entre Navales y Gálvez, a pesar de la locura y las extravagancias de este último, parece continuar después de la muerte. Navales tiene una muerte menos digna de lástima o de perdón, y hasta el último momento continúa obsesionado por la figura de aquél a quien robó y vilipendió, a quien ni siquiera puede dar por muerto.

---

[5] Aquí no aparece, como en *Luces de bohemia,* un Max que, aunque no sea un héroe en el sentido clásico, ni pueda poetizar su tragedia, adquiere una conciencia de su situación y una concepción estética que le sitúan en un plano superior a don Latino o a los epígonos modernistas.

En *La tempestad* (1997) una parte del prólogo se dedica a aclarar las intenciones que guiaron al autor, para que no se le suponga unas pretensiones que no tiene. Prada dice que es beligerante contra el realismo, de manera que el relato policiaco, el folletín y la intriga, la literatura y el cine popular forman la argamasa de que está compuesto. En estos subgéneros busca el medio de expresar lo más personal, los «sentimientos más desolados», de manera que el arte se entiende como religión del sentimiento.

Vemos entonces que el enfrentamiento con el realismo también supone una distancia con respecto al racionalismo, y que se borran las fronteras entre la literatura culta y la popular, algo que según Andreas Huyssen caracteriza a la posmodernidad[6]. Esta definición del arte reivindica un origen romántico, que entre otras contiene la posibilidad de mezclar géneros y registros, y no aceptar que el escritor esté sujeto por las convenciones propias de un género o de la época. En el inicio la primera frase de la novela se reitera varias veces, con distintas variaciones, «Es difícil y...», de manera que se hace perceptible la construcción narrativa, y el avance de algunos hechos que se explicarán luego hace que desplacemos el interés, que el lector preste más atención, a la enunciación que al hecho que abre la novela.

Un joven profesor llega a Venecia con la intención de realizar una investigación sobre el cuadro de Giorgione que da título a la novela. Al poco de llegar al hostal en el que va a hospedarse, en cuestión de minutos, se ve involucrado en un asesinato: baja corriendo a la calle al oír un disparo y un hombre muere en sus brazos sin decir una palabra. La policía le interrogará y él contará un relato en el que omite parte de lo que vio: alguien tiró un objeto que se hundió en el canal, y vio a una especie de monstruo en una ventana de la casa en que presumiblemente se había producido el disparo. Tales son las coordenadas en que Prada sitúa la novela, en una ciudad como Venecia que es el escenario más literario y que permanece tan ajeno como la naturaleza al destino humano.

Contiene, según vemos, numerosas parodias que refieren tanto al tipo de relato del que parte, el policiaco, como a su versión cinematográfica. Y creo que habría que añadir que más que de una obra concreta es a las convenciones y tópicos conocidos a los que se alude.

Con respecto a esto, podríamos añadir que se perciben ecos de los dos tipos de relatos policiacos más famosos: el clásico, a lo Conan Doyle, donde se cuenta el proceso de la investigación de un asesinato u otro hecho violento (¿quién lo hizo?); y también del mode-

---

[6] Pueden consultarse dos trabajos suyos «En busca de la tradición: vanguardia y posmodernismo en los años 70» y «Cartografía del posmodernismo», en *Modernidad y postmodernidad,* compilación de Josep Picó.

lo de la «novela negra», donde ya no se trata de resolver sólo intelectualmente el enigma, el detective tiene un perfil «normal» y la muerte y la violencia presentan un aspecto brutal, gris y demasiado real. Este segundo tipo es de las novelas de Dashiell Hammett y Raymond Chandler.

El policía que se encarga del caso, llamado Nicolusi, responde a un modelo claramente reconocible: tiene una figura desgarbada, viste una gabardina demasiado vieja, que debería jubilar; fuma constantemente cigarrillos poco agradables, no parece tener demasiados escrúpulos en sus relaciones con los inocentes o los delincuentes, y debe estar implicado en alguna corrupción menor. Su manera de trabajar puede calificarse de rutinaria, pero probablemente intenta parecer menos listo de lo que es.

Ya avanzado el relato aparece una mujer llamada Giovanna Zanon que responde al arquetipo de la vampiresa, la mujer fatal que acecha la inexperiencia del protagonista. Es infiel a un adinerado marido, al que parece manejar con facilidad; su notable atractivo físico, fruto según puede intuirse de los avances de la cirugía, esconde una edad muy superior a la que aparenta; va acompañada de un gato y su elegante atuendo se complementa con unos largos guantes de fieltro. Su lenguaje irónico, sinuoso y violento en ocasiones, es la característica que completa su perfil.

La organización del relato también depende de los clichés del género, los interrogatorios de la policía, el entierro de la víctima, y así cuando el lector ya percibe que la situación es potencialmente peligrosa, el protagonista decide robar una maleta que pertenecía al traficante de arte asesinado al comienzo, y con ello se involucra más en una situación inquietante. En el texto el espacio, los lugares de Venecia que se describen, no son nunca un soporte, un simple escenario y si los hechos se sitúan en Venecia necesariamente el espacio está impregnado de tiempo, cuando no configurado como mito o leyenda. Con frecuencia las percepciones del narrador aparecen teñidas de irrealidad, y los palacios que conoce tienen matices de la novela gótica, y los lugares más directamente relacionados con lo policiaco las características de lo marginal, del otro lado que esconde la belleza de la ciudad.

Las calculadas descripciones de Prada muestran una Venecia cambiante, que mediante comparaciones y metáforas, aparece de manera singular. Especialmente las que representan exteriores dan una clara plasticidad al relato y están entre sus páginas más sugerentes.

Quizá deba añadirse que no es casual que ya en las primeras páginas se comenten las diversas interpretaciones que se han dado, a lo largo de siglos, del conocido cuadro de Giorgione y que, ante un experto en el pintor, se proponga una basada en la mencionada visión del arte como religión del sentimiento. Al igual que deben interpretarse los diferentes indicios y pruebas en un caso policiaco, la interpretación de la obra de arte, de la novela, queda abierta ante la subjetividad del lector.

Las esquinas del aire (2000) contiene en su prólogo un rechazo explícito del encajonamiento que suponen los géneros literarios, semejante al que mencionamos en su anterior novela, y además señala que para no hacer concesiones, dado el papel predominante de la novela en el mundo actual, no estaríamos ante una novela sino ante un texto híbrido, una mezcla de biografía, narración y otros componentes heterogéneos.

Nada más comenzar vemos que la literatura es, de nuevo, un componente esencial. La obsesión por la literatura se muestra en el miedo al fracaso del narrador que se proyecta al comentar su relación con un escritor menor, Gonzalo Martel. El joven protagonista que narra la historia sería en parte reflejo del autor, por algunos comentarios sobre su incipiente obra literaria y por residir en una ciudad «levítica», de provincias.

En una conversación intenta averiguar algo sobre una escritora olvidada, Ana María Martínez Sagi, pero Martel le dice que no es un personaje real sino una falsificación que crearon César González-Ruano y otros escritores.

El escritor de provincias Gonzalo Martel desempeña el papel de gloria literaria local, y también afirma que fue «negro» de César González-Ruano. Su descripción es una clara muestra de talento literario en la que se percibe una aguda capacidad para percibir el detalle, una gran complejidad lingüística y la perspectiva distanciada del narrador: «Martel emergía de la sombra como un cadáver vertical, con la piel de pergamino que se le atirantaba en las sienes [...] Tenía un parecido pavoroso con el actor Peter Cushing, pero con un Peter Cushing prófugo de sol y ya decantado hacia ultratumba: las facciones aquilinas, los labios afilados, y exangües, la nariz como una quilla obstinada y los pómulos muy pronunciados, denunciando coquetamente la calavera» (20). A esa caracterización se le suman luego los comentarios del narrador sobre la índole moral del personaje, y detalles tan definitorios como el que la suciedad de su bata «espejeaba como el ala de una mosca» (21).

En la madriguera de ese escritor comienza la búsqueda de Martínez Sagi que, además de pertenecer al género biográfico, se convierte también en una búsqueda del caballero andante, la de don Quijote, la del caballero en pos del Santo Grial. En su investigación, el protagonista pide ayuda a Tabares, un librero de su ciudad que aparece como un personaje extravagante. De este modo, los dos posibles caballeros no cumplen las expectativas: el librero es un hombre con sobrepeso, desaliñado, cuya librería es más bien una gruta.

Van a la capital, en busca de alguna información en bibliotecas y hemerotecas, y por su falta de fondos tienen que alojarse en una pensión. El librero le cuenta que la patrona de la pensión, muy cutre, no les deja una cama de matrimonio para dos, y por ello se ha fingido portavoz de un colectivo de gays, amenazándola con montar un escándalo. De manera que le dice al joven narrador que tiene que fingir algo de «pluma». La pobreza de la pensión, las argucias del amigo y el convertirse ambos en pareja, para obtener una cama, supondrían una parodia del género caballeresco. También se sumará luego a la empresa una joven llamada Jimena, que desempeñará un papel activo y no sólo el de la enamorada del relato.

Ahora bien, hay que añadir que esta u otras parodias no son centrales, sino parte de esos componentes de diversa índole que se traban en la novela (y en esto se diferenciaría de *La tempestad*). *Las esquinas del aire* se mueve de manera sutil entre la realidad y la imaginación, entre lo existente y lo que Ana María o el narrador imaginan o quieren creer. Esa dualidad figura en los mismos componentes del texto: desde su forma de búsqueda hasta el que algunos personajes sean creaciones del novelista, mientras otros son históricos, como la escritora Elizabeth Mulder o el poeta Pere Gimferrer. Este último, aparece retratado de manera verosímil y hay algunos datos que sin duda corresponden a los de su biografía.

En el desarrollo de la novela, después del final del capítulo III, poco a poco van apareciendo rastros, fotos y artículos, que comienzan a dar forma a «La chica republicana»: se conforma esa imagen novedosa en los años 20 y 30 de la mujer moderna, feminista, republicana y que practica varios deportes. Los recuerdos de aquella época muestran que en ella podía verse un símbolo del cambio, del progreso, que experimentaba la sociedad española. Ahora, el lector percibe en muchas declaraciones la ingenuidad de quien no imaginaba lo que sucedería después.

Hay alguna sección donde el ritmo del relato se relaja, como cuando se recogen las críticas de la obra poética de Martínez Sagi que publicaron Insúa, Cansinos o Astrana Marín, que si bien parecen prescindibles, sirven para reflejar el ambiente literario que encontró la autora en su juventud. Antes de que tengamos demasiados datos de su biografía, aparece una carta en la que la forma de dirigirse a su hermana muestra un enfrentamiento con su familia, que por un lado da idea de la atmósfera social en que vivió y también de la fuerza de su carácter.

Quizá uno de los aspectos más destacables de la novela sea la construcción del personaje central, el proceso por el que va apareciendo poco a poco, por el que una información cambia nuestras suposiciones previas o las refuerza, y cómo va cobrando espesor por medio de artículos, cartas o entrevistas. Y también, se puede añadir, el testimonio gráfico, las fotos que van apareciendo, añaden realidad a lo que podría haber sido una ficción.

Al ir recogiendo el narrador los fragmentos que del pasado habían quedado olvidados en el presente, vemos cómo una existencia se conformó como fruto de la voluntad y del azar. Martínez Sagi encarna de nuevo la obsesión del escritor que redacta *Las máscaras del héroe* y *Desgarrados y excéntricos,* al saber que el olvido afecta por igual a escritores con talento y a los que no lo tienen.

Hacia la mitad de la novela sus amigos le proponen al narrador que escriba una biografía de Martínez Sagi pero él a esas alturas juzga inadecuado hablar sobre quien habría elegido el silencio. En los poemas que pertenecen a los años 30 y posteriores, por ejemplo, los que dedica Martínez Sagi a la isla de Mallorca, vemos el gran número de suposiciones que la interpretación actual maneja, el vacío sobre el que se asienta la biografía. De este modo, cuanto más vamos sabiendo, descubrimos que hay otras cosas que ignoramos, y la luz que avanza va dando paso a otros contornos de oscuridad. Como en la paradoja clásica nunca alcanzamos al objeto hacia el que avanzamos, del que nos separa siempre una distancia parecida.

Es evidente que ésta no es sólo una novela sobre Ana María Martínez Sagi sino que es también el relato de esa busca, seria y paródica, que termina, en su última sección con el relato autobiográfico de la escritora, ya una anciana de avanzada edad que narra parte de una vida en muy diferentes contextos, desde la guerra civil a la resistencia en la Francia ocupada, unas páginas que se conforman como una fascinante «falsa autobiografía».

La denominación de «falsa autobiografía» no implica una consideración negativa sobre el texto, sino sólo indicar que la primera persona se muestra a través de las modificaciones, y posiblemente alteraciones o cambios, de quien firma el texto. Luego, la última sección, la ocupa una antología de poemas que muestra la trayectoria poética de la autora, y que constituye un último homenaje.

Germán Gullón al dibujar el panorama actual de la narrativa joven señalaba que la oposición que es posible establecer entre los estilistas y los escritores que podemos denominar nuevos neorrealistas, como José Ángel Mañas, muchas veces es demasiado débil porque buena parte de los jóvenes podrían incluirse en los dos grupos *(Historias del Kronen,* VI). En *La vida invisible* veremos cómo esa oposición se debilita.

Si entendemos por «estilista» al autor de una literatura refinada, de sillón, en la que el estilo pule las aristas de la realidad, entonces la lectura de las primeras páginas de cualquiera de sus novelas nos muestra que Prada no encajaría en ese tipo de escritor. Pero también es cierto que desde el punto de vista estilístico, hay pocos escritores jóvenes capaces de manejar unos registros lingüísticos tan ricos como los que él maneja.

La última novela, hasta la fecha, publicada por Prada tiene poco que ver, en apariencia, con las anteriores, y es una muestra de la libertad con que afronta el escritor el proceso creativo. *La vida invisible* sorprenderá probablemente al lector por el escenario en que se desarrolla buena parte del texto, en Estados Unidos, y por su temporalidad, pues la mayor parte se sitúa muy cerca del presente, con la referencia fundamental del brutal atentado contra las Torres Gemelas.

La disposición de la novela resulta clásica, pues se compone de un prólogo, tres grandes secciones, y un epílogo. Los títulos de las tres secciones muestran claras resonancias literarias: «El guardián del secreto», «Guía de lugares imaginarios» y «La vida invisible»[7]. La última, que da título al texto, presenta la definición de que debería partir la lectura del relato: «Hay una vida invisible, subterránea como un venero, por debajo de esta vida que creemos única e invulnerable, o quizá sobrevolándola, como una ráfaga que parecía inofensiva y que, sin embargo, se inmiscuye en los huesos, dejándonos su beso estremecido» *(La vida invisible,* 9). Así, parece que debamos rechazar una interpretación que la entienda como simple duplicidad, y al ir avanzando en la lectura será posible percibir al menos dos líneas de significado: primera, la vida oculta que todo el mundo vive bajo una apariencia de normalidad, de unicidad; las posibilidades que se ocultan tras nuestras decisiones cotidianas, en nuestra imaginación o en nuestros sueños. Y, en segundo lugar, también la vida oculta es la vida marginal, la de aquellos que caen en los márgenes de una sociedad que los ignora, un mundo en el que conviven la drogadicción, la explotación de emigrantes y la esclavitud sexual. De esta forma, creo, también se articulan las esferas de lo individual y lo social.

La vida invisible presenta dos personalidades enigmáticas que el narrador, un joven escritor llamado Alejandro Losada, conocerá por casualidad. En un viaje a Chicago, el escritor conoce a una mujer llamada Elena, que iría a encontrarse con su novio, y mantiene con ella unas incipientes relaciones que no llegan a consumarse.

La segunda mujer es una modelo fotográfica llamada Fanny Riffle, a la que había visto antes en algunas revistas, cuya historia conoce gracias a un ex-combatiente llamado Tom Chambers, al que ve en la conferencia que da para unos cuantos hispanistas. Ese hombre se presenta allí porque Alejandro Losada había escrito un artículo so-

---

[7] Además de la literatura popular, de la cultura de masas, que será perceptible a lo largo del texto, con estos títulos se aludiría a Charles Baudelaire, Italo Calvino o a su admirado Jorge Luis Borges.

bre Fanny Riffle, que fue traducido para una revista americana, y le recuerda que la modelo desapareció sin dejar rastro después de haber alcanzado una gran fama. Le cuenta que él fue el causante de que se volviera loca, y que luego, tras volver de la guerra de Vietnam, dedicó el resto de su vida a cuidarla y rescatarla de su enfermedad.

En la narración vemos la pluralidad de la personalidad humana, como puede transformarse de manera más o menos repentina hasta extremos insospechados. Y así uno de los primeros personajes sobre los que el narrador reflexiona es el llamado talibán americano llamado John Walker Lindh, que se convirtió al Islam, y luego se involucró en la lucha terrorista que buscaba destruir la sociedad en que creció.

No sé si es necesario señalar que estos motivos, la localización espacial, la referencia temporal, muestran no un cosmopolitismo que evita el contacto con la realidad cercana, sino que más bien sirve para mostrar algunas referencias en nuestro mundo actual, y para luego, en la anécdota narrada, establecer relaciones entre tiempos y espacios diferentes.

La segunda sección contiene algunos rasgos de humor en los que se reflejan aspectos del mundillo cultural madrileño, y se nos presenta un amigo del narrador, llamado Bruno, que está interesado en escribir sobre los gorrones que pululan por ese ambiente y, convirtiéndose él mismo en un gorrón del narrador, también comienza a escribir una guía de los lugares imaginarios que pueden encontrarse en Internet. En la tercera sección ya se encuentra el núcleo de la novela, el desarrollo de las dos historias mencionadas.

Antes de ir a Chicago, Alejandro había dialogado con su novia, Laura, con quien iba a casarse, y ésta le animaba a descubrir el «secreto» de Chicago, el secreto que toda ciudad guarda. Allí, sin embargo, encontrará el secreto de las dos identidades que influirán en la vida del escritor mucho más de lo esperado.

Cuando vuelve a España, Alejandro Losada comienza a escuchar las cintas en que Chambers había grabado la confesión de la modelo, la narración de su viaje a la locura, que le empujó a cometer dos terribles asesinatos. A su vez Losada vive el acoso de Elena, la joven que había conocido en el viaje, y que da muestras de padecer una perturbación mental: al haber sido abandonada por su amante, forja una quimera en la que el escritor se convierte en el padre del hijo que espera y dedica todo su tiempo y energías a buscarlo por todo Madrid.

De este modo uno de los temas centrales en la novela, el de la locura, se mostrará en dos variantes diferentes y enigmáticas. La modelo se vio obligada a retirarse por una ola de puritanismo, y una persecución desde el poder político, que le hizo poco a poco ir obsesionándose con el pecado y la religión. Después el adolescente

Chambers, que casualmente la reconoció a pesar de su cambio de aspecto, empezó a chantajearla, a obligarla a participar en obscenidades, pues amenazaba con hacer públicas unas supuestas fotos de Fanny. Víctima de ese acoso, la modelo desapareció, convirtiéndose en una vagabunda, hasta que fue a caer en manos de un predicador sin escrúpulos.

Así vemos que aquí, tiene gran importancia la confesión, entendida como la verbalización de hechos penosos, y como el modo de llegar a la verdad. Según recordaba Michel Foucault, con respecto a la visión de la sexualidad en nuestra época, la confesión se instituyó como búsqueda de significado, como el resultado de sacar de lo más profundo de uno mismo lo inaccesible. Tanto Fanny como Chambers se confiesan, y así la novela reconstruye la recepción de esas confesiones, una recepción que no supone la reparación ni la expiación, y que parece que nos coloca en esa situación en que el conocimiento, con la pérdida de la inocencia, supone la culpa. La recepción de esas historias y su transmisión es casual, cambia tanto el papel del confesor, que no es una instancia superior que dirige la acción, e igualmente cambia el posible resultado. La confesión aquí parece volverse claramente representación, y los dos casos, con sus vidas disipadas, situadas entre la ingenuidad y la perversión, muestran la vida «real», oculta tras lo social y lo permitido.

En la periferia de Madrid, en los poblados de la droga, se produce el desenlace de la novela y se muestra que el infierno tiene un aspecto demasiado común. Es hacia el final cuando enlazan las dos historias que han ido alternándose, cuando el narrador tiene conciencia de las relaciones que se establecen entre los dos comportamientos irracionales, de Fanny en el pasado y Elena en el presente.

Cuando Alejandro decide buscar a Elena, que había desaparecido inesperadamente, cae junto a su amigo Bruno en otra especie de locura, y corta con los lazos de su vida normal, su relación con Laura, para llevar a cabo su empresa. Al igual que de niño en la ciudad de provincias en que vivía imaginaba que era un caballero andante dedicado a la búsqueda del Santo Grial, ahora se propone rescatar a esa joven que, según le dicen, ha caído prisionera de una red de prostitución. A la manera cervantina, mezclándose seriedad y parodia como en la novela anterior, el personaje se ve a sí mismo emprendiendo un viaje y dejando atrás su mundo, entregándose a una búsqueda que debería tener un sentido purificador, pero que desemboca, en mi opinión, en un ambiguo desenlace. Se enfrentan idealismo y pragmatismo, locura y cordura, sentido y absurdo, sin que se alcancen unas conclusiones satisfactorias. No voy a contar el final puesto que creo que su calculada ambigüedad da lugar a interpretaciones que pueden ser contradictorias.

Un tema que se reitera, como en algunos relatos de *El silencio del patinador,* es el de la pérdida de la inocencia, el paso culpable de la inocencia a la madurez. Aquí ese salto lo da Fanny y con ella quien conoce su historia, el escritor, y nosotros mismos, espectadores de la degradación humana. A pesar de que no es una novela de escasos incidentes, *La vida invisible* requiere un lector pausado, que no busque efectismos, sino que perciba a lo largo del texto el tiempo en que se desarrollan unas vidas que no pueden captarse en su totalidad, unas ensoñaciones que aparecen nutriendo el fondo de un escritor, que sólo parcialmente coincide con el autor.

El lenguaje, el estilo, es aquí más sobrio que en sus primeras novelas, aunque Prada continúa manteniendo su gusto por la frase elaborada, por el párrafo trabajado y por la búsqueda de metáforas sorprendentes. Dice, por ejemplo, para situarnos en uno de los poblados marginales que rodean la gran ciudad: «Desde nuestro escondrijo se avistaban las vías del metro, que al llegar a la Casa de Campo abandonaban su madriguera subterránea y proseguían su andadura campo a través, como costurones que cicatrizasen el paisaje» *(La vida invisible,* 508). Esta novela de Prada, creo, supone una crítica de la tolerancia social que oculta el desinterés, de la hipocresía con que la sociedad mira las vidas marginales, y al mismo tiempo una reflexión sobre nuestras suposiciones en torno a la conducta humana.

Creo, para terminar, que cuando nos enfrentamos a una novela de Prada puede parecernos que se recrea en lo raro, en lo monstruoso, pero inmediatamente veremos que el horror no ha sido inventado, que la respuesta del escritor ante un panorama desolado es la búsqueda de esa figura, ya casi agotada por la historia, que es el hombre. Juan Manuel de Prada, como aconseja la mejor tradición novelística, no se cree en posesión del monopolio de un discurso que distribuye la verdad y el lector es en su obra el elemento necesario capaz de recolocar las piezas del puzle que componen el texto. En palabras de la deconstrucción podríamos ver un significado o una verdad siempre diferida, un discurso que se señala como incompleto, pero el escritor no saluda con despreocupación y alegría la incertidumbre, o su negación, el vacío, y quizá por ello siempre es capaz de transmitir una inquietud que persiste más allá de la última página.

OBRAS CITADAS

AZNAR SOLER, Manuel (1992), *Guía de lectura de «Martes de Carnaval»,* Barcelona, Anthropos.
CARDONA, Rodolfo y ZAHAREAS, Anthony N. (1982), *Visión del esperpento,* Madrid, Castalia.

FOUCAULT, Michel (1978), *Historia de la sexualidad. 1. La voluntad de saber,* Madrid, Siglo XXI.

GÓMEZ, María Asunción (2001), «*Las máscaras del héroe* de J. M. de Prada: una reescritura del esperpento», *ALEC,* 26, 2, págs. 519-536.

GULLÓN, Germán (1998), «Introducción», José Ángel Mañas, *Historias del Kronen,* Barcelona, Destino.

HUYSSEN, Andreas (1988), «En busca de la tradición: vanguardia y posmodernismo en los años 70» y «Cartografía del posmodernismo», en Josep Picó, *Modernidad y postmodernidad,* Madrid, Alianza.

MORENO HERNÁNDEZ, Carlos (1998), «La biografía novelada como ejercicio de estilo(s): *Las máscaras del héroe* de J. M. de Prada», en José Romera Castillo y F. Gutiérrez Carbajo (eds.), *Biografías literarias (1975-1997),* Madrid, Visor, págs. 537-547.

PRADA, Juan Manuel de (2000), *Las esquinas del aire. En busca de Ana María Martínez Sagi,* Barcelona, Planeta.

— (1996), *Las máscaras del héroe,* Madrid, Valdemar.

— (1997), *La tempestad,* Barcelona, Planeta.

— (2003), *La vida invisible,* Madrid, Espasa Calpe.

PUERTAS MOYA, Francisco Ernesto (1998), «La autocompasión y el escarnio: un ajuste de cuentas de J. M. de Prada con la biografía de un escritor fracasado», en José Romera Castillo y F. Gutiérrez Carbajo (eds.), *Biografías literarias (1975-1997),* Madrid, Visor, págs. 609-621.

Capítulo XIV

Los *Solos* de Care Santos: «variaciones» sobre un tema

Ana Rueda
University of Kentucky

> All art constantly strives towards the condition of music.
>
> Walter Pater.

La obra de Care Santos (Mataró, Barcelona, 1970) revela una atracción fatal por la música y las artes escénicas que ya se manifestaba en su primera novela, *El tango del perdedor* (1997)[1]. No obstante, es en su colección de cuentos *Solos* (2000) donde la música informa la composición narrativa de un modo sin precedentes. El lector debe entender *Solos* literaria y musicalmente pues constituye una «secuencia de cuentos» montada sobre el concepto de «variaciones sobre un tema» de una forma musical libre y personal: una intersección flexible e imaginativa compuesta a base de modulaciones,

---

[1] La protagonista de *El tango del perdedor,* Alondra Segovia, parece basarse en la legendaria Tórtola Valencia, bailarina que deslumbró el mundo del espectáculo en los escenarios barceloneses de variedades a comienzos del siglo xx con sus originales danzas que, si bien empezaron imitando las de Isadora Duncan, evolucionaron a un estilo propio, con un sello orientalista distinto y claramente vanguardista. Care Santos ha documentado su trayectoria artística en «Tórtola Valencia: creadora de su propia leyenda»: también puede consultarse su artículo «Cien años de music-hall en Barcelona» sobre el impacto del género del music-hall en la Barcelona modernista. Su método de trabajo como escritora también asigna un papel importante a la música. En una entrevista realizada por Juan Carlos Santamaría, Santos declara su preferencia musical a la hora de ponerse a escribir: las *Suites para violoncello solo,* de Bach, a poder ser en la versión de Yo Yo Ma.

desarrollo temático y contrapunto. La exploración de formas musicales amplía los límites tradicionales del cuento e invita a considerar *Solos* como una antítesis de elementos en continuo movimiento. Los relatos, diseñados para ser leídos y escuchados, sólo tienen independencia o autonomía formal relativa dentro de un todo[2]. Como en una «secuencia» musical, cada historia repite y desarrolla progresivamente temas y motivos a lo largo del libro produciendo distintas modulaciones. El tiempo no se para en cada relato sino que fluye de uno a otro a través de patrones narrativos, rememorativos y de pensamiento. La tensión surge del conflicto potencial entre dos modalidades de progresión potencialmente incompatibles en estas dos artes temporales: la narración y la música. Sin embargo, la simbiosis o reunificación de las artes produce una dependencia mutua de música y lenguaje que aporta una dimensión novedosa al género cuento.

Solos se configura como una «secuencia» narratológica y musical: nueve episodios o «variaciones» sobre un «tema» o idea fija. En el contexto de la música occidental, la «variación» se refiere comúnmente a la elaboración de una melodía o un acompañamiento y encarna el principio estructural de la repetición: «A theme with a particular structure is followed by a series of discrete pieces with the same or very similar structure» (Randel, 902). En cada variación, ciertos elementos permanecen constantes mientras otros cambian. Esta alternancia entre lo fijo y lo permutable ocurre tanto dentro de cada pieza o cuento como en la obra desplegada como conjunto. Cada relato se organiza, más o menos fielmente, en torno a un mismo complejo temático y una misma estructura artística, que constituyen la materia prima para la construcción de la secuencia: el mono-diálogo de un artista en desgracia dicho o escrito en función de un interlocutor explícito[3]. Los nueve relatos pueden verse como un «ejercicio» escritural y musical que se incorpora a la colección ensayando cada vez una «voz» (y una instrumentación) distinta[4]; una

---

[2] En el panorama contemporáneo se acusa un interés crítico creciente por el llamado «ciclo de cuentos» (término de Forrest Ingram) o la «secuencia de cuentos» término empleado por Luscher y que favorezco por su énfasis en el proceso y en la progresión dinámica del patrón. El ensayo de Robert M. Luscher, «The Short Story Sequence: An Open Book», es un buen punto de partida para el estudio teórico de este fenómeno, que se comentará más adelante en conexión con la preferencia de Care Santos por esta modalidad narrativa.

[3] En siete de los nueve relatos el «yo» es un artista del mundo del espectáculo o tiene una formación musical. Y en los dos restantes (el tercero y el quinto), el «yo» asesina a un músico famoso o se casa exclusivamente con fabricantes de instrumentos de cuerda.

[4] La colección incluye un repertorio y una instrumentación variados que mezclan la «alta» cultura con la «baja», la música clásica con la popular. Los nueve cuentos consignan, en el orden en que aparecen: 1. boleros y pasodobles en un show de variedades; 2. el contrabajo en una orquesta sinfónica; 3. la música pop de los

voz que permanece circunscrita a cada relato pero que a la vez es parte de un conjunto armonioso gracias al patrón estructural y temático que abarca a la totalidad[5]. La colección de cuentos se constituye como un patrón fluido de simultaneidad temporal y de transcurso; de giros predecibles y también de sorpresas, pues incluso la retención de un tema permite considerable libertad musical[6]. La unidad de *Solos* deriva, por tanto, de la percepción de un ordenamiento sucesivo y recurrente que en una secuencia de relatos proporciona continuidad a la experiencia de la lectura (cfr. Luscher, 149). El novedoso diseño formal de una doble secuencia —musical y narrativa— une estéticamente al personaje con su mundo; un mundo que, a su vez, siempre tiene que ver con la música y que está repleto de referencias a compositores y a piezas famosas. A su vez, la propia ambigüedad del signo musical hace que los retratos dramáticos de los personajes y de sus pasiones —un amplio escaparate del infortunio— reverberen en el lector con sugerentes valores que se yuxtaponen a los significados de las palabras.

ESTUDIOS MÚSICO-LITERARIOS

Santos no es la primera escritora en utilizar la música como una influencia que da forma a sus composiciones literarias. Gustavo Adolfo Bécquer nos reveló su afinidad por la música en *Rimas* y en «Maese Pérez, el organista». Retomando los pasos iniciados por los poetas románticos alemanes —Tieck, Hoffmann— y los simbolistas franceses —Valéry, Mallarmé—, Ramón del Valle-Inclán y los modernistas «musicalizaron» también sus poemas y su prosa[7]. Aunque

---

Beatles; 4. el tango y el baile flamenco; 5. la fabricación de instrumentos de cuerda; 6. el director de orquesta y la clarinetista; 7. la canción ligera; 8. el violinista y estudioso de la música; 9. el órgano.

[5] Prueba de la importancia del valor de conjunto de estos relatos es que cuando uno de ellos se desgaja de la colección, como ocurre con «Nadie puede imaginar la *Sinfonía en Si menor* de Schubert sin contrabajos», que apareció incorporado a la colección *Ciertos testimonios* (1999), su lectura es bien distinta por la mera presencia de otros cuentos vecinos.

[6] Como señala Randel, entre los extremos de repetir la melodía del tema y reemplazarla con una nueva melodía, hay numerosas opciones; entre ellas, conservar algunas de las notas y añadir algunos ornamentos o figuras que oscurecen parcialmente la melodía original, para volver a ella en las cadencias, o tratándola a base de motivos (903). Existe una compleja tipología de las variaciones que se pueden constituir con los elementos constantes, dependiendo del contexto histórico de la pieza.

[7] El artículo de Marshall Brown, «Origins of Modernism», propone que la literatura modernista aspiraba a la condición musical, tal como la música aspiraba a la literatura; movimientos que coincidían en el impulso fundamental de restaurar la expresividad donde el control formal se había perdido (85).

se subraya repetidamente el valor simbólico de la musicalidad de las *Sonatas,* sigue pendiente la labor de analizarlas como sonatas literarias, cosa que sí se ha hecho de modo más o menos persuasivo con *Tonio Kröger* (1936) de Thomas Mann y con *El acoso* (1956) de Alejo Carpentier[8]. Otros autores han hecho un uso sistemático de la música como elemento estructural en sus novelas. William Freedman, cuyo estudio se centra en los procedimientos musicales de *Tristram Shandy,* nos recuerda que Herman Hesse describió *Steppenwolf* como una sonata construida sobre el «intermezzo» de «The Trease», mientras que André Gide, que se describe a sí mismo como músico, consideró *The Counterfeiters* como una fuga musical (2). A su vez, Proust utilizó principios sinfónicos de desarrollo temático en *Remembrance of Things Past,* cuyo primer volumen, *Swann's Way,* comienza con una «overtura». Emile Cadilhac componía sus «novelas sinfónicas» recurriendo al desarrollo de una fuga y desarrolla sus motivos y variaciones temáticas como si se tratase de crear una atmósfera musical. Se ha demostrado también que *Ulysses* y *Finnegans Wake* adoptan la configuración de una sonata literaria y un poema sinfónico respectivamente (Freedman, 1-2). No obstante, estos usos literarios de la música —o «musicalización» de la ficción, por adoptar el término de Huxley— raramente se han aplicado al cuento, cuya economía y condensación verbal parecieran estar reñidas con la idea de un desarrollo musical[9].

Calvin Brown prologa el libro de Barricelli, *Melopoiesis* (1988), subrayando que la interrelación entre música y literatura ofrece un amplio abanico de posibilidades para el estudioso (ix). Este tipo de labor interdisciplinaria incluye estudios biográficos, comparaciones de obras concretas, terminología común a ambas artes, movimientos literarios y musicales, estudios de géneros mixtos (como opera y *Lied),* parodia, teoría metodológica, etc.. Brown añade categorías que se solapan, ya que estos problemas se hallan conectados entre sí (ix). No obstante, lo que un escritor toma de un músico, y viceversa, tiene sus limitaciones. Por ejemplo, el que un escritor introduzca la

---

[8] Ver Calvin Brown, 213-217, Basilius y Volek.

[9] En el ámbito del cuento, Noemí Ulla ha explorado la función de la música y la plástica en *Viaje olvidado* (1937) de Silvina Ocampo, si bien se enfoca más en las referencias musicales (Brahms, Schumann, Grieg, Liszt, Mendelssohn) y en las actividades artísticas que formaron a Silvina Ocampo en su niñez que en las estructuras musicales transportadas a la literatura. Enrique Valdés ha analizado la afinidad de algunos cuentos de Felisberto Hernández, que fue pianista profesional en modestos teatros y salones provincianos, con recursos musicales como la *fantasía,* el *impromtu,* la *improvisación* y el *divertimento:* «una parte importante de los procedimientos de los cuentos de Hernández provienen de su formación musical y de su experiencia como pianista clásico y popular» (92). No obstante, la afinidad con ciertas composiciones musicales está limitada a relatos aislados y no a un patrón de conjunto.

música en sus obras, como hacen Alejo Carpentier en *Los pasos perdidos* y Anthony Burgess en *A Clockwork Orange* con la Novena Sinfonía de Beethoven, no implica que tenga un profundo conocimiento musical. A su vez, el que un compositor trate con obras literarias, como hicieran Tchaikowsky con *Eugene Onegin* de Pushkin y Liszt en su *Dante Symphony* con la *Commedia,* no presupone un alto grado de sensibilidad literaria o que su temperamento artístico no haya filtrado importantes valores literarios. Al margen de si Care Santos tenía en mente una transposición musical específica al concebir *Solos,* podemos persuadirnos de que la colección constituye una «secuencia» en su doble sentido, musical y narrativo. El último relato, que dramatiza el aprendizaje musical de una novicia, contiene, a través de la metáfora del ajedrez, extraordinarias revelaciones sobre las reglas del juego y de la vida que iluminan la composición de *Solos:* «Hay una visión de conjunto que se impone, existe la necesidad de contemplar tus piezas como un colectivo puesto al servicio de una causa: obtener la victoria o, mejor, lograr la derrota del adversario» (170). Previsión, estrategia y cierta percepción del alma —no sin cierta dosis «puñeretil», según la entrevista con Morillo— son los ingredientes que aseguran el triunfo en el tablero de la escritura. La clarividencia de saber a dónde va uno a llevar sus piezas, y la superación de objetivos individuales a favor del colectivo, es el espíritu que anima *Solos.*

Sin embargo, en el campo de los estudios interdisciplinarios nos encontramos con considerables dificultades metodológicas. Wellek y Warren ya apuntaron en *Theory of Literature* (1949) la necesidad de obrar con prudencia y con un escepticismo saludable al estudiar la «musicalidad» de las obras literarias:

> Literary imitations of musical structures like leitmotiv, the sonata or symphonic form seem to be more concrete; but it is hard to see why repetitive motifs or a certain contrasting and balancing of moods, though by avowed intention imitative of musical composition, are not essentially the familiar literary devices of recurrence, contrast, and the like which are common to all the arts (126).

Debemos estar alerta ante el peligro de hacer adaptaciones arbitrarias o paralelos forzados entre la composición de un texto y la de una pieza musical —extraliteraria— para evitar atribuir a la obra literaria una cualidad intrínseca que quizá no le corresponda. En otras palabras, debemos reconocer las distintas maneras en que se organizan las artes y los paradigmas que ordenan la música[10]. Esto no qui-

---

[10] Para un estudio especializado, consultar Scruton.

ta para que percibamos relaciones de implicación entre las artes temporales que nos permiten establecer inferencias razonables entre estructuras narrativas y musicales. El acercamiento tiene indudables ventajas. Si, como apunta Marshall Brown, la música carece de referencialidad externa a sí misma, es también un arte muy formalizado, por lo que su estructura es más explícita y la manipulación de sus materiales de construcción pueden definirse de una forma más concreta que las manipulaciones de las palabras, cuyas propiedades formales tienen niveles complejos que a menudo se entremezclan (76). Por tanto, si queremos analizar elementos formales en una obra, como son las secuencias, la música nos proporciona los ejemplos más claros y las definiciones más precisas. No obstante, Hayden White nos alerta de la «falacia estructural»: el haber identificado una estructura no quiere decir que hayamos dado con su significado (288).

Según Calvin S. Brown, tanto en música como en literatura, el principio de la repetición y la variación es omnipresente y se solapa, «for the types merge into one another, and the economy of means practised by all great art frequently causes the same thing to have a number of different functions» (108). No obstante, hay una diferencia de grado: en general, la música demanda mucha más repetición de la que puede tolerar la literatura (Brown, 109). Otra diferencia que señala Brown tiene que ver con el género o el tipo de composición. En la literatura la repetición formal de ciertos elementos está confinada a ciertas composiciones, verbigracia, el romance, sin ser parte del plan en el caso de un drama o una novela. Por el contrario, en la música, formas como el preludio, el nocturno y el improntu pueden definirse sin mencionar la repetición, cuyo uso queda al arbitrio del compositor. Pero sería imposible definir una sonata, un pasacalle o una fuga sin explicar qué es lo que repite y cuándo (110-111).

Sin caer en exagerados juicios valorativos, y lejos de pretender probar que los cuentos en *Solos* responden a una pauta musical determinada (fantasía, overtura, divertimento, fuga, etc.), podemos determinar que la música opera en esta colección como un impulso, superior a toda inspiración literaria parcial. La concurrencia de las «variaciones sobre un tema» en la secuencia de cuentos ciertamente supone una novedad dentro de este género literario que merece explorarse. El método a emplear seguirá la pauta que propone Calvin S. Brown en *Music and Literature* (1948): observar en el texto la yuxtaposición de ciertas formas y principios comunes a ambas artes —«repetición con diferencia»— cuando se produce. Iniciamos este estudio comparativo teniendo muy en cuenta las palabras de John Neubauer con respecto al método, a las fronteras de las disciplinas y a la política institucional:

Comparative studies may look at the contacts, overlappings, and interactions between fields, or they may consider general analogies and contrasts between them. The former undoubtedly provide a sounder base and surer methodology than general comparisons, which are often arbitrary in their choices and vague in their conclusions. But interactions and overlappings usually occur at the disciplinary margins, which tend to appear indeed marginal to those who work in the respective fields (3).

Nuestro ánimo es aproximarle al lector a la complejidad formal de *Solos* como una obra creativa capaz de reconciliar cualidades discordantes e integrarlas en un todo, principio ciertamente aplicable a todas las artes. A su vez, el reconocimiento de la música como elemento compositivo de estas narraciones secuenciales facilita la percepción de un diseño estructural que tiene consecuencias para la lectura.

La «secuencia», estrategia textual y musical

Desde sus orígenes y su diseminación a través de periódicos y revistas, el cuento se ha visto como una entidad solitaria y abocada a la mortalidad, a no ser que se publicara con otras piezas en forma de libro. Su fundamento y su atractivo como género se basaban precisamente en su brevedad, economía del lenguaje y síntesis, características que le otorgaban cierta unidad formal. Como sugiere Hollis Summers al decir que «We stay with the story for the form itself» (vii), el cuento ofrece una experiencia de lectura satisfactoria y autosuficiente. Sin embargo, en *Relatos desde el vacío* (1992) observábamos que la incorporación del cuento a estructuras mayores complicaba su forma genérica: «Frente a la tradicional enmarcación del «cuento dentro del cuento», el diálogo entre las parejas de cuentos que denominaré «tándem» constituye una de las prácticas más novedosas en el cuento actual. Se trata de relatos independientes dentro de una colección pero, no obstante, relacionados entre sí» (Rueda, 155). Otros desbordamientos de los límites del cuento tradicional proceden de los relatos compuestos como una «secuencia», que engarza los cuentos como el hilo a las cuentas de un collar.

Robert M. Luscher define una secuencia o *short story sequence* como «a volume of stories, collected and organized by their author, in which the reader successively realizes underlying patterns of coherence by continual modifications of his perceptions of pattern and theme» (148). Según este planteamiento, un cuento no es una experiencia formal cerrada, sino que nos prepara para el siguiente, convirtiendo el volumen en un «libro abierto»; «an open book, inviting the reader to construct a network of associations that binds the stories together and lends them cumulative thematic impact» (149)[11]. El término de Luscher invoca también la afinidad entre literatura y música como artes temporales: «As in a musical sequence, the story sequence repeats and progressively develops themes and motifs over the course of the work; its unity derives from a perception of both the successive ordering and recurrent patterns, which together provide the continuity of the reading experience» (149). En una secuencia de cuentos, las historias individuales mantienen sus rasgos distintivos, pero ganan otros según el lector construye una red de asociaciones con los cuentos vecinos que expande y elabora los contextos, personajes, símbolos y temas de la colección. Así, el placer de la lectura es doble: uno, el que se produce al término de las historias individuales; otro al descubrir el efecto de conjunto que trasciende los aparentes saltos entre las historias (Luscher, 150). Puesto que hay gran diversidad de estrategias escriturales y editoriales para armar una secuencia de relatos, me voy a limitar a patrones estructurales y temáticos que se solapan con recursos musicales que unifican la colección: las modulaciones temporales, las variaciones sobre un tema y el contrapunto. Por encima de todos ellos, el concepto mismo de «secuencia» sirve una doble función en el ensamblaje musical y textual de estos cuentos, fenómeno que repercute en el efecto de conjunto que produce en el lector.

Care Santos es una candidata idónea para poner a prueba las teorías sobre la «secuencia de cuentos» puesto que parece ser la modalidad de ficción breve que la autora favorece[12]. Es más, cada colección parece centrarse temáticamente en uno de los cinco sentidos. Mientras que *Cuentos cítricos* (1995) organizaba sus historias según fueran dulzonas como la naranja o tuvieran la acidez del limón (el gusto), *Ciertos testimonios* (1999) tenían en común el elemento testimonial del narrador (la vista); *Solos* (2000) está constituido por so-

---

[11] Otros términos han sido sugeridos, si bien no reflejan tan bien como el de *short story sequence* el desarrollo progresivo del significado o el concepto de proceso dinámico, y mucho menos su valor musical en cuanto al desarrollo de un tema. Forrest Ingram ha propuesto el término más comúnmente utilizado, *short story cycle*, que J. Gerald Kennedy y Susan Garland Mann también adoptan; Dallas Marion Lemmon crea el término *rovelle*, un híbrido entre *roman* (novela) y *novelle* (novela corta); Joel Silverman utiliza el término *short story composite;* Timothy C. Alderman, el de *integrated short story collection*, que subrayan la idea de un mosaico, pero que no enfatizan la naturaleza secuencial y dinámica de los elementos, que es de vital importancia para mi argumento. Adopto, por tanto, el término de Luscher.

[12] En la entrevista con J. Morillo declara su preferencia a contracorriente de los gustos del público lector: «...tardo más en escribir cuentos [que novelas], ya que siempre los concibo como un libro, como un ciclo donde las narraciones tengan una ligazón. Además, soy más exigente y puñetera cuando escribo cuentos. Creo que es mi género. Después no sé lo que pasa, que no funcionan los libros de relatos. A la gente le va más leer novelones».

los musicales y narrativos (el oído); *Intemperie* (1996) se subdivide térmicamente en cuentos fríos, tibios y calientes (el tacto). Dada esta trayectoria, sorprende que su más reciente colección de cuentos no tenga que ver con el olfato, si bien está también montada sobre una secuencia. *Matar al padre* (2004) agrupa ocho relatos que rinden homenaje a conocidos escritores hispanoamericanos que supuestamente marcaron a la autora. Aún así, las colecciones anteriores, que compendian cuatro sentidos, se configuran colectivamente como pertenecientes a una super-estructura abstracta que sugiere a Care Santos como alumna de Federico García Lorca, quien propuso la idea del escritor como poeta de los cinco sentidos.

En términos musicales, una «secuencia» se define como «the repetition of a phrase of melody (melodic sequence) and of a harmonic progression (harmonic sequence) at different pitch levels, the succession of pitch rising or falling by the same or similar intervals in a melodic sequence» (Randel, 739). Un ejemplo de secuencia ascendente sería: [intro.] sol-fa-mi... —[1]sol-fa-sol-la-sol-fa... —[2]la-sol-la-si-la-sol... —[3]si-la-si-do-si-la..., etc. Las secuencias, que datan del siglo IX, se utilizan a menudo para producir distintas modulaciones (cambios de clave), tal como ocurre en la música barroca de Haendel y en pasajes de obras en forma de sonata del período clásico. La secuencia musical es relativamente fácil de trasponer a la narratología porque se basa en principios comparables: el paralelismo y la repetición[13]. Las características formales de la secuencia musical son más o menos constantes: (1) el principio estructural de la repetición emparejada, según la cual cada unidad melódica se repite en el nuevo texto antes de la introducción de una nueva unidad melódica, y (2) la configuración silábica del texto (Randel, 739-740).

Las historias de *Solos,* contadas invariablemente en primera persona a un tú distinto cada vez y mediante distintos marcos de interlocución se modulan en función del interlocutor: 1. respuesta a un anuncio; 2. reproche amoroso; 3. confesión carcelaria; 4. carta-testamentaria; 5. conversación viajera; 6. redacción escolar; 7. notas para unas memorias; 8. sesión siquiátrica; 9. carta de despedida. Como en una secuencia musical, la repetición está circunscrita a una misma voz: el «yo» dominante del narrador, que se empareja a un «tú» narratario[14]. En cada relato de *Solos* el «yo» es el elemento de la frase

---

[13] Por ejemplo, el tratamiento secuencial de *leitmotifs,* término que tiene su equivalente narratológico, es una característica prominente en las técnicas dramáticas de la música wagneriana.

[14] Quizá el «tú», voz en función de la cual se expresa el «yo», podría verse como la nota primera de la escala fundadora del discurso (la «tónica» figurativamente hablando); el «yo» pasaría a ser la nota «dominante» (nota quinta de la escala de cualquier tono, porque es la que domina en el acorde perfecto del mismo).

melódica que se repite de modo armónico ligado a un «tú» explícito en diferentes tonos o registros del lenguaje y produciendo distintas modulaciones de cuento a cuento[15].

SOLOS, *STREAP-TEASE* MUSICAL EN SOLITARIO

Solos atrae la atención a la pauta musical que impulsa la obra al indicar en la contraportada cuatro acepciones de la palabra «solo», del latín *solus:* «1. Dicho de personas sin compañía. 2. Que no tiene quien le ampare, socorra o consuele en sus necesidades o aflicciones. 3. Paso de danza que se ejecuta sin pareja. 3. *Música.* Composición o parte de ella que canta o toca una persona sola.» Las cuatro acepciones informan cada uno de los nueve relatos que componen la colección. Discursivamente, cada pieza, puesta en boca de un personaje frustrado y solitario al borde de una depresión total, es un «solo» monologado que se dirige a un «tú» ausente con ánimo de romper la soledad[16]. Por extensión, cada pieza yuxtapone al lector externo al «tú» explícito del discurso, convirtiendo el acto de interlocución en un espectáculo público de la intimidad, un «streap-tease solitario», pero no obstante, catártico[17].

Los relatos de *Solos,* que llaman la atención por su dilatado título, adoptan los más variados marcos de interlocución. En «Mago responsable busca señorita soltera para chou y matrimonio» una artista de variedades traicionada por su último amante y jefe, el Tuerto, responde al anuncio del Mago que da título al cuento en busca de estabilidad profesional y sentimental. Según airea tétricas confidencias de su vida, propone un nuevo número para el acto de magia en el que piensa incorporar sus temas favoritos: boleros, tangos, pasodobles, etc. En «Nadie puede imaginar la *Sinfonía en si menor* de Schubert sin contrabajos» una mujer que toca en una Orquesta Nacional reprocha a un contrabajo su traición amorosa, social y musical con una soprano, que zanja su carrera como solista. Le recuerda sus mi-

---

[15] Musicalmente hablando, una secuencia utiliza dos procedimientos, que también pueden mezclarse: (1) la melodía se traspone, o bien reteniéndose exactamente, con lo que al conservar el mismo intervalo exige un cambio de clave en la secuencia; o bien (2) sólo se retiene el contorno de la melodía, sin cambiar de clave, en cuyo caso la secuencia procede de modo diatónico (Randal, 739 y sig.).

[16] No es irrelevante el dato de que *Solos* incluya entre los agradecimientos a «todos esos oradores solitarios que te cuentan su vida cuando menos lo esperas» (183).

[17] La expresión «*streap-tease* solitario» procede de la novela de Carmen Martín Gaite *Nubosidad variable,* en la que se utiliza para criticar el discurso unidireccional de las sesiones siquiátricas, donde la paciente habla pero el sicólogo o siquiatra no suelta prenda; ver Ana Rueda (1995). Adopto la expresión por su poder sugestivo de combinar la idea del *show* con el tema de la soledad y la incomunicación.

serias cotidianas y le pone en «su lugar», es decir en la tercera o cuarta fila de la orquesta, negándole incluso la ovación, puesto que a diferencia de los otros músicos, «tú siempre estás de pie, nunca hace falta que te levantes» (34). En «*On John's Blood Grew Red Roses* o estará vivo por los siglos de los siglos» el asesino de John Lennon, un hispano que reemplaza insólitamente al histórico Mark David Chapman, cuenta a una pulga que le acompaña en su celda cómo es que mató al líder de los Beatles, revelando en el proceso los amasijos de una mente más solitaria que asesina[18]. En «Marcial y Graciela, tanguistas argentinos recién llegados de Buenos Aires, debutan en Utrera», el protagonista, un emigrante catalán y homosexual que sueña con ser bailaor de flamenco, usa un formato picaresco-epistolar para consignar a modo testamentario su máxima posesión: la fracasada historia de su vida. En «Me llamo Betty Grey, me casé con un *Luthier* y espero que no le importe si le cuento mi vida» una viuda comparte con su compañera de tren una bolsa de naranjas mientras le cuenta sus calculados matrimonios con fabricantes de instrumentos de cuerda a los que no ama. Las «medias naranjas» dramatizan así el consumo y la consumación de su infeliz pero provechosa estrategia matrimonial. «La Señorita Elena quiere que haga una redacción de extensión libre sobre qué quiero ser de mayor» es una redacción es-

---

[18] Este relato, si bien encaja formal y temáticamente con la secuencia de relatos, coloca a John Lennon en una situación que no existió y puede antojársele al lector como una apropiación indebida de la fama del conocido Beatle. La ficción histórica, por muy bien documentada que esté, corre el peligro de representar equivocadamente algo que ocurrió o de que el lector no perciba el propósito de la reescritura. Como es bien sabido, el asesinato de John Lennon tuvo lugar en 1980 a manos de Mark David Chapman, tejano que en mayo 2001 cumplía 22 años en confinamiento solitario en el correccional de Attica cerca de Buffalo, Nueva York («Two Marks»). Tal como Chapman le robó la vida a John Lennon, Santos le roba a Chapman la vida, y la fama que adquirió ilegalmente, al reemplazarlo con otro asesino; un personaje que no cuadra biográficamente con él, salvo la fidelidad al impulso suicida y a las declaraciones que hiciera Chapman de que una voz le ordenaba matar («The Assassination of John Lennon»). En este último dato se apoya la teoría de Bresler *(Who Killed John Lennon?)*, quien arguye que el histórico asesinato no fue la obra de un loco solitario (la llamada *lone nut theory)*, sino la de un asesino programado, manipulado por una facción reaccionaria conectada con el hecho de que Ronald Reagan acababa de ser elegido presidente. Según Bresler, Chapman fue el arma humana que utilizaron para destruir a una figura de pensamiento radical que podría mover a las masas contra la política que estaba a punto de implementarse en el gobierno de los Estados Unidos. En el relato de Santos, el asesino obedece órdenes, pero ni siquiera hay un trasunto político; el resorte que lo impulsa a matar es una vulgar apuesta por matar al primero que se tope en la calle con el nombre de John. Es una variación quizá algo forzada en esta secuencia de relatos y cuya razón de ser no encuentra fácil explicación fuera del ejercicio escritural de la secuencia. El interés que puede despertar el relato se cifra en el hecho de que, como Bresler, desmiente la teoría del loco solitario y en el factor sorpresa que surge de retardar la identificación de la víctima con el famoso Beatle.

colar de un niño de padres músicos y divorciados, dirigida a la maestra con objeto de inducirla a que se enamore de su triste y solitario padre[19]. «Aquí descansa mi Blasa. Yo también descanso en casa» son los apuntes para las memorias que un cantante latino dicta a unos transcriptores, por sugerencia de su *manager,* con objeto de cosechar nuevos triunfos explotando su infortunio sentimental. «¿Varía la sensación en la misma proporción que la excitación física que la provoca?» es una sesión siquiátrica en la que un violinista, herido por el abandono de su amante, revela en su paroxismo un delito que implica a ambos. *«Nihil est in intellectu quod prius non fuerit in sensu»* es una carta de la antigua novicia y organista de un convento dirigida a la Madre Priora para revelarle el descubrimiento —amoroso y religioso— que ha hecho a través de la música, razón por la que abandona la clausura.

Si el pentagrama equivale a «la conversación, sólo que apuntada», como sugiere la narradora de «Nadie puede imaginar...», el pentagrama de *Solos* no es otro sino el marco de la interlocución. Carmen Martín Gaite ya propuso en su ensayo «La búsqueda de interlocutor» este esquema como elemento articulador de la narración y como superación de la soledad e incomunicación. Pero Care Santos pone al interlocutor en clave musical[20]. La interlocución organiza el discurso de las voces en primera persona, dicho o escrito en función de un «tú», presente o ausente, que sirve como catalítico para el desahogo o sutil venganza del «yo», que se siente abandonado o traicionado por culpa de la música[21]. La apelación al «tú» destaca la oralidad de la voz monologante a la vez que canaliza un discurso solo, solitario, sin compañero de actuación. El mono-diálogo nos recuerda que el destinatario puede intervenir en cualquier momento, aunque nunca lo hace, dramatizando con ello la desgarrada historia de desamor del protagonista. La ausencia de respuesta o «responsorio», que en el diálogo litúrgico sería el texto dicho o cantado por una congregación o coro en contestación a un versículo

---

[19] El marco de la redacción escolar lo utiliza Ana María Moix en «Redacción» *(Ese chico pelirrojo a quien veo cada día,* 1972). La comparación pone de relieve que el patrón en sí no explica el significado del relato.

[20] En el primer relato, por ejemplo, sería difícil para el lector limitarse a leer las palabras de la sufrida estrella de *El Bohemia* sin ponerle melodía a la letra de las canciones de su repertorio, que termina con un bolerito y un pasodoble: «[...] *devuélveme el rosario de mi madre / y quédate con todo lo demás / lo tuyo te lo envío cualquier tarde / pisa morena / pisa con garbo / que un relicario me voy a hacer / con el trocito de mi capote / que haya pisado que haya pisado tan lindo pie»* (15-16). Esta es una de las maneras en que el discurso incorpora la cualidad de voz hablada y cantada.

[21] Ángel Basanta recoge en su reseña en *El Cultural* la idea de que todos los cuentos son «exorcismos personales», http://www.caresantos.com/solos.htm

enunciado por el oficiante (como en el emparejamiento V: *Benedicamus domino*, R: *Deo gratias),* destaca la necesidad de participación congregacional, o de público en el mundo del espectáculo. Así se acumula progresivamente el carácter desesperado de estos discursos desprovistos de eco alguno y que siempre retornan al punto de partida, a un «yo» modificado que inicia otro «solo» discursivo, solitario y aislado de los demás.

La trágica ecuación música + soledad produce «estrellas» caídas; seres desamparados y empobrecidos, bailarines sin compañero, músicos fracasados en su mayor parte. Veamos algunos ejemplos. El protagonista de «Marcial y Graciela» declara:

> Nosotros éramos los reyes de la fiesta de la recogida de la aceituna, del homenaje al santo patrón, del bautizo del hijo del alcalde, de la romería de la virgen de turno o de la inauguración del casino. Nos vestíamos en cuartos de baño angostos en los que con suerte cabíamos los dos, y luego teníamos que quedarnos porque la mujer del alcalde nos quería conocer, o el consistorio en pleno quería hacerse una foto a nuestro lado (67).

El niño que redacta una redacción escolar en «La señorita Elena...» revela que su padre, director de orquesta, trabaja como relojero y su madre, clarinetista, trabaja en unos grandes almacenes en la sección de instrumentos musicales. «Desde que hablo con mi padre de hombre a hombre», confiesa, «sé que se ha sentido muy solo a partir del día en que mamá se lió con el primer violín» (109) y le insta a su maestra a que salga con su padre intimándole que «todo esto se arreglaría si hubiera alguien esperándole al final del ensayo» (117). A su vez, el violinista de «¿Varía la sensación...»», que entretiene a los enfermos de un hospital militar con la música de Ravel y Bartok, declara «Nadie me conocía en aquellos hospitales. Aunque yo ya era famoso» (147). La vida anodina del mundo del espectáculo se repite y se asocia con la monotonía del que aprende música:

> Empecé tocando el violín y la flauta. Mi padre nos llevaba por los pueblos y ofrecíamos conciertos para violín y flauta. A veces, él actuaba al final. Nadie le conocía. El más pequeño de mis hermanos tenía cuatro años, y la flauta era más alta que él. Nos aplaudían. Les gustábamos mucho. Inspirábamos ternura, tan serios y tan bien vestidos. Íbamos de negro, con corbatín de terciopelo rojo. Mi padre recibía el dinero. Volvíamos a casa en la camioneta. Mamá nos preparaba alubias para cenar. Luego ensayábamos hasta tarde (149).

Los hermanos músicos están marcados por el mismo anonimato profesional que sufren tantos personajes en *Solos:* «Ninguno de ellos salió en los periódicos nacionales. Ninguno recibió nunca un premio. Ninguno dirigió jamás la Filarmónica. Pero todos siguieron tocando» (150). Cuando el protagonista sufre un accidente de coche, los titulares informan «*Un magnífico Stradivarious de 1700 se salva por milagro de un accidente automovilístico*» (148). Ni mención del músico, lo que quizá justifique la necesidad de sus sesiones con un siquiatra.

Incluso cuando el artista logra el éxito, como es el caso del cantante latino de canción ligera Armando Gabriel en «Aquí descansa mi Blasa», el lector no puede olvidar que su «espumosa ascensión» (127) se debe al marketing de un *manager* sin escrúpulos y no a su música, a juzgar por los horrorosos títulos de sus discos. Además, su vida no es menos desgraciada que las de los demás protagonistas de la colección. Su esposa es «un poco puta» (122) y adopta una sucesión de amantes en venganza, por haber seguido el cantante las instrucciones del *manager* de ocultarla de sus *fans*. El rico y afamado Armando Gabriel hasta gana un Grammy, pero termina achicharrado cuando su propia madre le prende fuego a su casa veraniega con su cuñada dentro. La acción de estos cuentos es, por tanto, monotemática, girando sobre el motivo de la soledad del artista y sus naufragios sentimentales, ligados fatalmente a la música.

Los artistas solos y en desgracia que pueblan esta colección bailan números musicales —flamenco, tangos, etc.— y cantan o tocan instrumentos musicales, tanto en cuchitriles del mundo del espectáculo («Mago responsable», «Marcial y Graciela») como en una Filarmónica o en un recital de música sacra («Nadie puede imaginar la *Sinfonía en si menor*», «*Nihil est in intellectu*»). Sin embargo, la música no sólo no los saca de las espesuras depresivas en que se hallan sumidos sino que se sugiere como la causa de su mal. Será una estrategia discursiva la encargada de rescatar a estos personajes de su soledad. Al yuxtaponerse el «tú» al lector externo del relato, el elemento del dolor y sus distintas modulaciones adquiere una función colectiva y catártica. Los aspectos «performativos» de la danza y la música están así presentes no sólo como referencias a obras musicales y a artistas. Sin abusar de la metáfora de la «actuación», ya que este ensayo no entra en la semiótica musical, nos limitaremos a apuntar que el aspecto performativo del discurso produce el efecto de que el texto es un número —un «solo»— que se despliega en el mismo momento en que se enuncia, como si se tratase de una improvisación. La ficción del «diálogo» produce la ilusión de que el generador del discurso está asistiendo a su propia composición improvisada, ensayando su propia obra de creación. Discursivamente cada enunciación es un número o una actuación: un paso de danza, un solo musical, si bien se desarrolla en un escenario vacío que pide un público a gritos[22]. Pero no se convoca su presencia hasta el último relato de la secuencia. En él la organista anuncia en una carta a la Madre Priora que deja el convento para iniciar una vida con su profesor de música, Giacomo, «que va leyendo esta carta a medida que la voy escribiendo» (179). Como Giacomo, o mirando por encima de su hombro, el lector participa del discurso-espectáculo que dramatiza el texto como un proceso que se gesta en un puro «presente».

DESARROLLO TEMÁTICO, VARIACIONES Y CONTRAPUNTO

Como ha quedado explicado, las variaciones son una forma musical que resulta de la aplicación consistente de técnicas que modifican una idea musical, por la que se entiende generalmente una melodía simple de forma binaria[23]. Los elementos que la variación de un tema tiene en común con el tema son los «elementos fijos». Hemos establecido que *Solos* se construye sobre una idea fija o monotemática que permea las vidas de muchos personajes hasta formar un patrón reconocible. El tema literario de la soledad, evidente en los mundos en que se mueven los protagonistas, se marca en una sucesión de compases de frustración y enajenación que se quieren anclar en un «tú» ausente (el destinatario del monólogo y el lector externo) para convencerle de su asordinado talento artístico y para conmoverle con su patética vida por su condición de infelicidad. Las personalidades degradadas de los narradores que protagonizan estas historias van *in crescendo* hacia el final por el efecto acumulativo, ampliándose así el radio de su trágica cotidianeidad.

Ahondando un poco más en la ecuación música + soledad, la secuencia revela que la música exige una entrega incondicional que de-

---

[22] Recordemos que antes de la diseminación del libro impreso y de que la lectura silenciosa de la letra impresa reemplazara el recitado y la lectura comunal, los tres géneros literarios —poesía, prosa y teatro— se actuaban, a menudo acompañados de algún tipo de música (Neubauer, 8). A partir de los trabajos de Wolfgang Iser y las teorías de la recepción, la teoría literaria más reciente reconoce el papel activo del lector y es moneda corriente el término *reader's performance* para significar «an act by which the text is actually constituted, not unlike the performative constitution of music» (Neubauer, 8).

[23] Apel aporta el dato de que el tema se toma a menudo de otro compositor. Por ejemplo, las variaciones de Beethoven sobre un tema de Diabelli o las de Brahms sobre un tema de Haendel op. 24, para piano solo con fuga (892). En este sentido, algunos relatos de *Solos* están montados sobre otros textos musicales: «Mago responsable...» sobre desgarrados boleros y tangos; «*On John's Blood...*» sobre las populares canciones de los Beatles; «*Nihil est...*» sobre la música evanescente de la leyenda de Bécquer. También puede darse el caso de que las variaciones no correspondan a un tema completo sino a un esquema parcial compuesto de varios compases.

viene en el fracaso amoroso, la impotencia, la sequía sexual. El «violinista, compositor, estudioso del sonido y director de la Filarmónica» (148) de «¿Varía la sensación...?» está obsesionado con la idea de tener la descendencia que tuvieron sus hermanos. Su pasión musical lo desequilibra: «Me encontraron medio congelado, inconsciente, con una mano aferrada al volante y la otra al violín» (147-148). Confiesa a su siquiatra su repudio a las mujeres y su necesidad de resarcirse del abandono de su amante Alma yendo a prostíbulos. El relato termina con la gran ironía de que Alma le deja un gato que «por las noches maúlla y se tira a todas las gatas del barrio» (162). Como ocurre en otros relatos, la entrega del músico, musicólogo o fabricante de instrumentos implica un acto de egoísmo. El violinista no entiende por qué su amante Alma es inversamente proporcional a la ley de Fechner, una ley acústica por la que «la sensación es proporcional a la excitación física que la provoca» (157). Está perplejo porque a mayor dedicación, menores son los resultados en su amante:

> ¿Le recriminaba que no quisiera hacer el amor más que una vez a la semana? Me recordaba que se levantaba todos los días a las seis [...] ¿Y sabe usted lo que me dijo cuando yo le propuse que dejara de trabajar y tuviéramos un hijo? [...] me dijo que lo que yo necesitaba era un gato y se fue a dormir al salón. Al día siguiente trajo a Micifuz. Y se canjeó por él (158).

A pesar de su silencio, el «tú» siempre amenaza con irrumpir con una contestación, tal como ocurre en la exposición de una fuga, composición que a veces se sirve de una voz auxiliar que luego desaparece. Pero no es un mero pretexto sobre el que se apoya la narración, sino la razón por la que surge y en función de la cual enuncia el «yo». El «tú» es el anclaje necesario que regenera nuestras vidas, a pesar de la horrible insignificancia de nuestras actuaciones individuales. El acto de contar la vida a otro ejemplifica la idea del egoísmo y la entrega de que los músicos y artistas hacen gala a lo largo de la colección. Como dice la novicia organista en *Nihil est*:

> No somos tan importantes para merecer la atención de ningún ser supremo, pero necesitamos pensar todo lo contrario. Eso alimenta nuestro ego, y aplaca nuestro pánico ancestral. La entrega a esa invención es el mayor de los engaños, y también el más grande egoísmo. La vida se regenera a sí misma constantemente, y nuestra grandiosa insignificancia forma parte de ella. *Dilige et quod vis fac*[24]: todo se resume a eso (180).

---

[24] Ama y haz lo que quieras.

El repertorio secuencial se extiende en este relato a patrones literarios que se repiten. El modo en que su antecesora, sor Engracia, se presenta en los sueños de la novicia puede leerse como un homenaje a «Maese Pérez, el organista» de Bécquer, que sirve de epígrafe al cuento de Santos: «El órgano estaba solo, y, no obstante, el órgano seguía sonando [...], sonando como sólo los arcángeles podrían imitarlo en sus raptos de místico alborozo» (163). El fantasma de Sor Engracia se le presenta a la novicia «levantándose de su tumba en el huerto, atravesando el claustro con paso firme y entrando en la iglesia decidida a volver a sentarse en su escaño frente al instrumento al que consagró gran parte de su vida» (165). Pero hay modulaciones (la música de Sor Engracia es horrísona y no angelical), además de un detalle imprevisto: «entre sus dedos sucios de tierra colgaba una remolacha, o alguna zanahoria de nuestra cosecha, o quizás una patata» (166). La graciosa modulación del tubérculo altera la secuencia intertextual de los organistas Maese Pérez —Sor Engracia— Sor Ángeles y deja el misterio de la música sin resolver. El velo de leyenda becqueriana se tiende sobre las inexplicables visiones de la novicia, la ensordecedora música de la organista muerta y los tubérculos que trasiega el espectro de Sor Engracia para rebajar la idea romántica, sublime y divina de la música, remitiéndola al penoso aprendizaje de una organista obligada a tocar un instrumento para el que no tiene el más mínimo talento musical. Temáticamente este cuento remata con una «coda» (adición brillante al período final de una pieza musical) que rompe con el patrón de la soledad del músico o del artista; tema «dominante» en que concluía invariablemente cada relato para garantizar la continuidad de la secuencia. La novicia termina su actuación con una larga cadencia narrativa que anuncia su unión con su profesor de música y el próximo nacimiento de su hija: «Giacomo y yo no volveremos a estar solos» (181). Desde la perspectiva gozosa de la ex-novicia, el cuento invita al lector a lanzar una mirada retrospectiva a toda la secuencia para reconsiderar el tema de la soledad como una cuestión de armonía[25].

Ligadas siempre al deseo de entrega y al egoísmo, las variaciones sobre un tema se construyen sobre una idea obsesiva que a menudo se traduce a relaciones amorosas «seriales» que, a pesar de su comicidad, reafirman la traición. Musicalmente, la «variación serial» con-

---

[25] El que el personaje se iniciara en cuestiones de armonía con *El Mesías,* de Haendel, que la deja «muda de fervor» (167), también hace pensar en la posible relación de la secuencia musical con la música seglar, complejo asunto que está lejos de ser resuelto. Al historiar la trayectoria histórica de la secuencia, Randel observa que en la música medieval ésta era un importante añadido a los cantos litúrgicos de la Iglesia. Se cantaba en misa tras el aleluya, con el que tampoco se sabe hasta qué punto estaba relacionada (739).

siste en modificaciones de un tema serial (o hilera de 12 tonos apro-
ximadamente) en donde los motivos y el acompañamiento manipu-
lan la hilera, pero la estructura del tema permanece invariable (Randel, 904). La cantante de boleros que actúa y regenta temporalmente
El Bohemia y sus espectáculos de variedades en «Mago responsable»
confiesa que fueron siete los hombres con que tenía planes de boda
y murieron «de forma traumática al volante de su coche» (20); de
ahí que ahora busque estabilidad personal y profesional respondiendo al anuncio de un mago que necesita compañera sentimental y
ayudante para su «chou» *(show)*. La protagonista de «Me llamo
Betty Grey» se casa serial y desapasionadamente con hombres de un
mismo oficio, *luthiers* o artesanos de instrumentos de cuerda; hasta
el amante que tiene, que se dedica a la fabricación de barnices para
maderas nobles, acaba incorporado al gremio que la mujer odia y
que se propone destruir desde dentro. La esposa del cantante latino
de «Aquí descansa mi Blasa», arrinconada por el *manager* artístico
de su marido, tiene una serie de amantes, si bien «no se llevaba a la
vulva más que cantantes» (122): barítonos italianos de zarzuela, vo-
calistas de rock and roll, cantantes de rancheras, madrigalistas franceses, cantoautores cubanos. La idea de las variaciones seriales se resume gráficamente en el cartelón que anuncia el espectáculo de los
tanguistas emigrantes en «Marcial y Graciela»: «*Marcial y Graciela,
tanguistas argentinos recién llegados de Buenos Aires, debutan en:*
En el espacio en blanco se escribía cada vez el nombre de un lugar
distinto» (65).

No obstante estas variaciones seriales, los personaje de *Solos* exhiben una decidida disposición al cambio. Marcial («Marcial y Graciela»), que aspira a ser bailaor de flamenco, se enamora de uno que lo
es de verdad, y cambia continuamente de actividad por necesidad y
por «amor al arte»: vagabundo, hombre-estatua, bailaor, restaurador
de casas, nutricionista, tanguista, para terminar de nuevo como vagabundo. El hispano de una pandilla de rateros en Brooklyn que se convierte en asesino por una estúpida valentonada *(«On John's Blood»)*,
fue antes seminarista y *streaper* latino en un antro de Nueva York. La
protagonista de «Me llamo Betty Grey» declara, a pesar de las adver-
sidades de fortuna que le devienen de sus múltiples matrimonios, «yo
he confiado siempre en mi poder para cambiar las cosas. Nada hay
inamovible» (95). La organista del último relato persiste en el mismo
empeño: «por primera vez sentía una desconocidas ganas de cambiar
las cosas. Traté de disiparlas imponiéndome ayuno y una hora extraordinaria de oración después de la Sexta, pero no conseguí nada. Acaso
pasar hambre, y echar de menos mis audiciones de música» (176).
Como si se tratase de un lento aprendizaje musical, las metamorfosis
de los personajes son graduales, a veces lentísimas, pero la voluntad
de forjarse otra vida a pesar del infortunio musical es una constante.

Las variaciones se ejecutan dentro de cada cuento como expansión vertical de los motivos (o tonos) de cada relato, en el entrecruzamiento constante entre el presente narrativo y el pasado retrospectivo, que se cierne sobre el narrador-protagonista en una tríada temporal invariable: un impulso al presente, un *flashback* y el resultado de su pasado en el presente. A su vez, hay elementos sorpresivos que, bien como notas de paso de la misma tonalidad o como notas agregadas —notas «extrañas o ajenas al acorde»—, introducen elementos burlescos y tragicómicos en la ejecución musical y literaria de cada relato. Pero hay una voz dominante, y por tanto superior, en el «presente» que corresponde con el tiempo en que se enuncia el discurso. Este presente conduce a un *flashback* o voz inferior para luego desembocar en la voz superior del ahora. Musicalmente hablando, la voz superior correría simultáneamente con la contestación o respuesta, que en estos relatos amenaza con irrumpir sin hacerlo nunca del todo y defiriendo con ello el momento de tensión hasta el próximo «número» o actuación[26].

La continuidad de los relatos se asegura también a través de elementos de enlace que conectan las historias sin que éstas pierdan sus contornos; estrategia bien conocida gracias a la producción cuentística de Gabriel García Márquez y otros. A título de ejemplo, en «Nadie puede imaginar» hay una referencia a un tal O'Gready *(gready,* homófono de *greedy,* «avariento»), personaje que reaparece en «Me llamo Betty Grey» en calidad de marido de la viuda protagonista. El tanguista de «Marcial y Graciela» busca trabajo leyendo los anuncios del periódico, donde se incluye la demanda que da título al primer relato: *Mago responsable busca señorita soltera para chou y matrimonio* (74). Estos puntos de contacto, que juegan con elementos fijos que aparecen en lugares inesperados, son un importante andamiaje que apuntala las variaciones en la obra vista como conjunto.

CONTRAPUNTO

El contrapunto (lat. *contrapunctus,* derivado de *punctus contra punctum,* «nota contra nota» [Apel, 208]) consiste básicamente en la combinación de dos o más líneas melódicas. Con su énfasis en los aspectos melódicos de la música, que son lineales u horizontales, en vez de los intervalos entre las líneas melódicas, que representan los elementos armónicos o verticales, la esencia de la percepción del contrapunto consiste en que las voces que se producen simultánea-

---

[26] Otros planos literarios, semánticos y temporales (como el contraste entonces-ahora), quizá sean más aptos para esta porción del análisis.

mente se perciben como distintas aunque sean inseparables: «Counterpoint is a feature of all music in which combinations of two or more simultaneously sounding pitches are regularly employed» (Randel, 205). Es prácticamente sinónimo de «polifonía» (Apel, 208) y ha distinguido la música occidental de todas las demás durante siglos[27].

El contrapunto se regula según la dirección que adopta: direcciones *opuestas* en las que una línea melódica sube y otra baja; movimientos *paralelos*, en las que cada línea melódica avanza en la misma dirección manteniendo el mismo intervalo; movimiento *oblicuo*, en el que una voz se mueve mientras otra permanece fija (Randel, 205). Algunas técnicas de contrapunto utilizadas en *Solos* se relacionan con la intertextualidad, pero también enlazan con las distintas direcciones que despliega el contrapunto musical. A título de ejemplo, el ex-seminarista que asesina a John Lennon cita constantemente pasajes de la Biblia, en un movimiento opuesto a sus reprehensibles acciones (asesinato, suicidio); la artista de variedades del primer relato inserta letras de canciones para apoyar, de forma paralela, la vida sosegada que se promete junto al Mago; la novicia que descubre que la música no es exclusiva de los dioses salpica su carta de cláusulas en latín, siguiendo el contrapunto una dirección oblicua. No obstante, conviene destacar que mientras la música carece de un contenido independiente de su forma, el lenguaje, que sí tiene un significado aparte del sonido, da más juego en estas estructuras por las posibilidades que ofrecen los sinónimos, los símiles, las metáforas, etc. Como contrapartida, el contrapunto musical produce las voces simultáneamente, mientras que la escritura exige presentarlas de modo secuencial.

Sin embargo, hay momentos en que la música en sí puede verse como contrapunto de la narración, en movimientos paralelos a dos «voces». Los solistas regresan a la música en momentos de profunda depresión: José García García (que adopta el nombre artístico de Marcial en «Marcial y Graciela») escucha a Concha Piquer cuando está deprimido sin que por ello se le pasen las penas; el asesino ficticio de John Lennon en *«On John's Blood...»* no puede dejar de escuchar las cintas de los Beatles en el magnetófono todo el tiempo y cuando se dispone a ahorcarse confiesa: «Incluso tengo decidido cuál de ellas quiero que suene mientras me anudo al cuello la soga [...]» (52).

Otras técnicas de contrapunto se relacionan con el habla idiosincrásica del narrador. La protagonista de «Me llamo Betty Grey...», de

---

[27] Desde un ángulo lingüístico, Graciela Reyes propone el término «polifonía textual» para la función representativa del discurso, por el cual entendemos que la literatura es cita de un discurso, enunciación imaginaria de seres virtuales que hablan y que escuchan, y susceptible de actualizarse de infinitas maneras.

origen extranjero, interviene en muchos de sus párrafos con expresiones metalingüísticas del tipo «¿cómo se dice...?» y los remata con un «¡qué gracia!»; un ejemplo claro de repetición con diferencias[28]. El remate lúdico es un recurso que crea un tono ascendente, eufórico, que contrasta a modo de contrapunto con sus calculadas maniobras por recuperar la fortuna que le usurpó su primer marido en el testamento. La repetición poética ayuda al lector de estos cuentos a desarrollar una tolerancia hacia este recurso, impulsándole a buscar patrones formales según avanza en la lectura. Las más de las veces, la música, lejos de proclamarse sublime o divina, aparece ligada a los *blues:* la soledad, la falta de ambición, la insignificancia, el fracaso sentimental, la depresión y la muerte[29].

CONCLUSIONES

Como composición, *Solos* es una ambiciosa simbiosis de formas literarias y formas musicales que tiene corolarios prácticos que afectan la posición del lector ante la obra. Utiliza elementos caracterizadores del lenguaje musical sin que surja un género único, fácilmente identificable de esta secuencia de cuentos, como el *divertimento,* la *fantasía* o la *improvisación.* No obstante, la secuencia músico-literaria debe percibirse como un impulso que se puede rastrear en algunos elementos compositivos y que potencian la respuesta del lector al solapar la secuencia musical a la narratológica. Como resultado, cada relato depara un doble placer: el que propociona el cuento individual y el que surge de su conjunto, aumentado por el deleite que aporta la secuencia musical.

Las variaciones temáticas continúan siendo elusivas debido a la diversidad de tipologías musicales y a la flexibilidad con que se aplica el término. Los compositores han explorado diversas formas de organizar la estructura acumulativa de las variaciones musicales de modo que constituyan un todo coherente. En el plano narratológico, Care Santos ha dado con una fórmula musical que se aplica al cuento y que, a pesar del tema depresivo, le permite variaciones humorísticas que rescatan la secuencia de una trayectoria abocada a la fatalidad.

---

[28] En su búsqueda de la expresión adecuada pregunta: «¿Cuál es la palabra?», «¿Cómo se dice?», «¿Cuál era el término?», «¿Cuál es la palabra más adecuada?», «Se dice así, ¿verdad?», «¿Cómo es la expresión?», etc. Los remates también son modulaciones de una misma idea: «Qué gracia, ¿no le parece?», «Qué gracia, ¿no?», «Qué gracioso», «¿No le encuentra gracioso?», etc.
[29] La portada del libro, con la imagen de un saxofonista solo que depone su instrumento para meditar sobre un fondo azul, consigna editorialmente esta pauta musical del texto.

Las historias de artistas fracasados, siempre escritas en «tono» menor, remiten a ciertos estados de ánimo de tristeza, pero ciertamente tampoco hay razón para que una misma música de tono menor, sean los *Preludios* de Chopin o una canción de *blues,* sugiera en el receptor otro tipo de asociaciones debido a la polivalencia del signo musical (cfr. Valdés, 102). Así, para algunos lectores el efecto de *Solos* puede acercarse más al de un *divertimento* que a un *blues*[30]. No en vano se ha descrito la música como un «lenguaje de las emociones» (Scruton, 171). *Solos* invita al lector a que se ponga en el lugar del destinatario explícito de cada cuento, instándole a que «responda» a cada historia emotivamente. Los cuentos, diseñados como números para enternecer, indignarse, hacer reír o conmiserar, pero siempre para provocar, operan como catalítico de un amplio espectro de emociones en el lector. El aspecto representativo de la interlocución encauza la lectura. Como pareja en un baile, el lector debe responder al movimiento del otro; prestar atención a sus gestos, darles un sentido y corresponderlos con un gesto propio. Las repeticiones seriales y las variaciones humorísticas contribuyen a que las actuaciones individuales, así como la impresión final de la secuencia, no sean de fracaso. Este triunfo del efecto acumulativo lo asignamos al texto, pues *Solos* debe más a la superación de los límites genéricos del cuento mediante formas imaginativas de expresión que a los logros artísticos de los protagonistas; perdedores que batallan con sus limitaciones y con traiciones ajenas, y a los que acaba venciendo la música.

OBRAS CITADAS

ALDERMAN, Timothy C. (1982), *The Integrated Short Story Collection as a Genre,* Ph. D. dissertation, Purdue University.
APEL, Willi (ed.) (1972), *Harvard Dictionary of Music,* 2.ª ed., Cambridge, Harvard University Press.
— «The Assassination of John Lennon», http://www.john-lennon.com/theassasinationofjl.htm
BARRICELLI, Jean-Pierre (1988), *Melopoiesis. Approaches to the Study of Literature and Music,* con prólogo de Calvin S. Brown, Nueva York y Londres, New York University Press.
BASANTA, Ángel, «Todos los cuentos son exorcismos personales», *El Cultural,* 5-VII-2000.
BASILIUS, H. A. (1944), «Thomas Mann's Use of Musical Structure and Techniques in *Tonio Kröger»*, *Germanic Review,* 19, págs. 284-308.

---

[30] El cuento del cantante latino, «Aquí descansa mi Blasa...», por ejemplo, le parece a Javier Goñi en su reseña en *Babelia,* «una historia desternillante», http://www.caresantos.com/solos.htm

Brown, Calvin S. (1948), *Music and Literature. A Comparison of the Arts,* Athens, University of Georgia Press.

Brown, Marshall (1992), «Origins of Modernism: Musical Structures and Narrative Forms», en Steven Paul Scher (ed.), *Music and Text: Critical Inquiries,* Cambridge/Nueva York/Port Chester/Melbourne/Sydney, Cambridge University Press, págs. 75-92.

Freedman, William (1978), *Laurence Sterne and the Origins of the Musical Novel,* Athens, University of Georgia Press.

Goñi, Javier, «Las músicas del diablo», *El País. Babelia,* 17-VI-2000.

Huxley, Aldous (1928), *Point Counter Point,* Nueva York, Modern Library Doubleday Doran.

Ingram, Forrest L. (1979), «The Dynamics of Short Story Cycles», *Northwest Ohio Quarterly,* 2, págs. 7-12.

— (1971), *Representative Short Story Cycles of the Twentieth Century. Studies in a Literary Genre,* The Hague, Mouton.

Kennedy, J. Gerald (1988), «Toward a Poetics of the Short Story Cycles», *Journal of the Short Story in English,* 11, págs. 9-25 (Introducción de un número especial).

Lemmon, Dallas Marion, Jr. (1970), *The Rovelle, or the Novel of Interrelated Stories: M. Lermontov, G. Keller, S. Anderson,* Ph. D. dissertation, Indiana University.

Luscher, Robert M. (1989), «The Short Story Sequence: An Open Book», en *Short Story Theory at a Crossroads,* Susan Lohafer y Jo Ellyn Clarey (eds.), Baton Rouge y Londres, Louisiana State University Press, págs. 148-170.

Mann, Susan Garland (1989), *The Short Story Cycle: A Genre Companion and Reference Guide,* Nueva York, Greenwood Press.

Martín Gaite, Carmen (1992), *Nubosidad variable,* Barcelona, Anagrama.

— (1973), *La búsqueda de interlocutor y otras búsquedas,* Madrid, Nostromo.

Moix, Ana María (1995), «Redacción», en *Ese chico pelirrojo a quien veo cada día,* Barcelona, Lumen, 2.ª ed., págs. 19-30.

Morillo, J., «Care Santos, escritora», *ABC,* 20-X-2003, pág. 55.

Neubauer, John (1992), «Music and Literature: The Institutional Dimensions», en Steven Paul Scher (ed.), *Music and Text. Critical Inquiries,* Cambridge/Nueva York/Port Chester/Melbourne/Sydney, Cambridge University Press, págs. 3-20.

Randel, Don Michael (ed.) (1986), *The New Harvard Dictionary of Music,* Nueva York, Harvard University Press.

Reyes, Graciela (1984), *Polifonía textual. La citación en el relato literario,* Madrid, Gredos.

Rueda, Ana (1995), «Carmen Martín Gaite: Nudos de interlocución ginergética», en *Literatura Española Actual/Novela,* Kassel, Editorial K. & R. Reichenberger, págs. 303-343.

— (1992), *Relatos desde el vacío. Un nuevo espacio crítico para el cuento actual,* Madrid, Orígenes.

Santamaría, Juan Carlos (2003), «La fidelidad literaria se me da mal», revista virtual http://www.pombo.webcindario.com, septiembre, incluida en página web de Care Santos.

SANTOS, Care (1993), «Cien años de music-hall en Barcelona», *Historia y Vida,* 298, págs. 118-124.
— (1999), *Ciertos testimonios,* Caracas, Venezuela, Memorias de Altagracia.
— (1995), *Cuentos cítricos,* Madrid, Ediciones Libertarias.
— (1996), *Intemperie,* Alcalá de Henares, Madrid, Fundación Colegio del Rey.
— (2004), *Matar al padre,* Sevilla, Algaida.
— «Página Web de Care Santos», http://www.caresantos.com
— (2000), *Solos,* Valencia, Pre-Textos.
— (1997), *El tango del perdedor,* Barcelona, Alba.
— (1995), «Tórtola Valencia: creadora de su propia leyenda», *Historia y Vida,* 333, págs. 6-20.
SCRUTON, Roger (1997), *The Aesthetics of Music,* Oxford, Oxford University Press.
SILVERMAN, Raymond Joel (1970), *The Short Story Composite: Forms, Functions, and Applications,* Ph. D. dissertation, University of Michigan.
SUMMERS, Hollis (ed.) (1963), *Discussions of the Short Story,* Boston, Heath.
— «Two Marks», http://www.crimelibrary.com/terrorist/spies/assassins/chapman/2.html?sect=24
ULLA, Noemí (1998), «La música y la plástica en la literatura de Silvina Ocampo», en *Segundas Jornadas Internacionales de Literatura Argentina,* Buenos Aires, Universidad de Buenos Aires, Facultad de Filosofía y Letras.
VALDÉS, Enrique (2002), «Recursos musicales en la escritura de Felisberto Hernández», *Alpha: Revista del Área de Filosofía y Letras,* 18, págs. 91-107.
VOLEK, Emil (1969), «Análisis del sistema de estructuras musicales e interpretación de *El acoso* de Alejo Carpentier», *Philologica Pragensia,* 12, págs. 1-14.
WELLEK, René y WARREN, Austin (1949), *Theory of Literature,* Nueva York, Hartcourt, Brace & Co.
WHITE, Hayden (1992), «*Commentary:* Form, Reference, and Ideology in Musical Discourse», en Steven Paul Scher (ed.), *Music and Text: Critical Inquiries,* Cambridge/Nueva York/Port Chester/Melbourne/Sydney, Cambridge University Press, págs. 288-319.

Capítulo XV

Espido Freire:
(Re)Lectura y (Sub)Versión de los cuentos de hadas

Concha Alborg
Saint Joseph's University

La presencia y revisión de los cuentos de hadas en la literatura española contemporánea no es una manifestación nueva. En particular se ha estudiado este tema en la narrativa escrita por mujeres. Valga como ejemplo el exhaustivo estudio de María Elena Soliño, *Women and Children First: Spanish Women Writers and the Fairy Tale Tradition,* donde se analiza la obra de Carmen Martín Gaite, Ana María Matute, Esther Tusquets y Ana María Moix como representantes de escritoras que han reescrito los cuentos de hadas tradicionales, reinventando nuevas posibilidades, rompiendo moldes para las protagonistas de «Érase una vez» que ya no se contentan con el beso de un príncipe ni un final feliz ejemplificado por el matrimonio. En las palabras de Soliño: «Spanish women authors are actively engaged in unmaking the magic spells of fairy tales, often by distorting its pre-established forms» (267). De acuerdo con esta crítica, las escritoras mencionadas, al cuestionar la función de los cuentos de hadas, desmitifican elementos de la cultura española desde la década de los años 50 a la de los 90 (268). Mi intención en este estudio es examinar cómo Espido Freire continúa, con su propio estilo, esta tradición desmitificadora en varias de sus obras que la lleva, definitivamente, al umbral del siglo XXI[1].

---

[1] A pesar de su título, «Espido Freire: una nueva visión de los cuentos de hadas», el artículo de Paula López Jiménez no desarrolla este tema, sino que lo sugiere en su conclusión. Su estudio es útil, sin embargo, para un sumario de los personajes, nombres, espacios y tiempos que las novelas de la autora tienen en común.

Espido Freire (la autora no se identifica con su nombre de pila, Laura) nació en Bilbao en 1974, es licenciada en Filología Inglesa por la Universidad de Deusto y ha trabajado además como traductora literaria. Hasta la fecha tiene publicadas ya cinco novelas, dos colecciones de cuentos, tres libros de ensayos, un poemario, una novela juvenil y colabora asiduamente en revistas y periódicos. Sus novelas, en particular *Melocotones helados* (1999), puesto que ganó el Premio Planeta, y *Diabulus in musica* (2001), que refleja sus propios conocimientos musicales, han sido las más estudiadas. Su última novela, *Nos espera la noche* (2003) representa la segunda parte de una trilogía que comenzó con *Donde siempre es octubre* (1999). Para este análisis nos centraremos especialmente en su ensayo *Primer amor* (2000) donde Espido Freire hace un estudio de tipo sociológico y expone sus teorías sobre los cuentos de hadas y su representación en la cultura española contemporánea —llevadas a la práctica anteriormente en *Irlanda* (1998), su primera novela— y terminaremos con su última colección de cuentos, *Cuentos malvados* (2001).

En este punto conviene repasar algunas de las teorías literarias más significativas sobre los cuentos de hadas tradicionales. En 1976 Bruno Bettelheim, el insigne psicólogo americano, publicó *The Uses of Enchantment. The Meaning and Importance of Fairy Tales,* un estudio fundamental. Bajo un punto de vista que respeta el paradigma freudiano, arguye que los niños encuentran significado en sus vidas a través de la lectura y comprensión de los cuentos de hadas. Consecuentemente, aprenden que el peligro y las dificultades en la vida son una parte intrínseca de la experiencia humana, pero si ellos aceptan todos los obstáculos y perseveran, al final saldrán victoriosos (8). A la vez que los cuentos entretienen al niño, le elucidan aspectos de la personalidad en diferentes niveles de su desarrollo (12). La asociación del niño o la niña con los héroes ficticios, les proporciona modelos a los que pueden recurrir en diferentes edades. El papel de los padres es dejar que sus hijos interpreten los cuentos por sí mismos para que ellos puedan disfrutar de ese «encanto» prometido en el título de su libro (18). En los Estados Unidos ganó varios premios y, a pesar de que se le acusó a Bettelheim de haber plagiado varias partes de su estudio, este libro ha sido uno de los mayores éxitos editoriales del siglo xx. La traducción española, por ejemplo, con el explícito título de *Psicoanálisis de los cuentos de hadas. La extraordinaria importancia de los cuentos de hadas para la formación moral e intelectual de los niños,* en 1984 ya iba por la séptima edición (Soliño, 31)[2].

---

[2] La misma Carmen Martín Gaite, gran admiradora del género, tradujo del inglés una edición de los cuentos de Perrault con una introducción de Bruno Bettelheim.

La recepción de la crítica literaria anglosajona a las opiniones de Bettelheim ha sido marcadamente diferente, en particular en lo que se refiere a una interpretación feminista. Se ha establecido que para un joven lector masculino los modelos en esos textos tradicionales podrían ser admirables —aunque es difícil ver cómo se relaciona un niño contemporáneo a un príncipe medieval— pero para las niñas los modelos femeninos dejan mucho que desear ya que sirven para enraizar los valores patriarcales de las sociedades europeas y, posteriormente, americanas. Karen E. Rowe confirma que la romantización del matrimonio y la caracterización de las jóvenes protagonistas soñando y esperando los efectos de la encantación, tienen mucho que ver con la popularidad de los cuentos de hadas. Pero para las niñas la lectura de estos textos crea unos modelos subordinados al padre y al príncipe que reducen su espacio al hogar. Al nivel subconsciente, continúa Rowe:

> women may transfer from fairy tales into real life cultural norms which exalt passivity, dependency, and self-sacrifice as females cardinal virtues. In short, fairy tales perpetuate the patriarchal *status quo* by making female subordination seem a romantically desirable, indeed an inescapable fate (209).

Y no sólo se consagra a los protagonistas masculinos, sino que la ausencia de figuras maternales positivas a la par de una profusión de madrastras y de hadas madrinas malvadas confirman la estereotípica desavenencia entre las mujeres y los conflictos con la madre de las adolescentes. Además estas figuras femeninas corroboran la idea de que las mujeres fuertes y seguras de sí mismas, son malignas (al revés que los hombres en quienes se aprecian los mismos atributos). Hay que ser sumisa, hogareña y mártir para conseguir al preciado príncipe de los textos o al «chollo» que diría Espido Freire. Marcia Lieberman indica que, a pesar de las numerosas bodas en que finalizan los cuentos, hay muy poca vida de casados, confirmándoles a las jóvenes cúal es el día más feliz de su vida (198).

Jack Zipes es uno de los críticos que más ha escrito sobre el conflicto entre los cuentos de hadas y el efecto que tienen en el desarrollo infantil. Para él no se trata solamente de que las figuras femeninas sean estereotipos negativos, sino que la rigidez de los patrones masculinos también limita el desarrollo de los hombres (5). En la introducción a su libro, *Don't Bet on the Prince,* los cuentos tradicionales salen muy mal parados cuando se resumen sus características generales: 1) Los personajes femeninos son chicas pobres o princesas que acabarán bien si demuestran pasividad, obediencia y sumisión. 2) Las madrastras son siempre malvadas. 3) Las amas de casa son las mujeres más cotizadas. 4) La belleza es el mayor atributo para las mujeres. 5) Los personajes masculinos deben ser agresivos y astutos. 6) El dinero y la propiedad material son los fines más importantes en la vida. 7) La magia y los milagros son los medios para solucionar los problemas sociales. 8) Los cuentos de hadas son implícitamente racistas porque a menudo igualan el color blanco con la belleza y la virtud y el negro con la fealdad (6).

Zipes sugiere algunas posibilidades que los autores de cuentos de hadas contemporáneos pueden utilizar para cambiar las tradiciones anticuadas con versiones feministas: se pueden invertir los papeles, creando el paradigma de una sociedad matriarcal (aunque no por esto sea racista o sexista); se puede reformar la estructura al cambiar el argumento, por ejemplo; es posible cambiar la magia por la inteligencia o las buenas obras; se deben reorganizar los papeles de los géneros con más protagonistas femeninas y más mujeres liberadas, transformadas y que en algunos casos no se casen; se puede usar el humor para establecer algunos de estos cambios; los cuentos podrían ser menos violentos si el poder se usara para crear paz y comprensión entre la gente, en lugar de guerras y destrucción; y, finalmente, se podrían subvertir los desenlaces de los cuentos tradicionales si las historias no terminaran con el matrimonio (11-26).

No es difícil saber lo que Espido Freire opina sobre los cuentos de hadas tradicionales, puesto que los desmitifica desde el momento en que estructura partes de su ensayo, *Primer amor,* con títulos tan irónicos como: «La Bella Durmiente: príncipe azul soltero busca», «El porquerizo: la niña pija», «Rapunzel: la mosquita muerta», «La Cenicienta: nos vamos de caza», «El Gato con Botas: el amigo del alma», «La Sirenita: el sufrimiento sin recompensa», «La princesa y la sal: amar a papá», «Peter Pan: el niño mimado», «Barba Azul: la maté porque era mía», «Rampelstinkin: las amistades peligrosas», «La ratita presumida: un buen hombre que te mantenga», «La princesa del guisante: la chica-florero», «Alí Babá y los cuarenta ladrones: la secretaria», «Las mil y una noches: casarse con una bruja» etc. De hecho el uso del humor es la característica más marcada de este libro, más insólito todavía si se tiene en cuenta la absoluta sobriedad de sus novelas. En estas páginas la soltura y la frescura de su expresión es un rasgo predominante[3].

Decidiremos más tarde si la narrativa de la escritora sigue las normas feministas propuestas por Jack Zipes anteriormente. Puesto que *Primer amor* es un ensayo, lo que nos concierne son sus conceptos. Espido Freire está muy familiarizada con la terminología de la crítica literaria feminista y, por lo tanto, su acercamiento lo es y con

---

[3] La última parte de este libro consta de un útil resumen del argumento de cada cuento mencionado.

creces[4]. Además queda claro, a juzgar por la bibliografía del libro, que tiene harto conocimiento del cuento de hadas como género literario. Empecemos por su definición dictada por las reglas canónicas:

> Por lo general, el cuento comienza con el protagonista en desgracia o una situación injusta [...] Luego se entabla un duelo con el adversario [...] Aparecen príncipes y princesas, aunque muy pocas historias de amor verdadero. Aparecen madrastras y brujas, pero muy pocas veces se nos revelan las razones de su maldad.
>
> A diferencia del mito, el cuento no basa su interés en la acción ni en el desarrollo intelectual[5]. A diferencia de la saga, el tiempo no existe, y no se inspira en hechos históricos. Es irracional, sentimental, sobrenatural, mágico. Con final feliz. La muerte carece de importancia, y si el héroe muere, en cualquier momento puede regresar a la vida.
>
> Otra característica asumida de los cuentos de hadas tal y como los entendemos hoy en día es que aunque no tienen que aparecer directamente hadas, elfos ni gnomos, deben incluir un hechizo, enfrentamiento o elemento sobrenatural claramente fantástico.
>
> En los cuentos de hadas prima la acción sobre los personajes, y [...] Se abren y cierran con fórmulas mágicas (18-19).

En la introducción del libro Espido Freire presenta su biografía amorosa bajo estos términos míticos, desmitificándolos a la misma vez. A pesar de su tierna edad, asegura que se hartó «de esperar caballeros de plateadas armaduras» y que su primer novio: «me abandonó por una rubia fatal: mi mejor amiga, y, por añadidura, mi vecina de enfrente». Esto la marcó ya para siempre: «de las rubias no había que fiarse». Claro que cuando el novio en cuestión acabó dejando a la amiga también, su reacción cambia: «de los hombres tam-

---

[4] En una entrevista con Marta Martín Gil, Espido Freire afirma, por ejemplo, que una de las diferencias entre la literatura escrita por hombres que por mujeres es «el concepto de la mujer como sujeto, y no como objeto» que «ha provocado un cambio en el punto de vista» (1). El último ensayo publicado por Espido Freire, *Querida Jane, querida Charlotte* (2004) trata sobre las escritoras inglesas, las hermanas Brontë y Jane Austen. Ana María Matute es otra escritora que también ha experimentado con los cuentos de hadas. En este caso ella desdeña las versiones feministas: «Entre los psiquiatras y los *políticamente correctos* han talado la imaginación. Se la han robado a los niños, los están estropeando», nos dice en un artículo de Ruiz Casanova (3).

[5] Es de notar que Jack Zipes también estudia la relación y diferencias entre el cuento de hadas y el mito en su libro *Fairy Tale as Myth. Myth as Fairy Tale*, concluyendo que los cuentos de hadas clásicos (o sea los canónicos, como los ya mencionados en el libro de Espido Freire que son eternos y similares en las culturas occidentales) son mitos que han pasado por un proceso de mitificación (5). Dos de las novelas de Espido Freire, en particular *Donde siempre es octubre* y la más reciente *Nos espera la noche*, se prestan a un estudio en términos míticos.

poco había que fiarse» (15). Según ella ha ilustrado su ensayo con los cuentos infantiles porque son un puente «entre la realidad y la imaginación», son «espejos de sabiduría» (16). Otro aspecto de interés en el libro son los comentarios implícitos sobre la sociedad española, sobre todo porque se considera que, normalmente, los cuentos de hadas son un reflejo de los tiempos históricos y las sociedades en que se han producido.

Se puede analizar *Primer amor,* por lo tanto, como una versión contemporánea de *Usos amorosos de la postguerra española* por Carmen Martín Gaite. Veamos, pues, cómo han cambiado las costumbres en la época de la democracia. De acuerdo con Espido Freire, el cambio de los papeles tradicionales entre hombres y mujeres causa un sentido de desorientación, particularmente en ellos:

> las chicas desean que se las corteje, pero se ofenden si se comportan como machos tradicionales. Rechazan algunas muestras de cortesía, pero adoran ser tratadas como princesitas. Reclaman su independencia, pero a partir de cierta edad parecen morirse por una relación estable y unos hijos. No soportan a los machistas, pero acaban siempre con los canallas mayores del reino (26-27).

«La chica topolino» de la posguerra se ha convertido en «la niña pija» durante la democracia. Como su antecesora es «la princesa más rica, más bella, la más vistosa» (34). Las dos son las modernas, las que están a la última en todo, pero a la hora de la verdad, o sea de conseguir un marido, ninguna de las dos tiene éxito. Ya lo dijo Martín Gaite:

> la chica topolino, no solamente era desaconsejada porque contradecía la esencia de la «mujer muy mujer», sino por otra razón muy práctica y convincente [...] todo el mundo lo sabía, sus métodos no eran los eficaces para atraer a un hombre verdaderamente varonil ni para hacer su felicidad (87).

Y lo corrobora Espido Freire:

> una vez que se ha logrado salir con la chica elegida, la guapa, la pija, el objeto de tantos desvelos, la cosa no suele continuar adelante [...] La obsesión no había nacido del amor, sino del orgullo, y suele ser un mal modo de iniciar un romance verdadero (36).

Los modelos a seguir han cambiado también; de Carmencita Franco, el ideal de las jóvenes de la Falange, se ha pasado a la princesa de Gales, una personificación irónica de *La Bella Durmiente,* «una chica despertada por un príncipe auténtico, y cuya vida, brillante y breve, transcurrió entre palacios y suegras hostiles» (31).

Las madres, a su vez, están en trance de transformarse. De lo que Martín Gaite ha llamado «este mito de "la mater dolorosa"» (108), «la madre como jerarquía superior y ejemplar» (107), se ha pasado a una valoración de lo maternal y una nueva visión de la familia. Según Espido Freire:

> Se han reivindicado con fuerza los valores femeninos, la ternura, la comprensión. Por primera vez se escuchan voces que defienden que la inteligencia se transmite, genéticamente, por vía materna. Se cuestionan características masculinas, como la rigidez o la reserva emocional. Proliferan las mujeres que deciden llevar una familia en solitario, que afrontan los papeles de padre, madre, sostén económico y tantos otros sin que sea una vergüenza (94).

Al mismo tiempo, si el tema de la sexualidad era tabú para Carmen Martín Gaite, no es así para Espido Freire que discute abiertamente los mitos sobre los orgasmos vaginales y clitorianos o la menopausia (78) y lamenta la superioridad que se le otorga al hombre: «Nunca ha sido lo mismo algo *cojonudo* que un *coñazo*» (77). Las ideas de Espido Freire al tratar de éste y muchos otros temas son claramente feministas y distan mucho de los recatados comentarios de Carmen Martín Gaite[6]. Por ejemplo, sobre la sexualidad de la mujer mayor afirma: «La edad mejora la recepción sexual de la mujer: tras un parto, más sangre afluye a la vagina, con lo que el placer se consigue más fácil e intensamente. La mujer conoce mejor su cuerpo y sus recursos, y por lo tanto, su conciencia corporal aumenta» (78).

Pese al tono jocoso mencionado anteriormente, hay otros temas contemporáneos serios de particular interés para las lectoras femeninas que Espido Freire denuncia o destaca en *Primer amor:* las mujeres maltratadas, física y mentalmente (126); la violación (128); el abuso a menores (118); el lesbianismo (173); el incesto (114); la bulimia (49)[7]. Entre los muchos juegos lingüísticos que hace con los cuentos de hadas y sus personajes, siempre se revela una actitud de defensa hacia la mujer. En realidad se vale de los personajes ficticios para darnos su opinión. A menudo los dos van de la mano. La Sirenita, por ejemplo, comete el error de «cambiar su hermosa voz por un par de piernas, es decir, dar por sentado que nadie jamás la que-

---

[6] En otro artículo traté de la auto-censura (puesto que se publicó en 1987) que Martín Gaite ejerció sobre la sexualidad en sus obras. Véase «A Never-Ending Autobiography: The Fiction of Carmen Martín Gaite».

[7] Espido Freire ha escrito un extenso ensayo sobre el tema de la bulimia, *Cuando comer es un infierno. Confesiones de una bulímica.* Aunque ella sufrió esa enfermedad, el libro se basa en el testimonio de cuatro mujeres y no el suyo directamente.

rría tal y como era» (106) y Rapunzel tiene que espabilarse si quiere conocer a un hombre sexy: «Esas cosas no ocurren mientras una borda en el castillo. A Rapunzel puede rescatarla un buen chico, pero a los chicos malos hay que buscarlos» (72).

Espido Freire escribió un ensayo, con referencias explícitas al mundo de las hadas, «Ser o no ser guapa. La vida frente al espejo,» para el libro colectivo de Laura Freixas, *Ser mujer*. Pero en esta ocasión su tono es menos mordaz, es poético, realmente, y ella no se esconde de tal manera. «¿Qué ocurre cuando el sueño se cumple?» Nos dice,

> ¿Cuándo al fin, he decidido que soy guapa, que la suma de esos rasgos heredados, esas mujeres de cabellos larguísimos y rostros virginales que me conforman me satisface? El hechizo se rompe, pero no instantáneamente, no con la ruptura de un zapatito de cristal, sino más bien, como la lenta muda de pluma de un pato transformándose en cisne (142).

Identificarse con su abuela y las mujeres de su familia que tenían el pelo largo como ella, es también un rasgo feminista, lo que la crítica anglosajona ha llamado «matrilineage» o el linaje matriarcal[8].

Centrémonos ahora en su primera novela, *Irlanda*, donde la desmitificación de los cuentos de hadas llega a una verdadera transformación del género. A diferencia de los textos infantiles, el libro está narrado en primera persona por Natalia, la protagonista, cuyo nombre no aparece en el título que es lo típico con las heroínas tradicionales[9]. Irlanda es el nombre de la joven antagonista, su prima, en una encarnación de la malvada hermanastra de Cenicienta, presentada vestida en ropa vieja, con el pelo empolvado, limpiando el salón (52). El mundo mágico de las hadas se transforma en un ambiente de terror desde el comienzo de la novela, ya que Sagrario, la hermanita recientemente fallecida, se le aparece a Natalia por las noches.

---

[8] Mirarse en el espejo, con sus consabidas resonancias a *Blancanieves*, es un motivo en *Diabulus in musica*, una de sus novelas más logradas. Situada en Bilbao y Londres, la protagonista, un trasunto de la autora, se observa en el espejo repetidamente (21, 37, 45, 104, 118, 147, 168, 181). A pesar de las referencias realistas del texto, el mundo mágico de las transformaciones, los dobles y las apariciones, lo harían propicio también para ser incluido en este análisis que por razones de espacio se queda para otra ocasión.

[9] Es de notar que, de acuerdo con Maria Tatar, casi todos los héroes masculinos en los cuentos de hadas, pese a la supremacía de su carácter sobre los femeninos, carecen de nombres memorables (se les identifica por sus papeles: el príncipe, el molinero, el leñador o por su parentesco: el mayor, el menor), mientras que los nombres femeninos son los titulares y los más reconocidos: Rapunzel, Caperucita Roja. O sea que en este aspecto que le da la hegemonía a la mujer, Espido Freire sí que continúa la tradición.

Como las princesas que son exiliadas del reino, por orden de su madre, Natalia se tiene que marchar a pasar el verano en la vieja casa familiar descrita en perfectos términos míticos:

> Existía una casa en medio del campo, rodeada de flores, de agua, de árboles oscuros, y de niños que corrían, y una abuela con collares de amatista y camafeos de coral, y un abuelo con bastón de plata. Una casita de cuento donde las niñas que crecían se vestían de largo y aumentaban sus gargantillas con una perla cada año. Y organizaban bailes en los que se deslizaban sobre el suelo de mármol con sus vestidos crujientes y entre abanicos de plumas (21).

Se identifican muchos de los elementos característicos del cuento: la princesa (Sagrario) dormida en un ataúd (15), el bosque encantado (89), la repetición siete veces del nombre (23), la muerte inexplicable de las nietas de la familia (27), las historias de Hibernia la bella y un libertino que seducía a las niñas (28), las manzanas rojas que les roba Irlanda a sus primas (31), la torre y el pozo de la casa, el baile del colegio donde las niñas ricas se visten de largo (53), el arcón lleno de secretos, de velos de novia y de espadas (75 y 81), los espíritus solitarios (90), las supersticiones (105), etc. Uno de los elementos más destacados es la belleza de Irlanda que «era magnífica y esbelta. Nunca parecimos primas» (37), «con su sonrisa de ángel» (56), «Espigada como un junco, gentil, perfecta» (108) sobre todo al compararla con Natalia en su papel innegable de Cenicienta: «me imaginé descendiendo de una carroza con un vestido vaporoso y con un corsé inverosímil. La fuente del jardín gorgoteaba con agua de violetas, y bajo la luna el palacio relucía cubierto de escamas de plata. Y allí me esperaba el príncipe» (93-94)[10].

Las transformaciones también son características de los cuentos de hadas. De acuerdo con el arquetipo, Cenicienta, o aquí Natalia, debería convertirse en princesa, pero no nos extraña que no sea así. Se transforma en una bruja perfecta: mata el gato de Irlanda, decora la fiesta con flores venenosas, se descubre que ella había ahogado a su hermanita enferma con la almohada y finalmente mata a Irlanda también, empujándola de la torre. La hermanastra, o la prima Irlanda en este caso, se convertirá en la próxima encarnación de Hibernia la bella (Hibernia es el nombre latino de Irlanda) y, aunque esté destinada, no va a correr por los campos de noche en búsqueda de su

---

[10] Hay otro gran contraste entre los aspectos míticos y la irrupción del mundo moderno en la narración que contribuye a la desmitificación: la presencia de la televisión, las botellas de oxígeno, los tres gramos de cocaína en el bolsillo, el tráfico, el mecano.

joven enamorado, como le correspondía a un espectro canónico porque «jamás se hubiera dejado ver en ninguna parte con el aspecto con que la muerte la había dejado» (185). Gabriel, el supuesto príncipe deseado por las dos primas, resulta ser un verdadero ángel caído y se suicida, igual que había hecho su padre[11]. La ironía y el cambio de sentido del desenlace no está en que no haya un final feliz a lo cuento de hadas, o sea una cena con perdices entre Gabriel y Natalia, que los lectores de Espido Freire ya no podrían esperar, sino en que la felicidad se manifieste con la completa sangre fría de Natalia, a quien no se la descubre y vuelve tan tranquila al colegio. Espido Freire ya nos lo había advertido en *Primer amor*, «la moral de los cuentos es un tanto retorcida» y «las historias de hadas [...] casi nunca son amables y jamás sentimentales» (64).

A pesar del nivel de experimentación y transformación del cuento de hadas al que llega Espido Freire, una novela como *Irlanda* no sería totalmente una versión feminista. De acuerdo con el criterio de Jack Zipes, esta obra sí se basa en la auto-definición de una protagonista joven, y también es verdad que experimenta con la estructura, los motivos y los personajes, pero no es cierto que los personajes femeninos repudien la violencia, la venganza, la competición entre ellas y el poder, ni son capaces de un cambio los masculinos tampoco. Aunque se cuestionan los valores de una sociedad patriarcal, no se hace a través de una perspectiva femenina admirable ni se enfatiza la solidaridad entre mujeres (32-33). La intención de Espido Freire parece ser desmitificar el género de los cuentos en el sentido literario y no en el del sexo de sus personajes o de sus lectores.

Un somero análisis de sus *Cuentos malvados* sirve para ilustrar el propósito subversivo de su narrativa. Estos micro-relatos —no hay ninguno de los casi cien que contiene el libro que supere las ocho líneas— ya en su extensión van contra las normas. «Siempre me ha interesado subvertir el orden» nos dice la escritora en su página web[12]. Por lo tanto, en estos cuentos hay una inversión total de lo esperado; son lo opuesto de los cuentos de hadas tradicionales. No hay finales ni principios felices; hay ahogados, ángeles frustrados, incomprendidos y feos, hay arañas y mariposas asesinas y vengativas. Estos relatos no son mágicos, sino tétricos; sus transformaciones son fantasmagóricas y morbosas; los ángeles se convierten en

---

[11] Sandra Gilbert y Susan Gubar, en su artículo sobre *Blancanieves*, han estudiado las transformaciones en los cuentos de hadas y también han destacado que la lucha entre mujeres por el mismo hombre es una de las características de la sociedad patriarcal reflejada en este género (203).

[12] Espido Freire escribió estos relatos hace varios años, pero decidió publicarlos recientemente. En su otra colección de cuentos, *El tiempo huye* (2001), ha abandonado la experimentación con las historias de hadas; los siete relatos que componen este libro son de corte existencial.

vampiros o demonios («Los cuentos, 5, 12»). Los espacios son laberínticos y llenos de monstruos («Dentro del laberinto, 5»). La reflexión en los espejos no existe («El espejo, 1»).

En el apartado titulado «Los cuentos» se pueden observar referencias directas a los cuentos de hadas: la Sirenita deja que el príncipe se ahogue («Los cuentos, 1»); la reina proclama que, a pesar de dormir trece años en la cama, la princesa no era tal («Los cuentos, 2»); la Bella Durmiente no se despierta en cincuenta y dos años («Los cuentos, 7»); los héroes exageran sus hazañas («Los cuentos, 10»); las ranas esperan que vuelvan sus sapos («Los cuentos, 11»); la madrastra llora cuando muere Blancanieves («Los cuentos, 13»). Valga uno completo como muestra del impacto de estos textos: «En la noche de bodas el príncipe descubrió que ella no era virgen. La princesa no se creyó obligada a dar ningún tipo de explicaciones. Al fin y al cabo, ¿a quién le importaba lo que hubiera ocurrido hacía ciento dos años?» («Los cuentos, 6»).

Aparte de los cuentos de hadas feministas que ya hemos mencionado, Jack Zipes afirma que los autores contemporáneos pueden crear versiones que son meras reproducciones de los originales (éste sería el caso de los filmes de Walt Disney). Otros son revisiones paródicas de los clásicos como las que hace Espido Freire en su ensayo *Primer amor* que se caracterizan por el humor, el cambio del orden convencional y la novedad con el uso de los signos familiares. Las utopías se caracterizan por ser mucho más imaginativas, a veces con la incorporación de la ciencia ficción al estilo de lo que hace Salman Rushdie, por ejemplo. Finalmente califica de «experimentos posmodernos» los que cuestionan el mundo mítico de los cuentos y nos abren las puertas para diversas interpretaciones *(Myth,* 159-160).

Espido Freire ha conseguido en varias de sus obras una revaloración profunda de los cuentos de hadas que nos obliga a una relectura de los cuentos tradicionales. En su primera novela, *Irlanda,* desmitifica e invierte el sentido canónico del género; en su ensayo, *Primer amor,* destaca la subversión implícita por el sarcasmo, mientras que en su colección de relatos, *Cuentos malvados,* llega a una verdadera inversión, a una experimentación posmoderna que cuestiona todos los aspectos de este género y nos anticipa cualquier otra transformación que podamos leer o escribir en el siglo XXI.

OBRAS CITADAS

ALBORG, Concha (1991), «A Never-Ending Autobiography: The Fiction of Carmen Martín Gaite», en Janice Morgan y Colette T. Hall (eds.), *Redefining Autobiography in Twentieth-Century Women's Fiction,* Nueva York, Garland, págs. 243-260.

Bettelheim, Bruno (1991), *The Uses of Enchantment. The Meaning and Importance of Fairy Tales,* Nueva York, Alfred A. Knopf.

Freire, Espido (2002), *Cuando comer es un infierno. Confesiones de una bulímica,* Madrid, Aguilar.

— (2003), *Cuentos malvados,* Madrid, Punto de Lectura.

— (2001), *Diabulus in musica,* Barcelona, Planeta.

— (1999), *Donde siempre es octubre,* Barcelona, Seix Barral.

— (1998), *Irlanda,* Barcelona, Planeta.

— (2000), *Melocotones helados,* Barcelona, Planeta.

— (2003), *Nos espera la noche,* Madrid, Alfaguara.

— Página web, http://www.clubcultura.com/clubliteratura/clubescritores/espidofreire/home/html

— (2002), *Primer amor,* Madrid, Temas de Hoy.

— (2004), *Querida Jane, querida Charlotte,* Madrid, Aguilar.

— (2000), «Ser o no ser guapa. La vida frente al espejo», en Laura Freixas (ed.), *Ser mujer,* Madrid, Temas de Hoy, págs. 119-144.

Gilbert, Sandra M. y Gubar, Susan, «The Queen's Looking Glass», en Jack Zipes (ed.), *Don't Bet on the Prince,* págs. 201-208.

Lieberman, Marcia K., «"Some Day My Prince Will Come": Female Acculturation through the Fairy Tale», en Jack Zipes (ed.), *Don't Bet on the Prince,* págs. 185-200.

López Jiménez, Paula (2003), «Espido Freire: una nueva visión de los cuentos de hadas», en Alicia Redondo (ed.), Madrid, Narcea, págs. 149-161.

Martín Gaite, Carmen (1987), *Usos amorosos de la postguerra española,* Barcelona, Anagrama.

Martín Gil, Marta (2001), «Cinco escritoras pasan revista a la literatura hecha por mujeres», *ABC,* septiembre, págs. 1-2.

Rowe, Karen E., «Feminism and Fairy Tales», Jack Zipes (ed.), *Don't Bet on the Prince,* págs. 209-226.

Ruíz Casonova, J. F. (2001), «El hechizo del relato», *El País. Babelia,* agosto, págs. 1-8.

Soliño, María Elena (2002), *Women and Children First: Spanish Women Writers and the Fairy Tale Tradition,* Potomac, Maryland, Scripta Humanistica.

Tatar, Maria M. (1986), «Born Yesterday: Heroes in the Grimms' Fairy Tales», en Ruth B. Bottigheimer (ed.), *Fairy Tales and Society. Illusion, Allusion and Paradigm,* Filadelfia, University of Pennsylvania Press, págs. 95-114.

Zipes, Jack (1994), *Fairy Tale as Myth. Myth as Fairy Tale,* Lexington University of Kentucky Press.

— (1987), «Introduction», *Don't Bet on the Prince. Contemporary Feminist Fairy Tales in North America and England,* Nueva York, Routledge, págs. 1-36.

Capítulo XVI

Una tradición rebelde

Jordi Gracia
Universidad de Barcelona

El modelo teórico que explora Emmanuel Bouju en *Réinventer la littérature* (2002) maneja numerosas hipótesis de interés pero ahora me interesa destacar una en particular. En los procesos democratizadores, Bouju utiliza como factor variable la multiplicación de los modelos novelescos que suscita la misma multiplicación de los lectores, cada vez más imprevisibles, menos definidos, más inesperados en su formación y en sus gustos. Es un proceso retroactivo e incesante y, desde este punto de vista, me parece raramente significativo que los libros de Ray Loriga, José Ángel Mañas o Roger Wolfe hayan sido reivindicados por autores casi con la edad de sus padres, como Víctor Fuentes o como Germán Gullón, como si en esos jóvenes narradores estuviesen identificando formas actuales de vanguardia literaria en clave de ruptura o de disidencia. Su significado se les antoja emparentable con el que el movimiento de mayo del 68 tuvo para ellos en sentido biográfico, personal. Resuena a menudo en los trabajos de uno y otro ese modelo de análisis, aunque me parece un tanto forzado. En todo caso, quizá pueda derivarse de ahí alguna consecuencia más; por ejemplo, que la lectura rupturista que se ha hecho de *Historias del Kronen,* o de *Héroes* o de *El índice de Dios,* no está tanto en la intención de los autores que las escriben como en el modo de leerlas por parte de los críticos, los profesores o lectores ajenos a los referentes culturales que reflejan esas novelas.

La respuesta del sistema, del poder o de la academia sí puede haber destacado lo que entiende como factores provocadores —ciertos nombres del rock, ciertos modelos literarios o cinematográficos, cierto tono—, mientras que la parte de la juventud representada ahí no advierte ninguna particular forma de rebeldía o de rechazo sino un espejo o una forma de la identidad colectiva. Y de la misma manera, la juventud que reconoce esos ingredientes más vistosos como propios de su época, tampoco experimenta la conciencia de que ahí, en esas novelas, haya formas particularmente evidentes de disidencia contra el sistema [...] sino a lo mejor exactamente lo contrario: una resignada toma de conciencia de una realidad para la cual carece de otra respuesta que la explosiva o testimonial. Lo significativo, sin embargo, me parece todavía otra cosa más: los rasgos literariamente valiosos de Ray Loriga o de Roger Wolfe han cambiado de forma y han adquirido una consistencia estética y moral distinta, menos apariencial y más sustancial, en sus obras recientes, en los libros ensayísticos y reflexivos que ha entregado Roger Wolfe, al menos desde *Hay una guerra* (1997) o Ray Loriga, muy en particular con el valioso experimento que ha resultado ser *El hombre que inventó Manhattan* (2004), dedicada al escritor y buen lector de literatura, Enrique Murillo.

De esa deriva de autores todavía jóvenes, como lo son ambos, en torno a la cuarentena, cabe inducir una pequeña ley, o una ley menor: sus primeros libros anduvieron en el mercado o entre los lectores como fetiches visuales y literarios de una parte de la juventud actual, aunque sus voces hayan crecido de forma dispar y, en ambos casos, desligadas de las señas más visibles y pueriles que los hizo encarnar una supuesta novedad literaria en la década de los 90. Hoy aquel papel de ruptura ha perdido significado y lo ha ganado el significado literario de sus libros, tanto de entonces como de ahora. Si entonces pudieron ser formas de identificación de una juventud provocadora, hoy aparecen mejor como testimonios de un desnortamiento o de una inmadurez que han ido canalizando hacia vías literarias más eficaces, más densas, menos directamente repulsivas. Porque eso eran las escenas de descuartizamiento y amoralidad violenta que desarrolló Roger Wolfe en *El índice de Dios,* invenciblemente evocadoras del estilo clínico de Bret Easton Ellis en *American Psycho* (traducido por Mariano Antolín Rato) y ha mantenido esa pulsión descarnada y morbosa, eróticamente morbosa, en *Fuera del tiempo y de la vida* (2000). Cuando apareció la primera, hace diez años, pudo ser una forma de dar salida ficticia a tensiones personales ciertas (no, evidentemente, como asesino cohibido [...]) mientras que hoy cabe leerla ya como un documento del desconcierto, o quizá incluso de la repugnancia ética ante la hipocresía y la farsa moralizante de una sociedad de consumo hipercapitalista. La amoralidad antisocial a menudo atañe al retrato crítico del cinismo y de la más estricta inmoralidad socialmente aceptados [...] por mucho que, se mire como se mire, el *serial killer* de *El índice de Dios* no deje de ser un estricto salvaje. El contraste entre la violencia o la explotación evidentes (asesinatos, violaciones, etc.) y las no evidentes (socialmente toleradas, blanqueadas) añade un punto de seducción a novelas que podrían quedarse en nada más que los detritus fantasiosos de escritores sin tema. Ni era, en absoluto, el caso de Ellis ni es desde luego el de Roger Wolfe, cuyos cuadernos de escritor, radicales, a menudo coléricos, son particulares muestras de una cordura lógica, de una mirada moral pero iracunda que comulga mal con los excesos de pamplinas diplomáticas (sobre todo, cuando son encubridoras de la mentira).

Ese trabajo de escritor ha dado resultados francamente sugestivos desde los primeros títulos de este tipo (los llama el autor «ensayo-ficción»), como *Todos los monos del mundo*, de 1995, o *Hay una guerra* (1997) hasta los más propiamente cercanos al dietario como *Que te follen, Nostradamus* (2001) o el último publicado, *Oigo girar los motores de la muerte* (2002). Son sismógrafos emocionales y compulsivos del desaliento o el cansancio antes que indicios de una rebeldía teóricamente articulada. Y la crítica o la protesta en esos libros, a menudo se refiere al incumplimiento ético y profesional del propio orden burgués, a los desajustes del sistema, es decir, informalidad en los contratos editoriales o en el comportamiento de las personas, incompetencia de los periodistas que lo entrevistan o falta de respeto al traductor como pieza del sistema literario. En *Hay una guerra* se explica así el propio Wolfe: «en lugar de ponerme la máscara cuando escribo, me la quito. En lugar de representar un papel en mis obras para luego volver a la realidad en mi vida cotidiana, lo que hago es *ejercer* de mí mismo en la vida, y *ser* yo mismo en lo que escribo» (130). Lo valioso de la cita está en el rechazo de la clásica discriminación entre autor y enunciador, aunque siga siendo cierta. Porque lo que se propone es subrayar la autenticidad de una escritura, el sentimiento de poner por escrito (es decir, en el ámbito de la impunidad) una verdad moral y completa, sin dejar de ser respetuoso en la existencia cotidiana y lo más educado posible, por mucho que los demás se confundan tantas veces y crean que el tiovivo erótico o violento que puebla sus libros forma parte de la vida ordinaria de su autor, y no de su literatura, de su modo de liberar (y recrear) tensiones, deseos o contradicciones.

Ya lo dijo hace mucho tiempo Constantino Bértolo (que fue quien publicó el primer libro de Loriga en Debate, *Lo peor de todo)*. Eran novelas de jóvenes sobre jóvenes, aunque los jóvenes en democracia (y seguramente sin democracia) no son una franja monolítica ni reconocen resortes de clase, ni se sindican en bloque, ni siquiera respiran, comen o leen como un solo hombre: cohabitan bajo una pluralidad de estímulos a menudo muy ajenos entre sí. Pero es que quizá esos jóvenes que han tratado de la música, el cine, la literatura y los conciertos de otros jóvenes muy parecidos a ellos mismos sólo estaban respondiendo a un parámetro de comportamiento literario de tipo romántico, ya muy clásico en la espiral de la modernidad. La rebeldía literaria que encarnan es paradójicamente una forma inadvertida de respeto a la vieja y clásica tradición romántica: el simulacro de la ruptura[1].

Porque son inconfundibles los aires románticos que han movido a algunos novelistas hoy en torno a la cuarentena: la rebeldía, la autoexclusión, el héroe antiheroico y marginal, degradado él porque la degradación está en su entorno. Huida y muerte, autodestrucción y ausencia de sentido, afán de verdad a veces pueril y frustración resignada al sinsentido... Son un conjunto de elementos que parecen trazar el cuadro básico de unos autores que se han puesto a contar su adolescencia, los sentimientos confusos, el estupor ante la vida adulta, la nostalgia intensa de la infancia, la impunidad como sueño moral o fantasía absurda, la inconsecuencia como país imaginario y feliz del adolescente perpetuo [...] Y sin embargo los relatos de Ray Loriga, los mejores libros de Roger Wolfe, el hallazgo del primer José Ángel Mañas en *Historias del Kronen* están escritos algo más allá de la adolescencia por mucho que traten de ella, y a menudo difieren sustancialmente los sujetos reales que las han escrito de aquellos a quienes ponen a actuar en sus novelas.

La dimensión autobiográfica de esos libros es poco menos que inevitable pero es también inevitablemente engañosa, sobre todo en lo que hace al deslizamiento instintivo de la atribución de rasgos de los personajes a sus autores. Ray Loriga se expuso abiertamente a ese equívoco al aceptar para la portada de su libro *Héroes* una fotografía que encajaba estupendamente con lo que el libro contaba: la rutina de un muchacho que quiere escribir canciones y ser una estrella del rock. Y algunos de los títulos que siguieron a la primera novela de Mañas han aprovechado a conciencia la equivocidad entre narrador y novelista, de la misma manera que algunos títulos de Roger Wolfe juegan en el espacio intermedio del ensayo reflexivo y la prosa autobiográfica (los he citado antes). El instinto rebelde está en muchos de los ingredientes que incorporan estos escritores a sus historias, pero sospecho que su presunta radicalidad es una atribución ajena, identificada por un cierto tipo de lectores y desde luego no por ellos mismos, ni siquiera por sus compañeros en edad y espacio urbano e histórico. Muchos de los materiales musicales, cinematográficos o literarios que el periodismo cultural denomina radicales o inconformistas o rebeldes no son nada más que las formas del ocio y

---

[1] Germán Gullón, además, ha integrado muy recientemente a estos autores en una explicación más vasta en torno a la democracia, la literatura y el mercado en *Los mercaderes en el templo de la literatura* (2004).

de la angustia que pueden consumir los adolescentes en la España contemporánea. Uno de los lemas de las novelas de Ray Loriga es de Jack Kerouac, como no falta la mención a Bukowski y algunas de las fijaciones de sus personajes pueden ser los Rolling Stones o Bob Dylan o David Bowie, también Bruce Springsteen, los Sex Pistols o Jim Morrison, y Al Pacino, Dennis Hopper o *Apocalypse Now* son otros fetiches de consumo popular, con escasa carga de identidad dentro de la juventud (o fuera de ella). Y después Kurt Cobain, que en el ranking de citas identitarias está muy alto, y en el caso de Loriga saca al menos ocho poemas, incluidos en *Días extraños,* cada uno de ellos titulado idénticamente «Tres días después de la muerte de Kurt Cobain». La propensión mitómana no es únicamente generacional. La excentricidad primera de Pedro Almodóvar está hoy tan integrada en la cultura española como la rebeldía original de Bob Dylan, de David Bowie y desde luego la de Kurt Cobain. Cada uno asumirá significados distintos pero en todos concurre una función semejante: mitos públicos de uso privado, formas de asegurar una identidad y un modo de sentir y decir el mundo, de vivirlo y de volver a contarlo.

Estos y muchos otros son materiales rutinarios en la educación sentimental de jóvenes españoles con televisiones repartidas por toda la casa (familiar), con video y también más de un aparato de alta fidelidad (y allí a veces ponen música de Vivaldi, aunque bien pudiera ser Mozart para que Manuel Vicent pusiese el grito en el cielo y aullase, como en su formidable relato, *No pongas tus sucias manos sobre Mozart).* El componente de agresión o rebeldía social es estrictamente decorativo, de ambiente, en la medida en que prácticamente todos los modelos estéticos citados forman parte de respuestas sociológicamente previsibles para los hábitos de consumo de la juventud, o de un sector de la juventud que no renuncia tampoco a saber qué hizo Rimbaud, sobre qué escribía Dostoievsky o por qué no meter técnicas cinematográficas y musicales en la textura misma de las novelas.

Lo único interesante, más allá del documento que registra esos hábitos en un sector determinado, es el tipo de manipulación literaria a que somete cada autor sus materiales. Expresan sentimientos y desazones propias utilizando elementos comunes a su tiempo y adoptan a veces dejes extremistas en la elección de su anecdotario (las historias que cuentan, como las brutales de Wolfe) o bien todo lo contrario, la recreación de una abulia desmotivada y acrítica, muy pasiva o dócil a sus instintos más inmediatos, que es lo que suele hacer Loriga con esa prosa despojada y oral, directa pero eficaz, en sus libros primerizos. Por eso a menudo reproducen el aire de las baladas depresivas y melancólicas, o lamen la derrota frente al sistema (antes de dar batalla alguna), y merodean en torno a la insatisfacción con uno mismo y con lo que tiene a mano. Y en su caso no llega casi nunca una respuesta violenta ni especialmente agresiva —aunque la violencia verbalizada es omnipresente, como ha subrayado Anne Lenquette— porque se trata, como dijo en alguna entrevista el propio Loriga, de un *punky sentimental,* sin aristas afiladas y con un público que se identifica con la recreación de esa marginalidad bajo control.

Porque lo que explican estos libros de Loriga no es tanto el fracaso de una rebeldía concreta como la confesión diferida, novelizada, de la propia perplejidad o de la impotencia ante el futuro (o el presente): asunto vivamente adolescente. Rechazan la ruta que previsiblemente seguirán otros compañeros de la misma edad y clase. El efecto que causan, o el efecto de realidad buscado en una retórica confesional y una estructura fragmentaria, sin finalidad exaltante ni finales educativos, es de distancia moral, y no sé si disidencia propiamente, hacia el mundo burgués que habitan y las claudicaciones que impone seguir viviéndolo: opciones de huida de una forma de vida del sistema pero en ningún momento del sistema mismo. Nadie aspira a salir de él ni a desguazarlo ni siquiera a intimidarlo. Sus personajes se limitan a sobrevivirlo escapando a sus focos más depresivos, o intentando hallar formas del consuelo a la tristeza: que la propia vida parezca o una película, como en *Caídos del cielo,* o un puñado de canciones, como en *Héroes.*

El elemento diferencial tanto de Wolfe como de Loriga con respecto a otras formas de expresión generacional —por ejemplo, las de un poeta y ensayista como Jorge Riechmann o una novelista como Belén Gopegui, como casos prototípicos— está en la ausencia de código ideológico o la desconfianza hacia cualquier tipo de pensamiento político. No suele haber en sus libros una apuesta teórica, implícita ni explícita, más allá del hastío de crecer y pelear con el mundo. Incluso la resignación al sistema neutraliza la respuesta porque subsisten en él. De ahí la irritación de una entrada de *Días extraños,* de Ray Loriga, a propósito de las críticas que un sector de la vieja guardia antifranquista ha formulado sobre la indolencia política de la juventud: «Al parecer el problema más serio es la falta de ideales. Ellos tenían ideales, nosotros no. Ellos estaban cautivados por la estética de la revolución, con sus pañuelos al cuello y sus banderas y nosotros le estamos cogiendo demasiado apego a la deserción. Ellos lucharon por las libertades y nosotros solo abusamos de ellas. Ellos eran algo y nosotros no somos nada»(119). Loriga se burla con razón, lo cual no obsta para que ni en sus libros ni en los de Mañas ni en los de Wolfe haya forma alguna de meditación teórica ni práctica sobre el mundo contemporáneo más allá de las metáforas del autismo social.

La segunda novela de Ray Loriga, *Héroes,* había sido premiada, además, por un jurado de lujo, con muchos nombres cargados de viejas derrotas porque tuvieron por delante alguna batalla que dar, aunque la perdiesen (o sintieran haberla perdido). Eran Juan Marsé, Rafael Chirbes, J. A. Masoliver Ródenas o Enrique Murillo. Y lo que la novela se proponía era contar una forma distinta de dar batalla al hastío y la tristeza, al susto de hacerse mayor. Y el modo que escogió Loriga para pensar y expresar el mundo de hoy, o su mundo, era el enroque de un adolescente que huye a su cuarto para hacer canciones de rock y ser la estrella que sueña. Fabula entrevistas, aboceta o cuenta posibles baladas tristes, anota estados de ánimo, depresiones y euforias, cuentos o historias ajenas, registra padecimientos (y a veces sucumbe a los suyos propios), relata los efectos de las anfetaminas o del alcohol como materiales ordinarios, sin la menor exhibición de nada, o igual que exhibe su afición a Jim Morrison o a David Bowie. ¿Autorretrato con ficción?

El antihéroe, el inadaptado, el heterodoxo se han erigido desde el romanticismo en prototipos y modelos literarios que han ganado la fascinación de los héroes, de aquellos que asumen sus propios deseos y arrostran las consecuencias de perseguirlos... incluso cuando esas consecuencias resultan invariablemente dañinas o autodestructivas. La fuente de legitimidad del héroe no es por tanto sólo el patrón del vencedor sino prácticamente cualesquiera otras, incluida la ausencia de deseo o el escepticimo radical como forma de existencia romántica. El incrédulo pasivo o el sujeto marginal por voluntad propia y sin razones profundas ni fundadas para serlo, forma parte también de ese repertorio inagotable de rebeldes potenciales, y en esa tradición me parece que pueden insertarse los personajes de algunas novelas de la democracia. Los personajes de Ray Loriga no son héroes desde ningún punto de vista, pero responden al patrón romántico en tanto que resuelven (o aspiran a resolver) sus vidas al margen de los cauces burgueses usuales y no necesitan ninguna gran convicción (ni lo contrario) para asumir tanto sus deseos como sus desatinos. Se quieren extraños a los parámetros de funcionamiento vital de la sociedad en que viven, incluida la familia, o los amigos. El extrañamiento empieza por mostrar a un sujeto que actúa desde una energía amortiguada, o transitoriamente suspendida, seguramente desde la desconfianza o la conciencia de lo inútil: están cumpliendo una forma especial de rechazo del mundo y entre sus herramientas están la huida y la desconfianza, la desazón incurable frente a lo que los demás juzgan o creen normal, como sucede en Burroughs, en Bukowski o en Kerouac, citados los tres a menudo por Loriga.

El único patrón seguro es la huida de una forma burguesa de existencia, como si esa forma de vida encarnase la adulteración de los sueños. También son figuras románticas en esta expresión de la autenticidad como huida de la rutina comúnmente aceptada, como camino seguro a una verdad personal que se desgrana en la improvisación del día a día, en la lealtad a los deseos propios, por infantiles o banales, por caprichosos o neuróticos que puedan llegar a ser. Se convierten así en testigos sarcásticos de los afanes vulgares de una sociedad industrial y consumidora como la nuestra, mientras a ellos les basta para vivir la complicidad del azar, la casualidad o la pura suerte. A veces sus temas parecen los propios de las crisis prolongadas de adolescencia: la desazón misma de estar vivo, la inestabilidad dolorosa de todo, la incapacidad para poner un orden a la vida. Sus tramas novelescas no desarrollan argumentos propiamente dichos, ni someten a los personajes a situaciones de conflicto donde deban evaluar o decidir cosas pensándolas; están más bien inmersos en un magma difuso en el que no hay cosas que hacer ni que desear ni que cumplir con mucho empeño. O pueden conjeturar deseos pero no van a armar el modelo necesario para llegar a ellos y quizá los primeros tres primeros libros de Loriga no tuvieran otro tema que la nostalgia de la infancia, como si verdaderamente la literatura no fuese otra cosa que la fabricación de un espacio donde contar la soledad, el miedo a la edad adulta, el recelo a los demás y la difícil lealtad a los sueños primordiales. Las reglas sencillas, la inmersión en un mundo que no pide opinión ni determinación adulta, están en uno de los ángulos más seductores de la imaginación literaria de Ray Loriga. La marginalidad es una forma natural del sujeto que no ambiciona lo que ambicionan la mayor parte de sus amigos y conocidos. Un abatimiento difuso se mezcla con el puro abandono, rayano en el autismo de casi todos sus protagonistas, como si no fuese posible hallar razones suficientes para emprender otra vida distinta: el narrador está huyendo no exactamente de formas adultas de vivir sino de las formas de vida adulta que conoce.

La ironía narrativa del desenlace de *Lo peor de todo* desarma incluso la precaria fantasía que había elaborado para hacer lo que se proponía. La adolescencia se desangra ya del todo. Las expectativas de libertad y felicidad, que han sido siempre bajas en el protagonista, se hacen papilla cuando el novelista urde las cosas de manera que su héroe aparece como un simple soplagaitas tan confuso y tan rendido a la vulgaridad como los demás, y aspira a ocupar el puesto de empleado del mes en una cadena de comida rápida. La venganza que soñó la ha ejecutado otro y él presumiblemente seguirá cumpliendo con mansedumbre y cobarde resentimiento lo que se espera de él. Incluso con un poco de suerte «y tal y como están las cosas tengo bastantes posiblidades de colgar mi foto en el comedor central antes de que termine el mes» (128). La intención de la fábula se desvela ahora directamente en ese retrato moral del sujeto, adaptado a las pequeñas mezquindades y rebelde privado, sin coraje para hacer mucho más que decir o protestar ante el espejo.

El dislocamiento de la prosa y su sequedad aspiran a expresar lo mismo tanto en *Lo peor de todo* como en *Héroes*. El encadenado caprichoso de anécdotas de infancia o de sueños y fantasías, la ausencia de intriga o ligazón entre los sucesos, la estructura vagamente diarística y en todo caso autobiográfica del relato, componen un mosaico que alienta un lirismo involuntario, un humor cortante, y la insistencia una y otra vez en la misma tristeza, el mismo miedo o la misma forma de inapetencia de la vida porque ya no queda infancia ni adolescencia que apurar. Son formas narrativas ligadas a la enajenación del mundo, a la voluntad de huida y, sin embargo, cómo pesan en el personaje de *Lo peor de todo,* pese a su reserva sentimental, la enfermedad del hermano, el trato de la familia de su novia, la trama amarga de relaciones en el colegio o la fijación con T, que fue su novia y ya no lo es, quizá porque a veces «de pronto se hunde todo y uno empieza a hacer las cosas como no debe» (116).

Mientras medita ante una mujer y necesita ordenar las ideas, el pirado que protagoniza *El índice de Dios,* de Wolfe, aspira a «dar una forma lógica a mi odio» (89). Por supuesto que es el narrador quien se expresa así, pero me tomo la libertad de aislar esa frase para dar sentido a un modo de operar literariamente según el cual el narrador aspira a encontrar una forma que canalice, sin incurrir en la confesión directa o la autobiografía, los sentimientos destructivos o justicieros, en torno al mundo y su propia realidad: la novela en torno a un asesino y psicópata es esa forma lógica, con coherencia interna, del mismo modo que los relatos tocados de la sencillez y la arbitrariedad del recuerdo en Ray Loriga dotan de forma lógica al miedo a crecer, al miedo a la responsabilidad, al miedo mismo a no tener miedo un día. Porque la pulsión violenta está en casi todas las novelas de Loriga, aunque esté sofrenada, y ya directamente estilizada en una hermosa y muy cinematográfica novela, *Caídos del cielo* (efectivamente convertida en película).

Sospecho que la nota final de *Días extraños* debe entenderse como despedida real del escritor del mundo de la infancia, al menos entendida como había hecho en las dos primeras novelas. De ahí que *Caídos del cielo* venga a ser el desarrollo de lo que fabula el personaje de *Héroes:* «Si pudiera vivir dentro de una canción para siempre todas mis desgracias serían hermosas.» Sin embargo, en ella abandona en parte el formato de sus dos novelas anteriores, ese narrador confesional y desnortado que anota aquí y allá hechos cotidianos, la rutina del día a día cruzada con los accidentes de la memoria. Mientras *Lo peor de todo* se sujeta a una simplicísima estructura, interrumpida caprichosamente y a menudo rompiendo la continuidad o la coherencia con fogonazos líricos o aforismos *gregueríacos, Caídos del cielo* busca una estructura más compleja donde alterna la visión de una misma historia desde dos puntos de vista: un hermano que es el que huye con la muchacha, y otro hermano que permanece con la madre, atiende a los policías y se convierten en espectáculo mediático mientras sigue la persecución del otro hijo hasta su suicidio. La historia es otra vez intensamente romántica: no se huye esta vez a una habitación cerrada y ajena al mundo, como en *Héroes,* sino exactamente lo contrario. La vida se hace huida por un asesinato gratuito, al que seguirá otro, y cuya misma gratuidad es lo único que tiene sentido. Pero de nuevo está planeando en la voz del narrador un relato de infancia, que significativamente es siempre una infancia prolongada hasta la adolescencia, con el objetivo de restar a la infancia misma su inconsciencia o irresponsabilidad, despojarla de su inocencia y sacar consecuencias de los deseos, los ensueños o el sufrimiento.

La última novela de Loriga, *El hombre que inventó Manhattan,* explora otro modelo de novela sin renunciar a lo mejor de sus primeros libros, una suerte de honesta vulnerabilidad, o de franca desesperanza ante la hostilidad de lo real. Los rieles son los mismos y la locomotora me parece que también pero el paisaje que visita es otro, aunque sea para seguir diciendo lo mismo, y dejarse atrapar por las mismas fijaciones morales y sentimentales. El relato de pedazos de vida común de un puñado de seres vulgares y corrientes basta para elevar su dignidad sin tocar alturas retóricas. La novela se construye con naderías tomadas de personajes cuyas vidas privadas asoman en instantes rotos, fragmentos suficientes, ligados unos con otros de maneras sutiles y siempre vinculados a un sujeto urbano, un espacio que son calles, números de calles, nombres de calles y nombres de edificios, todo en Manhattan. La trabazón interior es muy expresivamente cinematográfica, donde manda una forma de montaje con constantes elipsis y plena conciencia, a veces confesada, de estar contando lo que se ve en una pantalla que narra unas cosas y en seguida salta a otras: desde un ratón que se escapa y reencontraremos en la secuencia final, cuando el narrador protagonista, su mujer y su hijo, lo bautizan mientras empaquetan las cosas para abandonar el apartamento hasta el hombre sentimentalmente cogido por dos coreanas gemelas o el vendedor de pianos que debe soportar a una madre insoportable (y la justicia poética de la novela lo alivia matándolo benditamente). Pero son muchos más los espacios privados o las intimidades que esta novela pellizca sin levantar nunca la voz, sin escoger los materiales con pretensiones de mapa social del Manhattan del siglo XXI (aunque se integre con naturalidad el atentado del 11 de septiembre), sino sólo como exploración del intruso en las vidas a las que ha asistido y le han contado. Pero un intruso sin particular curiosidad, ni afán redentor o de denuncia: el narrador relata con desapasionamiento, sin involucrar en la voz otra cosa que una leve ironía distante, un punto de solidaridad piadosa con el bullicio de una colmena [...] en Manhattan.

La novela ha perdido casi del todo el rastro de la confesión como formato narrativo de otros libros suyos y ha sabido diferir las histo-

rias, alejarlas de la primera persona para rebajar el pegadizo y sentimental efecto de veracidad y ganar en ambigüedad y complejidad;
ganar también en el desafío estético de construir un relato donde la
propia biografía está, pero sólo como marco de las múltiples historias ajenas que comparecen ahí. El escritor actúa como el director
que compone las secuencias breves, de tiempos muy cortos, o el que
se permite narrar una historia antigua, de 1931, u otra muy reciente, como el funeral de Charlie, el *superintendent* rumano que inventó Manhattan según su amigo Chad, seguramente con las historias
reales y los sueños inventados que retoma el novelista, que mezcla y
fragmenta, interrumpe y reanuda, incluida la muerte del propio
Charlie. Por eso «todas las historias de este libro son parte del sueño
de Charlie» (16). El montaje novelesco produce un efecto onírico y
fantástico, paradójicamente en la misma medida en que lo que se
cuenta es verosímil y con voluntad verídica, con personajes que el
narrador conoce (porque conoce a Charlie: «no había nada acerca de
esta ciudad que no supiera a ciencia cierta o no fuera capaz de imaginar» [12]) o porque es el lector quien sabe que existen de verdad,
o existieron, como William Burroughs o Robert Lowell, quizá también como el mismo Charlie, quizá incluso como los habitantes del
inmenso guardamuebles que cierra depresiva y lúcidamente una novela donde la promesa incumplida de una vida mejor está en cada
vida troceada. El efecto de sentido del conjunto es el mismo que el
de cada uno de los relatos que lo componen, y ni siquiera es necesario continuar las historias unos capítulos después para ver cómo terminan porque apenas cambia nada saber cómo terminan. Todo es in-
sultantemente anodino y humano, y sin embargo la novela da una
vivaz recreación de la vida del presente, en un lugar civilizado, que
podía haber sido cualquier otra gran ciudad. El mapa mítico de
Manhattan sin embargo añade un efecto de extrañamiento que refuerza profundamente el sentido total del libro: esa atención por vidas menudas que habitan la primera ciudad del planeta sin que cam-
bie nada más que el nombre de las calles. El recurso que halló el
poeta José María Fonollosa en *Ciudad del hombre: New York* para su
particular expresionismo ético y lírico ha sido el mismo que utiliza
ahora Loriga con asepsia sentimental y don de observador.

Lo que a ratos sigue estando presente en este libro es una de las
virtudes de la prosa de Ray Loriga, una suerte de propensión al afo-
rismo de estirpe lírica, a menudo onírica o irracionalista, como si no
renunciase a una forma de la poesía narrativa que está muy pegada
a su manera de hacer novelas: puntos de vista menores, extrañamen-
te solidarios con la tristeza, y al mismo tiempo imperturbables, resig-
nadamente adaptados al curso a veces inocuo, a veces dramático, a
veces risible de lo que sucede y les sucede: el silencio del moralista
ilumina un mundo tocado de piedad fría, de distancia compasiva sin

el menor asomo ni de patetismo ni de paternalismo. La búsqueda de una arquitectura propia para esa novela ha ratificado y mejorado lo que estaba en sus primeros formatos novelescos, de tipo autobiográfico: ha aprendido a desconfiar de la retórica de la confidencia, tantas veces embustera, y a respetar a cambio estrategias dramatizadoras más distantes e igual de veraces para tratar de las mismas cosas de siempre.

OBRAS CITADAS

BOUJU, Emmanuel (2002), *Réinventer la littérature. Démocratisation et modèles romanesques dans l'Espagne post-Franquiste,* prefacio de Jorge Semprún, Toulouse, Presses Universitaires du Mirail.

FUENTES, Víctor (1997), «Los nuevos novísimos narradores de la generación X», *Claves de razón práctica,* 76, octubre, págs. 65-70.

GULLÓN, Germán (2004), *Los mercaderes en el templo de la literatura,* Madrid, Caballo de Troya.

— (1998), «Prólogo», José Ángel Mañas, *Historias del Kronen,* Barcelona, Destino.

LENQUETTE, Anne (2000), «Ray Loriga, narrador de la generación X y novelista de la modernidad», *Hispanística,* 20, 18, págs. 91-110.

LORIGA, Ray (1995), *Caídos del cielo,* Barcelona, Plaza & Janés.

— (1994), *Días extraños,* Madrid, El Europeo/La tripulación.

— (1993), *Héroes,* Barcelona, Plaza & Janés.

— (2004), *El hombre que inventó Manhattan,* Barcelona, El Aleph.

— (1992), *Lo peor de todo,* Madrid, Debate.

WOLFE, Roger (1997), *Hay una guerra,* Madrid, Huerga y Fierro.

— (1993), *El índice de Dios,* Madrid, Espasa-Calpe.

— (2002), *Oigo girar los motores de la muerte,* Barcelona, DVD.

— (2001), *¡Que te follen, Nostradamus!,* Barcelona, DVD.

CAPÍTULO XVII

Dos proyectos narrativos para el siglo XXI: Juan Manuel de Prada y José Ángel Mañas

GERMÁN GULLÓN
UNIVERSIDAD DE AMSTERDAM

PREÁMBULO

La literatura española actual se halla en una encrucijada en la que sólo una minoría de escritores, los que poseen marca comercial, parece capaz de desarrollar una carrera profesional. Ellos suelen acaparar los agasajos de la crítica de prensa y los premios literarios con dotación económica importante. El resto existe en una zona gris, donde algunos parecen satisfechos porque a veces les calienta un foco de luz, mientras la mayoría vive un tanto desesperada aguardando el momento en que sus méritos sean reconocidos, o abandona amargada por la incapacidad de encontrar un valedor o cansada de sufrir las miserias a las que les someten ciertos editores. Hay gentes de talento que a duras penas consiguen mantenerse fieles a un proyecto, y siguen en la brecha a costa de un sacrificio personal extraordinario. El mercado resulta parcialmente responsable de esta situación y comparte la culpa una crítica (de prensa y universitaria) incapaz de aplicar criterios equilibrados a la hora de evaluar el mérito de esa babel de libros amontonados en las librerías. La novela mercantilizada, pues, lleva años intentando resituarse en el campo cultural, de encontrar un puesto más acorde con su nueva vocación, sin conseguirlo, y el más de lo mismo parece ser la equivocada consigna crítica y editorial, de esperar a que los escritores y agentes del mundo de la cultura extranjeros descubran otra moda rentable a la que apuntarse[1].

El panorama narrativo español resulta en verdad asimétrico. Los rangos de escritores privilegiados por la fama suelen llegar a ser conocidos por los premios que reciben, es decir, por su carácter comercial. La crítica es raramente independiente[2], y está demasiado relacionada con la prensa, y ha sido incapaz de mantener su independencia ni de consolidar unos criterios válidos de evaluación de novedades, entre los que se debería contar el eliminar las alusiones personales o el evitar la literatura de los *best seller,* es decir de aquellos autores que tienen una marca comercial abusiva[3]. Nuestros Donna Tartts. Además, la novela española, la ficción en lengua española o la traducida de las lenguas de nuestro entorno, el catalán o el gallego, posee una variedad enorme, que en vez de ser matizada, situada dentro de un continuo matizado que recoja esas variedades, y luego contrastada con las grandes líneas de la narrativa universal, queda en suspenso, gozosa en su asimetría, lo que agudiza nuestra diferencia en el contexto europeo de la novela

Por ello, me parece interesante echar una ojeada a la trayectoria y el contexto literario de dos narradores jóvenes muy diferentes, cuando ya han dejado atrás la raya de salida de su carrera profesional, y se han colocado entre los primeros de su promoción. Porque ejemplifican la peculiar situación de la narrativa española de hoy, afincada en dos maneras opuestas de entender y practicar la creación literaria, que a mi modo de ver son igualmente importantes; una, la de Juan Manuel de Prada, que exige del lector estar en posesión de un archivo de referencias culturales propias, interiores, mientras la otra, la de José Ángel Mañas, en la que la posesión de ese bagaje resulta innecesaria. Prada ejemplifica la manera humanista tradicional de acercarse a la creación, a la literatura, al mundo de las letras, mientras que Mañas crea desde la renovación, apoyado en una entrada permanente de novedades, de información, a veces sin jerarquía alguna, en que la realidad y la ficción se han entrecruzado.

---

[1] La anunciada novedad del *New York Times Book Review* de publicar menos reseñas de primeras novelas y de concentrarse más en comentar los libros documentales o de información que los literarios es un gravísimo signo de los tiempos, que no tardará en llegar a nuestras orillas.

[2] Hay casos de críticos como Ricardo Senabre que reseña novelas desde una perspectiva razonada y personal, pero su actitud es minoritaria. Lo habitual es el jesuitismo y la actitud pietista de los críticos, que con una fe indiscriminada en sus intereses y en los de sus amigos, dispersan el posible poder que pudiera tener la narrativa en nuestra mezcla de productos culturales.

[3] Trato este tema con amplitud en el libro *Los mercaderes en el templo de la literatura*.

son sólo los de la marginación económica o social de los inmigrantes, sino la de quienes se atreven a buscar el placer desconocido, el que se adquiere con la sensibilidad afilada por el arte, con el pensamiento, y no con la billetera. Curiosamente, la novela de Sebald lleva al lector a buscar en la memoria cultural, pero no sólo libresca, sino la arquitectónica. Es decir, la novela ha dado un paso para salirse de las páginas del libro y abarcar otros terrenos.

La otra gran veta de la novela del presente es la de quienes utilizan sus textos para dejarnos una representación de la vida en nuestro tiempo, como pueden ser el veterano Saul Bellow, Paul Auster, Don DeLillo o Martin Amis. Lo que les caracteriza es que piensan acerca de nuestro mundo con un lenguaje y unas imágenes que subrayan su peculiaridad para quienes los leemos, y nos permiten entenderlo mejor. Sus iconos y espacios, muy en especial la ciudad contemporánea, suelen ser distintos a los escritores humanistas, mientras éstos sitúan sus novelas en la Europa tradicional, el escenario de buena parte de la historia moderna, París, Berlín, Viena, sus impresionantes centros ciudadanos y museos, los realistas prefieren situarse en las grandes urbes con cara futurista, Neueva York, Chicago y Londres. Les diferencia de los anteriores el énfasis que ponen en lo personal, en la angustia individual, son lejanos herederos del existencialismo, y por ello les falta un punto de interés social.

Bajo esta segunda categoría alineo a un subgrupo de escritores que en cierta manera son más controversiales, pues sus novelas representan los ecos que escuchamos en el pozo negro que todos llevamos dentro más que las figuraciones de una conciencia narrativa guiada por unos valores determinados. Pienso en Raymond Carver, Celine y Douglas Coupland, o Michel Houellebecq. Ellos extenderán el espacio novelesco a Oregon, Thailandia, Toronto, lugares donde la vida se manifiesta de otra manera que en el centro de las grandes capitales europeas, hoy convertidas en museos turísticos, recorridas por autobuses de dos pisos llenos de visitantes y tiendas de lujo, difícilmente concebibles como espacios novelescos interesantes. Sus personajes entran dentro de un continuo en el que encontramos desde el consumidor de bienes de lujo hasta el pobre enfermo físico por los efectos de la droga y el alcohol, y mental a causa de la marginación social.

Estos dos tipos de novela y sus autores marcan la tónica de la narrativa actual, que han llegado a nosotros en traducción, actúan de catalizadores para nuevas creaciones, como luego veremos. Se produce, sin embargo, una recepción azarosa, pues los libros nos llegan cuando ya llevan tiempo en el mercado, y aunque los textos traducidos en ocasiones, como las versiones de Miguel Sáenz sean excelentes, la presentación crítica deja bastante que desear. Hace nada vi un volumen basado en un hecho autobiográfico, *Lucky,* de la escritora norteamericana Alice Sebold, traducido por *Afortunada,* que entre las reseñas que se citaban en la cubierta se la llamaba novela, y en la librería Crisol Juan Bravo en Madrid estaba colocada en la sección de narrativa. No es una novela[6]. Quiero con todo esto decir que la novela española marcha al paso con la novela europea, pero no sincronizada con ella.

La novela española del presente

A la vista del comercialismo, importa que intentemos desarrollar un modo de establecer el canon paralelo al que por la máquina van estableciendo las listas de libros más vendidos ayudados por una prensa que vive en cierta medida de los anuncios publicitarios. O de otra manera la novela española del siglo xx seguirá figurando en los anales de la literatura europea al margen, ocupando como viene haciendo por siglos una posición epigonal[7]. Las historias de la novela recientes son esfuerzos valientes, pero incompletos, por la avalancha de títulos, que nunca pueden tener cabida en sus páginas. Se han establecido una serie de categorías alternativas informales, a las que se alude de vez en cuando para explicar el éxito inesperado de ciertos libros, el llamado boca a boca o el marbete de escritor de culto, pero ambas resultan insuficientes e inapropiadas. Eluden un hecho insoslayable: la importancia social de todo libro, que sólo existe de verdad cuando sale de la esfera personal; precisamente letraherido y escritor de culto sólo connotan aspectos personales del libro, uno del autor, letraherido, y otro del lector, que considera a determinados autores apropiados para rendirles culto personal. La universidad parece el lugar para llevar a cabo este ordenamiento de la producción de ficción, porque los profesores de literatura suelen tener la preparación debida, en especial el conocimiento de la historia literaria, y gracias a su independencia académica podrían actuar con una mayor objetividad, sin embargo no ocurre así. Hay algunas revistas, como los *Anales de la Literatura Española Contemporánea,* publicada por la Universidad de Colorado, Boulder, en colaboración con la Universidad de Santiago de Compostela, que cumplen en parte ese cometido. El resto de las publicaciones que se preocupan por la no-

---

[6] Véase mi reseña del libro en *ABC Cultural* cuando todavía no estaba traducida al castellano, que lleva por título, «*Lucky.* Historia de una violación».

[7] La calidad de nuestras grandes figuras del xix, Galdós y Clarín, ha tenido que esperar más de un siglo para que fuera reconocida en Europa, cuando sus obras fueron muy bien traducidas al inglés. Y todavía siguen sin ser moneda de uso corriente, aunque su calidad no sea inferior a la de otros maestros de la ficción decimonónica europeos.

vela espejean el entramado comercial de la novela, sin desviarse un centímetro.

A pesar de la apurada circunstancia descrita, lo cierto es que hay autores españoles sólidos que siguen armando una trayectoria personal importante. Nosotros también tenemos escritores en nuestra tradición novelística reciente que pudiéramos asemejar en su compromiso con la realidad actual parecidos a Toer, a Kertész y a Sebald, a los que luego mencionaremos, aunque nuestra peculiar situación hace difícil que un narrador español siga ese camino. El mencionado marbete que circula en nuestros escritos con frecuencia, y lo lleva haciendo unos diez años, de letraherido ha venido a convertirse en la insignia del narrador español actual. Si un escritor se pone en la solapa esa insignia parece que se protege contra vulgaridades y costumbrismos, uno pertenece al club de los que viven de la imaginación y de la letra impresa. Uno se coloca al margen del guirigay político, de las inanes discusiones de nuestros dirigentes, en una situación comodísima. Es más, parece pedir que la lectura que se haga de sus novelas sea alegórica, tome al texto como la expresión indefinida de algo indecible[8]. Sin embargo, el compromiso social con una historia, con lo que pasa en nuestro tiempo parece ser una necesidad cada día más acuciante, pero paradójicamente la situación del novelista convertido en una marca, que vive en una sociedad homogénea le ha llevado a literaturizarse, y a sacar a la literatura del eje de la vida actual.

No vale apuntar hoy en día a la novela española de posguerra, que pertenece al pasado y a nuestro canon, cuando lo personal y lo social iban de la mano. En aquella época había una contra política y social que hacer, y los nombres de los protagonistas de ese período están en la mente de todos, desde Camilo José Cela, a pesar suyo, y Miguel Delibes, a Ana María Matute y Carmen Martín Gaite, Juan y Luis Goytisolo y Juan Benet, por ceñirme a unos pocos. Después, la novela española a mediados de los años 80 dio una vuelta hacia la literatura, que ha resultado altamente fructífera en ciertos aspectos, porque ha reforzado el interés en la escritura artística, en la forma, y en el arte de narrar propiamente dicho, y aquí sitúo a Luis Mateo Díaz, Juan Pedro Aparicio, José María Merino. Ellos han sabido renovar la superficie estética de la realidad novelada, todo en sus libros adquiere una textura diferente a la habitual, desde la manera de contemplar las cosas hasta su representación de formas y fragancias.

---

[8] La profesora Sultana Whanón en su libro *Kafka y la tragedia judía* ha hecho una lectura literal del escritor checo que sorprenderá a todos aquéllos que han elevado *El proceso* a una altura alegórica en la que deja de decir lo que el autor pretendía decir.

Los escritores que más se aproximan al tipo de novela predominante en el presente, la de Sebald, por su compromiso social, son gente como Juan Iturralde y su *Días de llamas* (2002), o anteriores, como el Eduardo Mendoza de *La ciudad de los prodigios* (1986), o más cerca Antonio Muñoz Molina. *Sefarad* (2001), por ejemplo, es una narración con vocación de otra cosa, de decir de una manera renovadora, poner el dedo en alguna llaga, lo mismo que la *Negra espalda del tiempo* (1998), de Javier Marías. Muñoz Molina no cesa en su búsqueda de temas, de indagar en memorias perdidas, olvidadas. Lorenzo Silva, escritor que ha venido labrándose un público propio, de lectores que gustan ser entretenidos con una historia bien contada, nos sorprendió con *El nombre de los nuestros* (2001), novela que cae dentro de esta narrativa de la memoria histórica. Los escritores mencionados apuran cada uno a su manera la búsqueda en el bosque de la memoria. Y, por supuesto, contamos con *Soldados de Salamina* (2001), de Javier Cercas. Estas obras no deben ser asimétricamente situadas en una historia descerebrada de la novela actual, sino en el puesto que le corresponde dentro de la tradición que acabo de bosquejar.

La novela del XIX representó la geografía física y social de la época, el gran trasfondo de la vida humana, mientras la del siglo XX se dedicó precisamente a describir en pormenor a los protagonistas de esa vida, a los individuos, y lo hizo representando infinidad de identidades personales, y de ahí proviene una parte de su grandeza, la de habernos puesto en negro sobre blanco a gentes que imaginamos como posibles, seres humanos afines. Así la novela del XX puede considerarse como un mural que exhibe una enorme suma de identidades diferentes; la diferencia con la búsqueda de identidad del último cuarto del siglo XX que llega al presente es que se sitúa en un contexto social (*Austerlitz*, de Sebald versus *El extranjero*, de Albert Camus). Mi argumentación queda expresada; la definición de identidades distintas, las que se han dado en una sociedad española progresista, que se iba poniendo al nivel de las europeas, muy en especial en la segunda mitad del siglo XX, ha sido una de las constantes de la narrativa. Aunque con algunas excepciones ha estado centrada en el yo y en la definición del ser como ente personal y no como un ser social; dicho de otra manera el interés por lo social, por la justicia social, presente en algunos escritores, Valle, Baroja, el primer Cela, Vargas Llosa, el primer Fuentes, ha desaparecido en otros narradores, y sólo ahora, y gracias a la novela de la memoria empieza a entrar de nuevo en la narrativa con una enorme fuerza.

Sin embargo, y como argumentaba algo más arriba, la novela española actual ya no es una isla en el panorama europeo, y el éxito de Javier Marías o de Arturo Pérez-Reverte lo muestra a las claras, lo que ocurre es que nuestra crítica, la que hace la vista gorda al aderezo comercial de las novelas, sigue unas recetas tradicionales, muy castizas, con mucho esteticismo y poca fibra mundanal, y la segunda de las grandes maneras de la novela goza de menor prestigio entre nosotros, y la subcategoría al modo de Celine de casi ninguna. Esto influirá decisivamente en la recepción que se hizo a Prada y a Mañas.

MIRANDO AL PRESENTE ANTE EL FUTURO

Hace una década saltó a la palestra una nueva generación literaria, que fue bautizada enseguida como la generación X. Rompían con el literalismo generalizado de sus predecesores, los escritores que ahora entran en la cuarentena y con los anteriores, los de la generación del 68, y la crítica adicta al alegorismo y al individualismo la rechazó. Los intentos críticos de desacreditarla fueron muchos y diversos en carácter[9], empezando por la insistencia en que copiaban a autores extranjeros, acusación a la que se sumaba la de que encima los tales extranjeros eran indignos de atención, como Douglas Coupland o Celine. Tamaño despropósito parece risible, si no fuera un triste indicador de la estrechez sicológica de nuestro entorno cultural, del círculo de tiza en que nos encerramos con quienes nos son afines, dispuestos a rechazar a lo diferente. Yo la denominé entonces generación neorrealista, y ahora prefiero llamarla la generación hiperrealista. Los nombres son de todos conocidos, el mencionado José Ángel Mañas, Gabriela Bustelo, Cuca Canals, Lucía Etxebarria, Ismael Grasa, Ray Loriga, Pedro Maestre, José Machado, Care Santos, Roger Wolfe. No todos ellos forman parte de la generación X, ni se identifican con ella. Curiosamente, y dentro de la misma generación surgió un escritor de éxito, Juan Manuel de Prada, pero que lo consiguió desde un ángulo absolutamente distinto, digamos que sus méritos literarios fueron reconocidos inmediatamente. Los críticos literarios más exigentes, como Ricardo Senabre, o escritores como Francisco Umbral, le dieron inmediatamente la alternativa como una figura literaria de primer rango[10].

Lo sorprendente del mal recibimiento fue la falta de matización con que se hizo, y en nombre de qué todavía no lo sé, porque ningún

---

[9] La relación que guarda la negativa respuesta de ciertos críticos a los X debe explorarse en profundidad, empezando por su adicción al alegorismo crítico y su desdén a las realidades sociales y personales de los autores, y sin excluir, desde luego, la relación de los mencionados críticos con sellos editoriales que preferían a otros escritores.

[10] Juan Manuel de Prada también ha sido castigado por algunos sectores de la crítica. Cito a Fernando Valls: «los escritores vanidosos [...], rancia especie que nunca falta entre nosotros son hoy personajes como Fernando Sánchez Dragó, Juan José Armas Marcelo y Juan Manuel de Prada» (10).

crítico pasó de decir que había mucho sexo, drogas y rock and roll en sus novelas. Se quejaron de costumbrismo, de falta de imaginación y de cosas así. En el fondo era que este tipo de novela prescindía sin más del trasfondo literario, y esto lo experimentaron los críticos y algunos autores como una traición al orden establecido, en vez de considerarlo un experimento, una vía alternativa. No olvidemos que lo mismo se dijo de los realistas y de los naturalistas en el siglo XIX; piénsese en Leopoldo Alas, Clarín, al que Luis Bonafoux le acusó de haber plagiado *La Regenta*. Lo que entonces era un enfrentamiento con tintes ideológicos, hoy es más bien de procedencia comercial.

Algo que une los X, y que no deja de ser significativo, es el éxito conseguido con la novela debut, lo cual les lleva a tomar una decisión muy de hoy: el ser escritores profesionales a tiempo completo. Lo cual conlleva la libertad de poder dedicarse plenamente a escribir y la servidumbre de aceptar compromisos menos agradables. La publicidad que reciben los escritores premiados suele dejarlos adictos a la propaganda, al protagonismo, pero la recompensa económica es lo que de verdad los engancha. La larga travesía por el desierto del anonimato hecha por los escritores de generaciones anteriores les curtió de una manera que los jóvenes de hoy nunca conocerán, o conocerán a la inversa, cuando los focos calientes de la fama se apaguen, el ambiente se volverá frío, como en las noches del desierto.

Ambos Prada y Mañas tras su primera novela, *Las máscaras del héroe* (1996) y *Historias del Kronen* (1994) respectivamente, ofrecieron a sus lectores una segunda entrada de importancia, *La tempestad* (1997), que en el caso de Prada fue acompañada con el premio Planeta y en el de Mañas, con *Mensaka,* que si tuvo menos lectores de lo esperado, la versión cinematográfica de la novela fue una espléndida película. Su siguiente novela *Ciudad rayada,* su mejor novela, tampoco tuvo la repercusión esperada, y el escritor achacó esto en parte a la escasa propaganda de la obra hecha por la editorial Espasa Calpe, aunque en realidad la ausencia de crítica, la dureza que con su obra había usado en la primera entrega, fueron, en mi opinión, los causantes determinantes. Además, sus potenciales lectores, que habían comprado su primer libro parecieron esfumarse. La diferencia en trayectoria tiene que ver también con la proyección de uno y otro escritor. Prada enseguida se hizo paso como periodista de opinión en el diario *ABC,* donde publica unos artículos comprometidos y siempre escritos con soltura y precisión.

Juan Manuel de Prada escribe con un estilo excelente, con un léxico rico, escogido, que usa con exactitud. Su sintaxis también es innovadora y ágil. Su estilo puede calificarse como literario. Como dije antes, el lector de Prada tiene que poseer un archivo cultural apropiado, o se aburrirá soberanamente con sus obras. Debe saber algo sobre la vanguardia *(Las máscaras)* o sobre Venecia *(La tempestad)* y el arte de la pintura, o sobre cultura popular moderna *(La vida invisible)*. Y si tiene esos conocimientos, una partitura inicial, la lectura de sus libros son un goce permanente, porque el narrador de talento sabe llevarle por medio de un verbo muy rico en su poder evocador por las avenidas de la narración bien construida. Es un goce que para disfrutarlo conviene tener una cultura suficiente. Cito un pasaje de su obra:

> A la postre, el secreto, que creíamos recluido en las mazmorras del remordimiento, aislado en esas bodegas que la vida invisible excava en nuestro pasado, indescifrable para quienes nos rodean, acaba mostrándose como el ahogado acaba ascendiendo a la superficie del agua después de haber anidado un tiempo en el lecho del río, enredado entre el légamo y las algas. Sólo que, para entonces el ahogado se ha convertido en un amasijo de carne corrompida, mordisqueado por los lucios que hallaron en él su pitanza y convirtieron su fisonomía en un borroso y nauseabundo jeroglífico. También los secretos, como los cadáveres de los ahogados, acaban mostrando su rostro de pavorosa hinchazón, tarde o temprano *(La vida invisible,* 10).

Podemos en este pasaje advertir varios aspectos del estilo de Prada. Quizás el más destacado sea su tendencia a crear imágenes que metafóricamente y con un tinte visual expresan el mensaje del discurso narrativo. Aquí se trata del ahogado, que es un secreto, que después de permanecer enganchado en las honduras del mar, de la conciencia, aflora a la superficie confundido, nauseabundo, porque en las honduras de la conciencia se ha mezclado y podrido con otros recuerdos, pensamientos, y cuando aflora lo hace con su peor cara, comida por los lucios. Esta imagen del ahogado ha tenido tratamiento tanto literario como cinematográfico, que en cierta manera ahonda, ensancha el significado. Cuando leemos este párrafo nosotros tenemos que ir completando, visualizando, poniendo la mitad del mensaje, porque nuestra educación literaria pone la otra mitad. Es decir, tenemos que hacer una lectura literaria del texto, o de lo contrario nos aburriremos y perderemos interés en seguirlo. Un segundo aspecto es la utilización de palabras de uso infrecuente, mazmorras, pitanza, y así, que le conceden al texto un aspecto literario. Y, por último, que remite a un mundo interior, a esa parte del ser humano donde reside la conciencia, las galerías del alma, y no lo meramente externo o superficial, a lo personal.

Todo lo contrario de José Ángel Mañas, que nos enfrenta con un vocabulario nuevo, que apenas reconocemos, una sintaxis inesperada, y un juego con la impresión de las palabras en la página muy innovador. Es decir, que para leer este tipo de novela no hace falta una gran cantidad de saberes, porque uno las tiene que aprender de primeras en el texto.

> El fin de semana terminó el lunes a las once de la mañana cuando me emparanoié y dejé a Borja y a Josemi colgados en el Racha después de un torpedeo continuo de música y demasiados subidones y bajones químicos. Me metí en la cama nada más llegar y no me enteré de nada hasta el martes al mediodía, que me despertó mi hermana, furiosa porque no la llamé el día anterior que era su cumpleaños... Lo apañé como pude, me bajé al VIPS, todavía en semicoma, y le compré un disco de Gloria Stefan; luego pasé el resto de la tarde vegetando delante de la tele y por la noche me acerqué a cenar a casa de mis padres y aproveché para recoger la ropa sucia que les había llevado hace dos semanas (*Sonko95*, 57).

En este trozo lo que destaca es el neologismo emparanoié, que preside con su disonancia la descripción de una noche típica del mundo X, con su música y sus drogas, y el contraste con el mundo normal, donde la gente celebra sus cumpleaños y se hace regalos. En un segundo lugar, aparecen los referentes que se autoconsumen, el VIPS, la música de Gloria Stefan, o la televisión. Es un mundo en el que los ecos que puedan producir las palabras o las acciones se autoconsumen en el propio texto, no tienen resonancias más allá. Esta es la enorme diferencia, por ejemplo, con el secreto y el ahogado de Prada, que no se extiende por el lector. O mejor dicho, que parece escrito para un lector carente de esa posibilidad de extender culturalmente lo que lee, que se asoma al libro como nos asomamos a la televisión, donde se produce una continuidad casi indescifrable de programas, de shows, que en realidad se autoconsumen en su presentación. Que no dejan mayor huella en la audiencia. Es la comunicación hecha para las masas.

Así puestas las cosas, parece que el crítico y los lectores ya tenemos hecha la decisión, que Prada parece ser muy superior a Mañas, y que éste apenas merece la pena ser leído.

Sin embargo, hay un aspecto curioso en esta trayectoria, y me voy a fijar ahora en *Sonko95* y en *La vida invisible*. *Sonko95* ofrece curiosas similitudes con *Historias del Kronen*, sólo que el protagonista de la novela ahora se ha hecho un escritor, parece como si el narrador hubiese asumido su papel de escritor. Tenemos también un bar, el consumo al por mayor de drogas, alcohol, y el sexo fácil. La nobela, como la llama el narrador, exhibe un parecido gusto por recrear el lenguaje oral, lo que Mañas hace con un talento inigualable, es su forte estilístico. Lo que las diferencia, como dije, es el protagonista, en esta entrega le conocemos un cierto remordimiento por la vida que lleva, tanto que al final le vemos vivir con una novia francesa Sophie, con quien comparte un piso en el barrio de Arturo Soria, y de repente su vida está ordenada, hay muebles normales en su salón y en las ventanas se ven visillos. Es decir, el joven aquel que vimos aparecer en *Historias del Kronen* ha madurado, y su vida se encarrila por cauces más tradicionales. Las exigencias sociales, los rituales de la sociedad le piden que se integre, y él lo hará.

Incluso, para subrayar este carácter de cambio y finalidad de la nobela, Mañas acaba diciendo que *Sonko95* supone la entrega final de una tetralogía, compuesta por *Historias del Kronen, Mensaka, Ciudad rayada y Sonko95,* con lo que se cierra un ciclo. Un ciclo novelesco dedicado a reflejar la vida de los jóvenes en la última década del siglo XX. Incluso, apunta una retórica de la ficción, la retórica punk, que el mismo ha defendido en un texto teórico sobre el punk («Literatura y Punk»), donde sobre todo y precisamente se habla del autor que quiere ir contra la tradición, escribir fuera de toda tradición. Así pues, la tetralogía del *Kronen,* posee una unidad, refleja una trayectoria con comienzo y fin, que puede entenderse como tradicional. Al protagonista del *Kronen* le pasa al fin del siglo XX lo mismo que a Fernando Osorio y a Antonio Azorín a comienzos de siglo, que la rebeldía los va a entregar cansados y en busca de refugio en los brazos de una mujer, de la esposa. La persecución del individualismo excluyente les agota y deja en brazos de la corriente social.

Creo que podrían contarse con los dedos de las manos el número de críticos que se han leído la tetralogía, con los de una mano los que lo hicieron sin prejuicios. Hay críticos que no entienden dos cosas que deben quedar claras desde aquí. Que en España los escritores filósofos, los que en el XVIII llevaron las ideas a la literatura, y que luego se transformaron en intelectuales a finales del XIX, en el siglo XX a esos mismos señores los llamaremos literatos, y dentro de estos los dividimos en su momento en comprometidos y puros. Y que tanto unos como otros a fines del siglo XX perdieron el filo crítico. Porque por la fama y los circuitos del poder cultural el mundo los ha domesticado. Lo que estos literatos pierden, repito, es el filo crítico. La pasión por la vida y por la realidad, la que se palpa en la calle, muy en especial en un día como el 12-M. Y si encima vienen los críticos y leen sus textos en clave alegórica, les chupan la vida que tienen. Lo que percibía Manuel Vázquez Montalbán, y perciben Mañas, Ray Loriga, Roger Wolfe, Antonio Muñoz Molina o Vicente Luis Mora es una realidad de nuevo cuño, lleno de contradicciones, y presentan al hombre poniendo el acento en el fracaso del humanismo en el presente, en el choque de civilizaciones. De ese mundo en que a muchas personas el nombre Einstein, por ejemplo, no les dice absolutamente nada.

Estos escritores toman posiciones en sus libros hacia la realidad, no de literato, sino de escritor —que no escribas—, asumen ideologías y se comprometen con sus circunstancias personales, sean económicas o históricas. Los literatos anidan en la sociedad del bienestar, y existen sustentados con una crítica amable con ellos, pero feroz contra los que mezclan las fronteras del mundo y de la escritura en su búsqueda. Si el autor del *Lazarillo* hubiera seguido las reglas impuestas por la tradición y la religión nunca hubiéramos podido leer la historia de un héroe de nuevo cuño.

Los literatos son nuestros reposteros, mientras los escritores, digamos para entendernos realistas son los que nos sirven los platos fuertes. Es difícil elegir entre un postre, una novela bien escrita y mejor tramada, y un plato fuerte, donde se nos cuenta, por ejemplo, la brutal violación de una niña. Pero es que no tenemos que elegir, y parece sonada la hora de que algunos críticos lo entiendan, porque la novela avanza por esos dos grandes caminos y otros intermedios. Leer a Juan Manuel de Prada ha supuesto un enorme placer en los últimos años, como el leer a Mañas ha supuesto un camino de comprensión de otra realidad a la mía.

Quizás el mayor daño ha sido el robarle a la narrativa española el poder innovador, de buscar nuevos horizontes formales. Pienso en la narrativa de gentes tan originales como Benjamín Prado o Ray Loriga, que sin duda han sufrido la presión para conformarse, para experimentar menos. Desde luego, en la narrativa de Benjamín Prado, después de sus dos primeras novelas, *Raro* (1995) y *No le des la mano a un pistolero zurdo* (1996) el grado de experimentación resulta bastante inferior. En el caso de Mañas ha llevado a una pausa larga, que esperemos se cierre pronto. Estas son las consecuencias de una crítica cerrada en torno a un canon y a unos principios rancios. Lo mismo ha venido sucediendo con la narrativa corta, a la que han tratado de cortar las alas una vez y otra, y el camino de la experimentación está cerrado bajo el dicho de que lo que caracteriza al cuento es que sigue siempre las mismas pautas, alegóricas como se pueden imaginar. Gracias que escritores como Quim Monzó o Augusto Monterroso hacen oídos sordos a tales juicios.

En resumen, la novela española goza de una salud envidiable, desde luego mirando al número de obras que se publican, sin embargo cabe preguntarse si la novela española actual representa en sus páginas la grandeza y variedad vital de nuestro tiempo. Si considero a los creadores la respuesta es sí, y si la crítica dejara al género en libertad, sería una afirmación rotunda. Porque ofrecemos esa dualidad que tienen Prada, o póngase Vila-Matas, o Mateo Díez, y Mañas, o Loriga o Muñoz Molina, que se remonta en el tiempo a digamos la pareja Juan Benet y García Hortelano o Ignacio Aldecoa, muy allá a la de Azorín y Baroja, y, como dije, casi vamos al paso del ismo actual en la novela europea, la novela de la recuperación histórica mediante la memoria, con Muñoz Molina, Marías y Silva, entre otros.

OBRAS CITADAS

GULLÓN, Germán, «Los adioses de la generación X», *ABC Cultural*, 20-V-2000, pág. 25.
— «*Lucky*. Historia de una violación», *ABC Cultural*, 3-IX-2001.
— (2004), *Los mercaderes en el templo de la literatura*, Madrid, Caballo de Troya.
MAÑAS, José Ángel (1998), «Literatura y punk», *Ajoblanco*, 108.
— (1999), *Sonko95*, Barcelona, Destino.
PRADA, Juan Manuel de (2003), *La vida invisible*, Madrid, Espasa Calpe.
SPENCER, Sharon (1971), *Space, Time and Structure in the Modern Novel*, Nueva York, New York University Press.
VALLS, Fernando (2003), *La realidad inventada. Análisis crítico de la novela española actual*, Barcelona, Crítica.
WHANÓN, Sultana (2003), *Kafka y la tragedia judía*, Barcelona, Riopiedras.

Bibliografía

Bibliografía general

AAVV (2004), «La novela española actual: ¿un producto mercantil o un lugar de encuentro?, *Ínsula*, 688.
— (1995), *The Search for an Interlocutor and the Quest for Identity. Female Narrative in Democratic Spain*, Letras Peninsulares, 8, 1.
AMELL, Samuel (1996), *The Contemporary Spanish Novel. An Anotated, Critical Bibliography, 1936-1994*, Westport y Londres, Greenwood Press.
BENET, Vicente José (2001), «El malestar del entretenimiento», *Archivos de la Filmoteca. Revista de Estudios Históricos sobre la Imagen*, 39, págs. 40-53.
BÉRTOLO, Constantino, «Novela y público», en G. Tyras (ed.), págs. 33-48.
BUSSIÈRE-PERRIN, Annie (1998), *Le roman espagnol actuel. Tendances et perspectives, 1975-2000*, I, Montpellier, Éditions du CERS.
CIFRE WIBROW, Patricia (2002), «Literatura, memoria y olvido. La narrativa española y austriaca de los 80», *Anthropos*, 196, págs. 174-194.
CIPLIJAUSKAITÉ, Biruté (2002), «Más allá de la sentimentalidad: mirada lúcida y visión imparcial», en Eva Löfquist (ed.), *Literatura escrita por mujeres en el ámbito hispánico*, Estocolmo, Universidad de Estocolmo, págs. 1-14.
COLMEIRO, José y otros (eds.) (1995), *Spain Today. Essays on Literature, Culture and Society*, Hanover, Dartmouth College.
COMPITELLO, Malcolm A.; GONZÁLEZ DEL VALLE, Luis T. y HERZBERGER, David K. (1982), «Bibliography of Post-Civil War Spanish Fiction», *Anales de la Literatura Española Contemporánea*, 7, 1, págs. 117-135.
DÍAZ DE CASTRO, Francisco (1996), *El lomo de los días. Ensayos y notas sobre poesía y novela de los años noventa*, Almería, Batarro.
DORCA, Toni (1997), «Joven narrativa en la España de los 90: la generación X», *Revista de Estudios Hispánicos*, 31, págs. 309-324.
— (1996-1997), «Spanish Feminine Novel and the Canon», *Tropelías. Revista de teoría de la literatura y la literatura comparada*, 7-8, págs. 83-92.
FELTEN, Hans y ULRICH, Prill (eds.) (1995), *La dulce mentira de la ficción. Ensayos sobre narrativa española actual*, Bonn, Romanistischer Verlag.

FELTEN, Hans y ULRICH, Prill y VALCÁRCEL, A. (eds.) (1995), *La dulce mentira de la ficción*, 2, Bonn, Romanistischer Verlag.

FERRER SOLÀ, Jesús (1998), «La estética del fracaso», *Cuadernos Hispanoamericanos*, 579, págs. 17-25.

FORTES, José Antonio (1996), «Del realismo sucio y otras imposturas en la novela española última», *Ínsula*, 589-590, págs. 21 y 27.

GULLÓN, Germán (1996), «Cómo se lee una novela de la última generación (Apartado X)», *Ínsula*, 589-590, págs. 31-32.

GRACIA, Jordi (2001), *Hijos de la razón. Contraluces de la libertad en las letras españolas de la democracia*, Barcelona, Edhasa.

— (2000), *Los nuevos nombres: 1975-2000. Primer suplemento*, Barcelona, Crítica.

— (1999), «Crónica de la narrativa española. Novela y prejuicios literarios», *Cuadernos Hispanoamericanos*, 589-590, págs. 248-253.

— (1998), «Dossier. La narrativa española actual», en Gracia (coord.), *Cuadernos Hispanoamericanos*, 579, págs. 7-70.

— (1998), «Una resaca demasiado larga. Literatura y política en la novela contemporánea», en Gracia (coord.), págs. 39-47.

— (1998), «Crónica de la narrativa española», *Cuadernos Hispanoamericanos*, 573, págs. 136-139.

— (1998), «Crónica de la narrativa española», *Cuadernos Hispanoamericanos*, 581, págs. 126-129.

GUELBENZU, José María (1998), «La travesía del desfiladero. Narradores españoles de los 90», *Revista de Libros*, 17, págs. 40-43.

HENSELER, Christine (2003), *Contemporary Spanish Women's Narrative and the Publishing Industry*, Urbana, University of Illinois Press.

— (2003), *En sus propias palabras: escritoras españolas ante el mercado literario*, Madrid, Torremozas.

HOLLOWAY, Vance R. (1999), *El posmodernismo y otras tendencias de la novela española (1967-1995)*, Madrid, Fundamentos.

JURISTO, Juan Ángel (1994), «Novelas urbanas, novelillas de urbanización», *El Urogallo*, 96, págs. 50-53.

— (1993), «Señales de cambio. Narrativa española», *El Urogallo*, 85, págs. 28-31.

LÓPEZ DE ABIADA, José Manuel y NEUSCHÄFER, Hans-Jörg (eds.) (2000), *Entre el ocio y el negocio: industria editorial y literatura en la España de los 90*, Madrid, Verbum.

— y PEÑATE RIVERO, Julio (eds.) (1996), *Éxito de ventas y calidad literaria*, Madrid, Verbum.

MAINER, José-Carlos (1997), «Las letras de hoy (1975-1995)», en Carlos Alvar, Rosa Navarro y José-Carlos Mainer, *Breve historia de la literatura española*, Madrid, Alianza, págs. 661-673.

MONLEÓN, José B. (1995), *Del franquismo a la posmodernidad. Cultura española 1975-1990*, Madrid, Akal.

NAVAJAS, Gonzalo (1996), *Más allá de la posmodernidad. Estética de la nueva novela y cine españoles*, Barcelona, EUB.

NIEVA DE LA PAZ, Pilar (1998), «Diez años de narrativa española», en *Camp de L'Arpa (1972-1982)*, 60, 119, págs. 153-176.

OLEZA, Joan (1996), «Un realismo posmoderno», *Ínsula*, 589-590, págs. 39-42.

[284]

Oleza, Joan (1994), «Al filo del milenio: las posibilidades de un nuevo realismo», *Diablotexto*, 1, págs. 79-106.

Rodríguez, Juan (2002), «Juan Marsé en la narrativa española contemporánea», *Cuadernos Hispanoamericanos*, 628, págs. 7-15.

Sanz Villanueva, Santos (1996), «El archipiélago de la ficción», *Ínsula*, 589-590, págs. 3-4.

Senabre, Ricardo (1995), «La novela española, hacia el año 2000», *Letras de Deusto*, 66, págs. 23-38.

Spires, Robert C. (1996), *Post-Totalitarian Spanish Fiction*, Columbia y Londres, University of Missouri Press.

Tsuchiya, Akiko (2002), «Gender, Sexuality and the Literary Market in Spain at the End of the Millennium», en Ofelia Ferrán y Kathleen M. Glenn (eds.), *Women's Narrative and Film in Twentieth Century Spain. A World of Difference(s)*, Nueva York y Londres, Routledge, págs. 238-255.

Tyras, Georges (ed.) (1996), *Postmodernité et écriture narrative dans l'Espagne contemporaine*, Grenoble, Cerhius, N.º Hors Série de tigre.

Valls, Fernando (2003), *La realidad inventada. Análisis crítico de la novela española actual*, Barcelona, Crítica.

— (1998), «El bulevar de los sueños rotos», *Cuadernos Hispanoamericanos*, 579, págs. 27-37.

Vilarós, Teresa M. (1998), *El mono del desencanto. Una crítica cultural de la transición española (1973-1993)*, Madrid, Siglo XXI.

Villanueva, Darío (1992), *Los nuevos nombres: 1975-1990*, Barcelona, Crítica.

Bibliografía y obras críticas por autores

Abad, Mercedes (2004), *Amigos y fantasmas*, Barcelona, Tusquets.

— (2002), *Titúlate tú*, Barcelona, Plaza & Janés.

— (2000), *Sangre*, Barcelona, Tusquets.

— y otros (1997), *Aquel verano, aquel amor: 33 escritores confiesan un amor de verano*, Madrid, Espasa Calpe, pág. 191.

— (1995), *Soplando al viento*, Barcelona, Tusquets.

— (1991), *Sólo dime dónde lo hacemos*, Madrid, Temas de Hoy.

— (1989), *Felicidades conyugales*, Barcelona, Tusquets.

— (1988), *Ligeros libertinajes sabáticos*, Barcelona, Tusquets.

Artículos, entrevistas y reseñas

Alborg, Concha (2003), «Desavenencias matrimoniales en los cuentos de Mercedes Abad», en *Mujeres novelistas. Jóvenes narradoras de los noventa*, Alicia Redondo (coord.), Madrid, Narcea, págs. 31-44.

Anónimo (1995), *«Soplando al viento»*, *El Urogallo*, 107, pág. 72.

Difrancesco, Maria Concetta (2002), «Transgression in the Narratives of Carme Riera, Cristina Fernández Cubas and Mercedes Abad», *Dissertation Abstracts International*, Section A, 63, 1, pág. 203.

MANDRELL, James (1993-1994), «Mercedes Abad and La sonrisa vertical: Erotica and Pornography in Post-Franco Spain», *Letras Peninsulares*, 6, págs. 277-299.

MARTÍ OLIVELLA, Jaume (1997), «The Hispanic Post-Colonial Tourist», *Arizona Journal of Hispanic Cultural Studies*, 1, págs. 23-42.

— (1992), «Felicidades conyugales», *Letras Peninsulares*, 5, 1, págs. 181-183.

PÉREZ, Janet (1997), «Soplando al viento», *España Contemporánea*, 10, 1, págs. 123-125.

SENABRE, Ricardo, «Amigos y fantasmas», *El Cultural*, 13-V-2004, pág. 15.

BUSTELO, Gabriela (2001), *Planeta hembra*, Barcelona, RBA.
— (1996), *Veo, veo*, Barcelona, Anagrama.

Artículos, entrevistas y reseñas

FERRERO, Carmen (1999), «Veo, veo», *España Contemporánea*, 12, 1, págs. 113-115.

SANZ VILLANUEVA, Santos (1997), «Veo, veo», *Cuadernos Hispanoamericanos*, 559, págs. 117-118.

VILLALBA ÁLVAREZ, Marina (2003), «Dos narradoras de nuestra época: Gabriela Bustelo y Marta Sanz», en Alicia Redondo (coord.), *Mujeres novelistas. Jóvenes narradoras de los 90*, Madrid, Narcea, págs. 123-130.

CASTRO, Luisa (2003), *Viajes con mi padre*, Barcelona, Planeta.
— (2001), *El secreto de la lejía*, Madrid, Planeta.
— (1998), *Diario de los años apresurados*, Madrid, Hiperión.
— (1998), «No es un regalo», en Mercedes Monmany (ed.), *Vidas de mujer*, Madrid, Alianza, págs. 245-253.
— (1997), «El amor inútil», en *Páginas amarillas*, Madrid, Lengua de Trapo, págs. 135-145.
— (1997), «Escribir a dos bandas», *Quimera*, 158-159, pág. 95.
— (1996), «Cocodrilos», *Relatos de mujeres. El Mundo*, agosto.
— (1996), «Mi madre en la ventana», en Laura Freixas (ed.), *Madres e hijas*, Barcelona, Anagrama, págs. 225-236.
— (1994), *La fiebre amarilla*, Barcelona, Anagrama.
— (1993), «Los cuerpos presentes: del vivir y el hablar», en *Las palabras de la tribu. Escritura y habla*, Madrid, Cátedra, págs. 127-130.
— (1993), «Lágrimas de cocodrilo», *Cadernos de Psicoloxia*, 13, págs. 45-48.
— (1991), «A última xogada», en *Contos eróticos/Elas*, Vigo, Edicions Xerais de Galicia.
— (1990), *El somier*, Barcelona, Anagrama.
— (1990), *Los hábitos del artillero*, Madrid, Visor.
— (1990), «Un amor sobre ruedas», en *Cuentos sobre ruedas*, Madrid, Popular, pág. 34.

CASTRO, Luisa (1989), «La caza de la ballena», *República de las Letras,* 24, págs. 194-197.

CASTRO, Luisa «Muertos», *Blanco y Negro,* 23-IV-1989, págs. 20-21.

— (1986), *Los versos del eunuco,* Madrid, Hiperión.

Artículos, entrevistas y reseñas

ARCAZ POZO, Juan Luis (2000), «Los mitos clásicos en la poesía española última (1970-1995)», *Exemplaria, Revista Internacional de Literatura Comparada,* 4, págs. 33-72.

AYALA-DIP, J. Ernesto, «El secreto de la lejía», *El País. Babelia,* 19-V-2001, pág. 13.

AZANCOT, Nuria, «Entrevista con Luisa Castro», *El Cultural,* 6-II-2003, pág. 20.

BLANCO, Carmen (1998), «Sobre la belleza en la poesía gallega de mujeres: cuerpos, mentes, bellas y bestias», *Torre,* 10, 3, págs. 885-895.

DÍAZ DE CASTRO, Francisco, «Señales con una sola bandera. Poesía reunida», *El Cultural,* 6-V-2004, pág. 11.

DÍAZ GÓNZALEZ, Enrique (1990), «Luisa Castro», *Cuadernos literarios del centro cultural de la Generación del 27,* Málaga, Diputación Provincial, 1988.

GASPAR, Silvia, «Los hábitos del artillero», *Grial,* 29, 109, págs. 153-154.

MARTÍN, Salustiano (1990), «Los hábitos del artillero», *Reseña,* 211, pág. 37.

MAYHEW, Jonathan (1995), «Gender under Erasure: Contemporary Spanish Poetry Written by Women», *Revista de Estudios Hispánicos,* 29, 2, págs. 335-347.

MENESES, Carlos (1995), «La fiebre amarilla», *Quaderni Ibero-Americani,* 78, págs. 93-94.

MOIX, Ana María, «Golpes de luz», *El País. Babelia,* 5-IV-2003, pág. 6.

PAULINO, José (1996), «La fiebre amarilla», *Dicenda,* 14, pág. 336.

PROVENCIO, Pedro (1994), «Las últimas tendencias de la lírica española», *Cuadernos Hispanoamericanos,* 531, págs. 31-54.

RODRÍGUEZ, Béatrice (2003), «Luisa Castro o la escritura doble», en Alicia Redondo (coord.), *Mujeres novelistas. Jóvenes narradoras de los noventa,* Madrid, Narcea, págs. 97-108.

SANZ VILLANUEVA, Santos, «Viajes con mi padre», *El Cultural,* 13-V-2003, pág. 12.

SOLANO, Francisco (1995), «La fiebre amarilla», *Reseña,* 257, pág. 30.

— (1991), «El somier», *Reseña,* 214, pág. 29.

TUDELA, Dolor (1999), «La ficcionalización del sujeto poético en la poesía española de la postmodernidad», *Dissertation Abstracts Internacional,* Section C, 60.

UGALDE, Sharon K. (1995), «End of the Century Spanish Women Poets Go Public: Gender and the Long Poem», *Estudios Hispánicos,* 29, págs. 365-381.

— (1991), «Conversación con Luisa Castro», en *Conversaciones y poemas. La nueva poesía femenina en castellano,* Madrid, Siglo XXI, págs. 283-296.

CERCAS, Javier, «El País de Salamina», *El País*, 6-I-2002.
— (2001), *Soldados de Salamina*, Barcelona, Tusquets.
CERCAS, Javier (2000), *Relatos reales*, Barcelona, El Acantilado.
— (1998), «Sobre los inconvenientes de escribir en libertad», en *Una buena temporada*, Badajoz, La Gaveta, págs. 60-65.
— (1997), *El vientre de la ballena*, Barcelona, Tusquets.
— (1993), *La obra literaria de Gonzalo Suárez*, Barcelona, Sirmio.
— (1989), *El inquilino*, Barcelona, El Acantilado.
— (1987), *El móvil*, Barcelona, Sirmio.

Artículos, entrevistas y reseñas

ARNÁIZ, Joaquín, «La primera muerte de Sánchez Mazas», *La Razón*, 23-III-2001.
AYALA-DIP, J. Ernesto, «Un relato real», *El País*, 7-IV-2001.
BACH, Mauricio, «El vencedor derrotado», *La Vanguardia*, 23-III-2001.
BUSQUETS, Jordi, «Un relato real», *El País*, 31-III-2001.
GARCÍA JAMBRINA, Luis (2004), «De la novela al cine: *Soldados de Salamina* o "El arte de la traición"», *Ínsula*, 688, págs. 30-32.
— «Sobre héroes sin tumba», *ABC*, 14-IV-2001.
GRACIA, Jordi, «El instinto de la virtud», *El Periódico*, 16-III-2001.
LOZANO, Antonio (2001), «Escritor frente a escritor», *Qué leer*, marzo.
MARTÍNEZ ZARRACINA, Pablo, «Las armas y las letras», *El Correo Español*, 4-IV-2001.
PEÑA, Luis de la (1998), «*El vientre de la ballena*», *Reseña*, 291, pág. 35.
RODRÍGUEZ, Juan (1997), «*El vientre de la ballena*», *Quimera*, 158-159, págs. 139-140.
ROJO, José Andrés, «La invasión de la realidad», *El País. Babelia*, 17-III-2001, págs. 8-9.
ROS, Xon de (1996), «*La obra literaria de Gonzalo Suárez*», *Bulletin of Hispanic Studies*, 73, 4, págs. 476-477.
SALA, Alberto (2001), «*Soldados de Salamina*», *Turia*, 57, págs. 348-350.
SAN AGUSTÍN, Arturo, «Los amigos del bosque», *El Periódico*, 16-XII-2001, págs. 72-73.
SANCHÍS, Ima, «Entrevista a Javier Cercas», *La Vanguardia*, 9-I-2002.
SANZ VILLANUEVA, Santos, «La suerte de un falangista», *El Mundo*, 4-VI-2001.
SENABRE, Ricardo, «*Soldados de Salamina*», *El Cultural*, 20-VI-2001.
URÍBARRI, Fátima (2002), «Entrevista a Javier Cercas», *Libros*, marzo, págs. 120-121.
VALENZUELA, Alfredo, «Entrevista a Javier Cercas», *El Correo*, 30-IV-2001, pág. 37.
VARGAS LLOSA, Mario, «El sueño de los héroes», *El País*, 3-IX-2001, pág. 11.
YUSHIMITO DEL VALLE, Carlos (2003), «*Soldados de Salamina*: Indagaciones sobre un héroe moderno», *Espéculo*, 23.

Freire, Espido (2004), *Querida Jane, querida Charlotte,* Madrid, Aguilar.
— (2003), *Nos espera la noche,* Madrid, Alfaguara.
— (2003), *Cuentos malvados,* Madrid, Punto de Lectura.
Freire, Espido (2002), *Cuando comer es un infierno,* Madrid, Aguilar.
— (2001), *Aland la blanca,* Barcelona, Plaza & Janés.
— (2001), *Diabulus in musica,* Barcelona, Planeta.
— (2001), *La última batalla de Vincavec,* Madrid, SM.
— (2001), *Cuentos cruentos,* Barcelona, Planeta.
— (2000), *Primer amor,* Madrid, Temas de Hoy.
— (2000), «Ser o no ser guapa. La vida frente al espejo», en Laura Freixas (ed.), *Ser mujer,* Madrid, Temas de Hoy, págs. 119-144.
— (1999), *Donde siempre es octubre,* Barcelona, Seix Barral.
— (1999), *Melocotones helados,* Barcelona, Planeta.
— (1998), *Irlanda,* Barcelona, Planeta.

Artículos, entrevistas y reseñas

Ayala-Dip, J. Ernesto, «*Nos espera la noche*», *El País. Babelia,* 15-XI-2003, pág. 7.
Barrera García, Consuelo (2000), «Algunas reflexiones sobre la narrativa», *Huarte de San Juan,* 5, págs. 33-44.
Beti Saéz, Iñaki (2000), «El universo emocional», *Sancho el Sabio,* 10, 13, págs. 185-194.
García Galiano, Ángel (1999), «*Donde siempre es octubre*», *Reseña,* 304, pág. 22.
López Jiménez, Paula, 2003, «Espido Freire: una nueva visión de los cuentos de hadas», en Alicia Redondo (coord.), *Mujeres novelistas. Jóvenes narradoras de los noventa,* Madrid, Narcea, págs. 149-162.
Poza Diéguez, Mónica (2002), «La sugerencia de la trama o la magia narrativa», *Espéculo,* 20.
Senabre, Ricardo, «*Nos espera la noche*», *El Cultural,* 6-XI-2003, pág. 15.

Giralt Torrente, Marcos (2000), *Nada sucede solo,* Barcelona, Ediciones del Bronce.
— (1999), *París,* Barcelona, Anagrama.
— (1995), *Entiéndame,* Barcelona, Anagrama.

Artículos, entrevistas y reseñas

Alonso, Santos, «Dentro y fuera», *Diario 16,* 27-I-1996.
Baños, Antonio (2000), «Las trampas de la memoria», *Qué leer,* enero.
Castro, Pilar, «Nada sucede solo», *El Cultural,* 19-III-2000.
Dumontet, Fabienne, «Torrente et le désordre du temps», *Le Monde,* 4-VI-2004.

ECHEVARRÍA, Ignacio, «Siete relatos, Marcos Giralt Torrente: un nuevo y solvente narrador», *El País*, 15-VII-1995.

FONTANA, Antonio, «Entrevista a Marcos Giralt Torrente: "París refleja la incertidumbre vital que nos acosa en las noches de insomnio"», *ABC Cultural*, 27-XII-1999, pág. 19.

GARCÍA-POSADA, Miguel, «El infierno de la memoria», *El País*, 4-XII-1999.

MASOLIVER RÓDENAS, Juan Antonio (2000), *«París», Letras Libres*, 2, 24, págs. 99-100.

— «Los mecanismos del recuerdo», *La Vanguardia*, 26-XI-1999.

ORDOVÁS, Julio José, «Geografía del recuerdo», *Heraldo de Aragón*, 27-I-2000.

PAYERAS GRAU, María (2000), «El poso de la memoria», *Revista de Libros*, febrero.

PERAL, Emilio (2000), *«París*, crear desde el recuerdo», *Reseña*.

RODRÍGUEZ FISCHER, Ana, «Un ingrato maleficio», *ABC*, 18-III-2000.

— *La educación del olvido, ABC*, 27-XI-1999.

SANTOS, Care, *«Entiéndame», ABC*, 9-VII-1995.

SIX, Abigail Lee (2002), «Men's Problems: Feelings and Fatherhood in *El Sur* by Adelaida García Morales and *París* by Marcos Giralt», *Bulletin of Spanish Studies*, 79, págs. 753-770.

TURPIN, Enrique (1995), *«Entiéndame», Lateral*, diciembre.

GOPEGUI, Belén (2002), «Salir del arte», en Lucía Montejo Gurruchaga y Nieves Baranda Letorio (coords.), *Las mujeres escritoras en la historia de la literatura española*, Madrid, Estudios de la UNED, págs. 197-202.

— (2001), *Las condiciones de la felicidad,* Cuenca, Centro de Profesores y Recursos de Cuenca.

— (2001), *Lo real,* Barcelona, Anagrama.

— (1999), «Contribución acerca del sentido de *La conquista del aire»*, *Ojáncano*, 16, págs. 86-89.

— (1998), *La conquista del aire,* Barcelona, Anagrama.

— (1997), «La posibilidad de escribir», en Anthony Percival (ed.), *Escritores ante el espejo. Estudio de la creatividad literaria,* Barcelona, Lumen, págs. 383-392.

— SALDANA, Alfredo y otros (1996), «Mesa redonda: Creación artística y posmodernidad», en G. Tyras (ed.), *Postmodernité et écriture narrative dans l'Espagne contemporaine,* Grenoble, Cerhius, N.º Hors, Série de tigre, págs. 321-346.

— (1995), *Tocarnos la cara,* Barcelona, Anagrama.

— (1993), *La escala de los mapas,* Barcelona, Anagrama.

Artículos, entrevistas y reseñas

AYALA-DIP, J. Ernesto, «Los amigos de Belén Gopegui», *El País. Babelia*, 31-I-1998.

CONTE, Rafael (1998), *«La conquista del aire», ABC Literario*.

CRUZ, Jacqueline (2000), *«La conquista del aire», Anales de la Literatura Española Contemporánea*, 25, 1, págs. 306-310.

DRINKWATER, Judith (1995), «La soledad de las islas: towards a topography of identity in Belén Gopegui, *La escala de los mapas*, and Juan José Millás, *La soledad era esto*», en Ruth Christie, Judith Drinkwater y John Macklin, *The Scripted Self: Textual Identities in Contemporary Spanish Narrative*, Warminster, Aris and Phillips, págs. 99-113.

GALIANO, Ángel G. (1995), «*Tocarnos la cara*», *Reseña*, 264, pág. 29.

GONZÁLEZ, Aurelio (1995), «*La escala de los mapas*», *Quimera*, 145, págs. 46-47.

GONZÁLEZ, Juan Manuel (1993), «*La escala de los mapas*. El inicio de un tránsito», *El Urogallo*, 85, págs. 62-64.

GRACIA, Jordi (1998), «*La conquista del aire*», *Cuadernos Hispanoamericanos*, 579, págs. 140-142.

LEGIDO QUIGLEY, Eva (1999), «La necesidad de una vía política», *Ojáncano*, 16, págs. 90-104.

PERAL, Emilio (2001), «*Lo real*», *Reseña*, 330, pág. 18.

— (1998), «*La conquista del aire*», *Reseña*, 292, pág. 33.

PÉREZ, Genaro J. (2000), «Rosa Montero, Belén Gopegui, Ana María Navales: nuevas direcciones para la narrativa femenina», en Cristóbal Cuevas García y Enrique Baena (eds.), *Escribir mujer. Narradoras españolas hoy*, Málaga, Publicaciones del Congreso de Literatura Española Contemporánea, págs. 245-254.

PÉREZ, Janet (2003), «Tradition, Renovation, Innovation: The Novels of Belén Gopegui», *Anales de la Literatura Española Contemporánea*, 28, 1, págs. 115-138.

— (1997), «*Tocarnos la cara*», *España Contemporánea*, 10, 2, págs. 117-119.

RIVERA DE LA CRUZ, Marta (1997), «Cada vez hay más gente que quiere asumir la responsabilidad de saber más que otro», *Espéculo*, 7.

SOLDEVILA DURANTE, Ignacio (2003), «La obra narrativa de Belén Gopegui», en Alicia Redondo (coord.), *Mujeres novelistas. Jóvenes narradoras de los 90*, Madrid, Narcea, págs. 79-96.

TROTTER, Juan Ramón (2002), «*Lo real*», *Voz y letra*, 13, 1, págs. 132-136.

VALLS, Fernando (1998), «*La conquista del aire*», *Quimera*, 168, págs. 65-66.

VICENTE HERNANDO, César de (2001), «*Lo real*», *Quimera*, 205, págs. 67-68.

GRANDES, Almudena (2004), *Castillos de cartón*, Barcelona, Tusquets.

— (2002), *Los aires difíciles*, Barcelona, Tusquets.

— (2002), «Mucho más guapo que Clark: un cuento para Ángel González», en Susana Rivera (ed.), *Tiempo inseguro, Litoral*, 233, págs. 305-308.

— (2001), «Las curvas de Fortunata. Una aproximación al tratamiento literario de la gordura», en *Con otra mirada. Una visión de la enfermedad desde la literatura y el humanismo*, Madrid, Taurus, págs. 51-82.

— (2001), «Las extravagancias del alma, las vulgaridades del cuerpo. Una lectura de *Humo* de Felipe Benítez Reyes», en *Educación del «tiempo»*, José Antonio Mesa (ed.), *Litoral*, 229-230, págs. 98-99.

— (1999), *Los escritores de hoy hablan sobre Blasco Ibáñez, Debats*, 64-65, págs. 205-207.

— (1998), *Atlas de geografía humana*, Barcelona, Tusquets.

— (1996), *Modelos de mujer*, Barcelona, Tusquets.

GRANDES, Almudena (1994), *Malena es un nombre de tango*, Barcelona, Tusquets.
— (1993), «La memoria líquida», *El Urogallo*, 91, págs. 43-44.
— (1993), «Escritura y habla», en *Las palabras de la tribu. Escritura y habla*, Madrid, Cátedra, págs. 97-102.
GRANDES, Almudena (1991), *Te llamaré Viernes*, Barcelona, Tusquets.
— (1989), *Las edades de Lulú*, Barcelona, Tusquets.

Artículos, entrevistas y reseñas

ANOVER, Verónica (2001), «Encuentro con Almudena Grandes», *Letras Peninsulares*, 13, 2-3, págs. 803-813.
ARKINSTALL, Christine (2001), «"Good-Enough" Mothers and Daughters in Almudena Grandes' Short Fiction», *Anales de la Literatura Española Contemporánea*, 26, 2, págs. 5-27.
BARBIERI, María E. (1998), «Confronting the Sexually Explicit in Spanish Cinema», en George Cabello, Jaume Martí y Guy H. Wood (eds.), *Cine-Literatura, III: Essays on Hispanic Film and Fiction*, Corvallis, Oregon State University, págs. 41-47.
BARRERA GARCÍA, Consuelo (1999), «Ana Ozores y Malena: pervivencia de unos caracteres», *Huarte de San Juan*, 4, págs. 25-35.
BASANTA, Ángel, *«Castillos de cartón»*, *El Cultural*, 12-II-2004, pág. 18.
BECCARIA, Lola (1994), *«Malena es un nombre de tango»*, *El Urogallo*, 97, págs. 57-59.
BERMÚDEZ, Silvia (1996), «Sexing the Bildungsroman: *Las edades de Lulú*, Pornography, and the Pleasure Principle», en David William Foster y Roberto Reis (eds.), *Bodies and Biases: Sexualities in Hispanic Cultures and Literatures*, Minneapolis, University of Minnesota Press, págs. 165-183.
BÉRTOLO, Constantino (1989), *«Las edades de Lulú»*, *El Urogallo*, 36, pág. 63.
CABELLO HERNANDORENA, Isidro (2002), *«Los aires difíciles»*, *Quimera*, 223, págs. 62-64.
CARBALLO-ÁBENGÓZAR, Mercedes (2003), «Almudena Grandes: sexo, hambre, amor y literatura», en Alicia Redondo (coord.), *Mujeres novelistas. Jóvenes narradoras de los 90*, Madrid, Narcea, págs. 13-30.
CHEN-SHAM, Jorge (1996), «El erotismo en la narrativa autobiográfica española: El drama de identidad en *Las edades de Lulú* y en *Rosa Mystica*», *Kanina*, 20, 2, págs. 35-44.
CHIRIVELLA, Carmen (1995), *«Malena es un nombre de tango»*, *Diablotexto*, 2, págs. 301-302.
CIBREIRO, Estrella (2002), «Entre la crisis generacional y el éxtasis sexual: El dilema femenino en *Atlas de geografía humana»*, *Romance Studies*, 20, págs. 129-144.
DUCHESNE, Juan (1998), «Sorprenderla mirando», en Carmen Cazurro García de la Quintana (ed.), *La cuestión del género literario y la expresión femenina actual*, *Nómada*, 1, págs. 157-169.
GLENN, Kathleen M. (2002), «Almudena Grandes's *Modelos de mujer*: A Poetics of Excess», en Alastair Hurst (ed.), *Writing Women*, Melbourne, Antípodas Monographs, págs. 109-123.

GRACIA, Jordi, «*Castillos de cartón*», *El País. Babelia*, 7-II-2004, pág. 15.

HENSELER, Christine (1999), «Advertising the Body of Contemporary Spanish Women's Narrative», *Dissertation Abstracts*, 60, 4, págs. 1154-1155.

LÓPEZ-VEGA, Martín, «Entrevista a Almudena Grandes», *El Cultural*, 4-III-2003, pág. 58.

MARTÍN, Salustiano (1998), «*Atlas de geografía humana*», *Reseña*, 300, pág. 33.

— (1994), «*Malena es un nombre de tango*», *Reseña*, 252, pág. 37.

MORRIS, Barbara (1991), «*Las edades de Lulú*», *Anales de la Literatura Española Contemporánea*, 16, 3, págs. 394-396.

— y CHARNON-DEUTSCH, Lou (1994), «Regarding the Pornographic Subject in *Las edades de Lulú*», *Letras Peninsulares*, 6, 2-3, págs. 321-330.

NAVAJAS, Gonzalo (1996), «Duplicidad narrativa en *Las edades de Lulú*», en Mercedes Vidal Tibbitts y J. Claire Paolini (eds.), *Studies in Honor of Gilberto Paolini*, Cuesta, 31, págs. 385-392.

NIEVA DE LA PAZ, Pilar (1999), «Modelos femeninos e indeterminación de la identidad en *Amor, curiosidad, prozac y dudas* de Lucía Etxebarria y *Atlas de geografía humana* de Almudena Grandes», *Hispanística*, 20.

NÚÑEZ ESTEBAN, Carmen (1998), «Belleza femenina y liberación en *Modelos de mujer* de Almudena Grandes», en Angels Carabi, Marta Segarra, Joaquina Alemany i Roca (eds.), *Belleza escrita en femenino*, Barcelona, págs. 137-143.

PÉREZ FRANCO, Antonia Teresa (2002), «Memorias de mujeres: Metamorfosis de los modelos de identidad de las españolas en novelas adaptadas al cine en los 90», *Dissertation Abstracts Internacional*, Section A, 62, 11.

REDONDO GOICOECHEA, Alicia (1998), «Almudena Grandes», en Bussière-Perrin (coord.), *Le roman espagnol actuel. Tendances et perspectives, 1975-2000*, Montpellier, Éditions du Cers, págs. 301-318.

RÍOS-FONT, Wadda C. (1998), «To Hold and Behold: Eroticism and Canonicity at the Spanish *Fines de Siglo*», *Anales de la Literatura Española Contemporánea*, 23, págs. 355-378.

RODRÍGUEZ, María Pilar (2000), «Disidencias históricas: Rescates y revisiones en la narrativa femenina española actual», *Arizona Journal of Hispanic Cultural Studies*, 4, págs. 77-90.

SALABERT, Juana (1991), «*Te llamaré Viernes*», *El Urogallo*, 59, págs. 68-69.

SÁNCHEZ DE LA CALLE, Eufemia (1993), «*Te llamaré Viernes*», *Letras Peninsulares*, 6, 2-3, pág. 431.

SATUÉ, Francisco J. (1994), «*Malena es un nombre de tango*», *El Urogallo*, 100-101, págs. 23-25.

SPANOGHE, Anne-Marie (2000), «Malena o ¿la inversión de una nueva escritura femenina?», en Cristóbal Cuevas García y Enrique Baena (eds.), *Escribir mujer. Narradoras españolas hoy*, Málaga, Publicaciones del Congreso de Literatura Española Contemporánea, págs. 289-304.

TSUCHIYA, Akiko (2002), «Gender, Sexuality, and the Literary Market in Spain at the End of the Millennium», en Ofelia Ferrán y Kathleen M. Glenn (eds.), *Women's Narrative and Film in Twentieth Century Spain. A World of Difference(s)*, Nueva York y Londres, Routledge, págs. 238-255.

VALLS, Fernando (1998), «*Atlas de geografía humana*», *Quimera*, 173, págs. 67-69.

— «*Te llamaré Viernes*», *La Vanguardia*, 1-III-1991.

Loriga, Ray (2004), *El hombre que inventó Manhattan*, Barcelona, El Aleph.
— (2000), *Trífero*, Barcelona, Destino.
— (1999), *Tokio ya no nos quiere*, Barcelona, Plaza & Janés.
— (1995), *Caídos del cielo*, Barcelona, Plaza & Janés.
— (1994), *Días extraños*, El Europeo & Canto de la Tripulación.
— (1993), *Héroes*, Barcelona, Plaza & Janés.
— (1992), *Lo peor de todo*, Madrid, Debate.

Artículos, entrevistas y reseñas

Azancot, Nuria, «Entrevista a Ray Loriga», *El Cultural*, 26-II-2004, pág. 58.
Echevarría, Ignacio, «*El hombre que inventó Manhattan*», *El País. Babelia*, 31-I-2004, pág. 4.
Klodt, Jason E. (2001), «Nada de nada de nada de nada», en *Héroes, Tropos*, 27, págs. 42-54.
Luna Pérez, Antonio Jesús (1994), «*Héroes*», *Reseña*, 248, pág. 20
Nácher Escriche, Carmen (1995), «*Héroes*», *Diablotexto*, 2, págs. 306-307.
Pereira, Juan Manuel (1993), «*Héroes*», *Quimera*, 122, pág. 72.
Rodríguez Marcos, Javier, «Entrevista a Ray Loriga», *El País. Babelia*, 31-I-2004, págs. 2-3.
Sacristán, Martín (1992), «*Lo peor de todo*», *El Urogallo*, 72, págs. 62-64.
Sánchez Magro, Andrés (1995), «*Caídos del cielo*», *Reseña*, 264, pág. 30.
Sanz Villanueva, Santos, «*El hombre que inventó Manhattan*», *El Cultural*, 29-I-2004, pág. 15.

Mañas, José Ángel (2001), *Mundo burbuja*, Madrid, Espasa Calpe.
— (1999), *Sonko95*, Barcelona, Destino.
— (1998), *Ciudad rayada*, Madrid, Espasa Calpe.
— (1996), *Soy un escritor frustrado*, Madrid, Espasa Calpe.
— (1994), *Historias del Kronen*, Barcelona, Destino.

Artículos, entrevistas y reseñas

González, Josefina (1996), «*Historias del Kronen*», *Hispania*, 79, 4, págs. 825-826.
Gullón, Germán (1999), «La novela multimediática: *Ciudad rayada* de José Ángel Mañas», *Ínsula*, 625-626, págs. 33-34.
— (1998), «Introducción», *Historias del Kronen*, Barcelona, Destino, págs. V-XXXIX.
— (1997), «La conflictiva recepción de la novela joven: *Soy un escritor frustrado* de José Ángel Mañas», *Ínsula*, 605, págs. 13-15.
Molinaro, Nina L. (2003), «The "Real" Story of Drugs, Dasein, and José Ángel Mañas, *Historias del Kronen*», *Revista Canadiense de Estudios Hispánicos*, 27, págs. 291-306.

[294]

PAO, María (2002), «Sex, Drugs and Rock & Roll: *Historias del Kronen*», *Anales de la Literatura Española Contemporánea*, 27,1, págs. 245-260.

PERAL, Emilio (2001), «*Mundo Burbuja*», *Revista de Libros*, 58, pág. 47.

RODRÍGUEZ, Elvira (1998), «*Soy un escritor frustrado*», *Mundaiz*, 55, págs. 187-188.

SANTOS GARGALLO, Isabel (1997), «Algunos léxicos del lenguaje de un sector juvenil: *Historias del Kronen*», *Revista de Filología Románica*, 14, 1, págs. 455-473.

SIMÓN AURA, Claudia (1995), «*Historias del Kronen*», *Diablotexto*, 2, págs. 320-321.

MARTÍNEZ DE PISÓN, Ignacio (2003), *El tiempo de las mujeres*, Barcelona, Anagrama.

— (2001), *María Bonita*, Barcelona, Anagrama.

— (2000), *Una guerra africana*, Madrid, SM.

— (1998), *Foto de familia*, Barcelona, Anagrama.

— (1998), «A de Antoni, M de Marí», en Manuel Vilas (ed.), *Antoni Marí*, Zaragoza, Poesía en el Campus, pág. 3.

— (1998), *El viaje americano*, Madrid, SM.

— (1996), *El tesoro de los hermanos Bravo*, Barcelona, Alba.

— (1996), *Carreteras secundarias*, Barcelona, Anagrama.

— (1996), «Algunos años después», *El siglo que viene*, 28, págs. 4-6.

— (1996), «La búsqueda de la identidad», en *Hispanística XX, Notre fin de siècle*, 13, págs. 195-200.

— (1994), *El fin de los buenos tiempos*, Barcelona, Anagrama.

— y otros (1994), «De últimos cuentos y cuentistas», *Ínsula*, 568, págs. 3-6.

— (1992), *Nuevo plano de la ciudad secreta*, Barcelona, Anagrama.

— (1989), *Creación literaria*, Madrid, Revista de Occidente.

— (1987), *Antofagasta*, Barcelona, Anagrama.

— (1987), *La última isla desierta*, Palma de Mallorca, Bitzoc.

— (1985), *Alguien te observa en secreto*, Barcelona, Anagrama.

— (1984), *La ternura del dragón*, Barcelona, Anagrama.

Artículos, entrevistas y reseñas

ACÍN, Ramón (1995), «Problemas de identidad, mentira y crueldad en la narrativa de Ignacio Martínez de Pisón», en Alfonso de Toro y Dieter Ingenschay (eds.), *La novela española actual. Autores y tendencias*, Kassel, Reichenberger, págs. 122-155.

ALONSO, Santos (1998), «*Foto de familia*», *Reseña*, 292, pág. 26.

AYALA DIP, J. Ernesto (1994), «*El fin de los buenos tiempos*», *El Urogallo*, 96, pág. 62.

BELLINI, Giuseppe (1999), «Strade secondarie», *Rassegna Iberistica*, 65, págs. 64-65.

BÉRTOLO, Constantino (1987), «*Antofagasta*», *El Urogallo*, 15-17, páginas 112-113.

DOMÍNGUEZ-MICHAEL, Christopher (1994), «Azar narrativo e inmovilidad novelesca», *Vuelta*, 18, 211, págs. 59-60.

FERNÁNDEZ, Daniel (1987), «Antofagasta», Ínsula, 490, pág. 16.
GLENN, Kathleen M. (1988), «Martínez de Pisón's "Alusión al tiempo" and Hitchcock's Rear Window. Voyeurism and Self-Reflexivity», Monographic Review/Revista Monográfica, 4, págs. 16-24.
GOÑI, Javier (1986), «Entrevista con Ignacio Martínez de Pisón», Ínsula, 41, págs. 15-16.
LOSANTOS SALVADOR, Antonio (2001), «María Bonita», Turia, 55-56, págs. 372-376.
MANERA, Danilo (1999-2000), «Una guerra africana», Quaderni di Letterature Iberiche e Iberoamericane, 27, págs. 152-154.
— (1996), «El fin de los buenos tiempos. La ternura del dragón», Quaderni di Letterature Iberiche e Iberoamericane, 25, págs. 119-122.
MORALES VILLENA, Gregorio (1986), «La ternura del dragón», Ínsula, 473, pág. 5.
MORENO VERDULLA, Antonio (2002), «Novela juvenil contemporánea: Dos novelas de Martínez de Pisón», Lazarillo, 20, págs. 28-34.
NAVARRO, María José (2001), «María Bonita», Reseña, 326, pág. 26.
ORSINI SAILLET, Catherine, 1996, «Journal intime et postmodernité: Alusión al tiempo et La muerte mientras tanto d'Ignacio Martínez de Pisón», en Georges Tyras (ed.), Postmodernité et écriture narrative dans l'Espagne contemporaine, Grenoble, Cerhius, N.° Hors Série de tigre, págs. 245-254.
PÉREZ TAPIA, M. Teresa y PIÑEL VALLEJO, Santiago (1985), «Alguien te observa en secreto», Libros, 44, pág. 30.
RUIZ OBESO, Francisco (1987), «Antofagasta», Reseña, 179, pág. 40.
SANZ VILLANUEVA, Santos, «El tiempo de las mujeres», El Cultural, 23-I-2003, pág. 20.
SPIRES, Robert C. (1996), «The Discursive Eye in Alguien te observa en secreto», en Post-Totalitarian Spanish Fiction, Columbia y Londres, University of Missouri Press, págs. 172-185.
— (1988), «La estética posmodernista», Anales de la Literatura Española Contemporánea, 13, 1-2, págs. 25-35.
STEPHENS, Julie (1985), «Violent Losses of Power and Self-Affirmation in Alguien te observa en secreto», Letras Peninsulares, 14 (2002), págs. 405-426.
SUÁREZ, Sara, «La ternura del dragón», Cuadernos del Norte, 29, págs. 95-96.

PRADA, Juan Manuel de (2003), La vida invisible, Madrid, Espasa.
— (2001), Desgarrados y excéntricos, Barcelona, Seix Barral.
— (2001), «Trece supersticiosos y dos escépticos», Letras Libres, 31, 3, págs. 24-32.
— (2000), Animales de compañía, Madrid, Sial.
— (2000), Las esquinas del aire: en busca de Ana María Martínez Sagi, Barcelona, Planeta.
— (2000), «Arturo Pérez-Reverte: El analfabetismo de los críticos ha hecho mucho daño», en José Manuel de Abiada y Augusta López Bernasocchi (eds.), Territorio Reverte. Ensayos sobre la obra de Arturo Pérez-Reverte, Madrid, Verbum, págs. 389-396.
— (1998), Reserva natural, Gijón, Libros del Pexe.

Prada, Juan Manuel de (1997), *La tempestad,* Barcelona, Planeta.

— (1997), «El alma de los débiles», Buenos Aires, Suplemento literario de *La Nación.*

Prada, Juan Manuel de y Buscarini, Armando (1997), *Cancionero del arroyo,* Juan Manuel de Prada (ed.), Logroño, Consejería de Educación, Cultura, Juventud y Deportes.

— (1996), *Las máscaras del héroe,* Madrid, Valdemar.

— (1995), *Coños,* Madrid, Valdemar.

— (1995), *El silencio del patinador,* Madrid, Valdemar.

— (1995), *Umbral en el espejo (Biografía interior de un escritor en marcha),* Madrid, Ínsula.

Artículos, entrevistas y reseñas

Alonso, Cecilio (1996), *«El silencio del patinador», Diablotexto,* 3, págs. 479-481.

Ayala-Dip, J. Ernesto, «Descenso a la locura», *El País. Babelia,* 3-V-2003, pág. 9.

Castillo Gallego, Rubén (1999), «Dos aspectos de una novela: *Las máscaras del héroe», Versants,* 36, págs. 153-163.

— (1999), «El erotismo en la novelística de Juan Manuel de Prada», en *VII Simposio sobre Narrativa Hispánica,* El Puerto de Santa María, págs. 49-56.

Cuenca, Luis Alberto de (1995), «La narrativa de Juan Manuel de Prada», *Ínsula,* 591, págs. 9-11.

Díaz Navarro, Epicteto y González, José Ramón (2002), *El cuento español en el siglo xx,* Madrid, Alianza, págs. 208-211.

García Jambrina, Luis (1999), «La narrativa española de los 90: el caso de Juan Manuel de Prada», *Versants,* 36, págs. 165-176.

— (1998), «La vuelta al logos», *Nuestro mundo,* 51.

— (1997), «En torno a *Las máscaras del héroe», Ínsula,* 605, págs. 11-13.

Gómez, María Asunción (2001), *«Las máscaras del heróe* de Juan Manuel de Prada: una reescritura del esperpento», *Anales de la Literatura Española Contemporánea,* 26, 2, págs. 115-132.

Gurski, Edward T. (1999), *«La tempestad:* A Renaissance Painting by Giorgione Intersects with a Twentieth Century Thriller by Juan Manuel de Prada», en Gilbert Paolini y J. Claire Paolini (eds.), *La Chispa 99: Selected Proceedings,* New Orleans, Tulane University, págs. 167-176.

Kunz, Marco (1999), «Autorretrato de un escritor joven: La poetología de Juan Manuel de Prada en *Reserva natural», Versants,* 36, págs. 177-187.

López-Vega, Martín, «Entrevista a Juan Manuel de Prada», *El Cultural,* 15-V-2003, pág. 22.

Llorens Marzo, Luis (2002), *«Las esquinas del aire: en busca de Ana María Martínez Sagi», Diablotexto,* 6, págs. 430-433.

Meregalli, Franco (1999), *«La tempestad», Rassegna Iberistica,* 65, págs. 65-69.

Moreno Hernández, Carlos (1998), «La biografía novelada como ejercicio de estilo(s) en *Las máscaras del héroe»,* en José Romera Castillo y Francisco Gutiérrez Carbajo (eds.), *Biografías literarias (1957-1997)*, Madrid, Visor, págs. 537-547.

PEÑA, Luis de la (1997), «*Las máscaras del héroe*», *Reseña*, 281, pág. 28.

POLO, José (1996), «De la crítica ponderada al terrorismo crítico: sobre los comentarios a una importante obra», *Analecta Malacitana*, 19, 1, págs. 131-147.

PUERTAS MOYA, Francisco Ernesto (1998), «La autocompasión y el escarnio: Un ajuste de cuentas de Juan Manuel de Prada con la biografía de un escritor fracasado», en José Romera Castillo y Francisco Gutiérrez Carbajo (eds.), *Biografías literarias (1957-1997)*, Madrid, Visor, págs. 609-621.

RAMOS, Alicia (1999), «*La tempestad*», *Hispanic Journal*, 20, 1, págs. 213-215.

RODRÍGUEZ ABAD, Ángel (2001), «La escritura en ebria libertad», *Hispano-Cubana*, 9, págs. 61-68.

SENABRE, Ricardo, «*La vida invisible*», *El Cultural*, 24-IV-2003, pág. 13.

VALENCIA AZOGÁN, Leonardo (1999), «Extensión del campo de lectura», *Quimera*, 182, págs. 19-20.

VALLADARES ÁLVAREZ, Hernán (1995), «*Las máscaras del héroe*», *Voz y letra*, 6, 1, págs. 165-167.

SALABERT, Juana (2004), *La noche ciega*, Barcelona, Seix Barral.
— (2001), *Velódromo de Invierno*, Barcelona, Seix Barral.
— (2001), *La bruja marioneta*, Madrid, Espasa Calpe.
— (2000), «Siglo de las tinieblas», en Juan Casamayor y Encarnación Molina (coords.), *La lucidez de un siglo*, Madrid, Páginas de Espuma, págs. 49-52.
— (1999), *Aire nada más*, Barcelona, Plaza & Janés.
— (1998), *Estación central*, Barcelona, Plaza & Janés.
— (1998), *Mar de los espejos*, Barcelona, Plaza & Janés.
— (1996), *Arde lo que será*, Barcelona, Destino.
— (1995), *Varadero*, Madrid, Alfaguara.
— (1986), *La ceguera: luz y tinieblas en la literatura*, Madrid, Teatro Español.

Artículos, entrevistas y reseñas

CURIEL RIVERA, Adrián (2001), «*Velódromo de Invierno*», *Revista de libros*, 58, pág. 46.

GRACIA, Jordi, «*La noche ciega*», *El País. Babelia*, 28-II-2004, pág. 9.

GRANDE, Guadalupe (1996), «*Arde lo que será*», *El Urogallo*, 120, págs. 75-76.

MAÑAS MARTÍNEZ, María del Mar (2003), «Juana Salabert o la persistencia de la memoria», en Alicia Redondo (coord.), *Mujeres novelistas. Jóvenes narradoras de los 90*, Madrid, Narcea, págs. 59-78.

MOLINA, Víctor (1995), «*Arde lo que será*», *Quimera*, 145, págs. 61-64.

SANZ VILLANUEVA, Santos, «*La noche ciega*», *El Cultural*, 5-II-2004, pág. 13.

SOLANO, Francisco (2001), «*Velódromo de Invierno*», *Reseña*, 327, pág. 23.
— (1999), «*Aire nada más*», *Reseña*, 310, pág. 21.

SOLANO, Francisco (1998), «*Mar de los espejos*», *Reseña*, 294 , pág. 27.
— (1996), «*Arde lo que será*», *Reseña*, 271, pág. 35.
VÁZQUEZ RIAL, Horacio (1996), «*Varadero*», *El Urogallo*, 119, págs. 55-56.

SANTOS, Care (2004), *Matar al padre*, Sevilla, Algaida.
— (2004), *Los ojos del lobo*, Madrid, SM.
— (2004), *Ser feliz es fácil*, Barcelona, Ediciones B.
— (2003), *Cómo nos hicimos amigas*, Barcelona, Ediciones B.
— (2003), *Laluna.com*, Barcelona, Edebé.
— (2003), *Operación Vigo*, Barcelona, Diagonal.
— (2003), *Sé tú misma*, Barcelona, Ediciones B.
— (2002), *Aprender a huir*, Barcelona, Seix Barral.
— (2002), *Krysis*, Barcelona, Diagonal.
— (2002), *Imagen y semejanza*, Nueva Baztán, Carlos Morales.
— (2000), *La ruta del huracán*, Barcelona, Alba.
— (2000), *Solos*, Valencia, Pre-textos.
— (1999), *Trigal con cuervos*, Sevilla, Algaida.
— (1999), *Ciertos testimonios*, Caracas, Memorias de Altagracia.
— (1999), *Te diré quién eres*, Barcelona, Alba.
— (1997), *El tango del perdedor*, Barcelona, Alba.
— (1997), *La muerte de Kurt Cobain*, Barcelona, Alba.
— (1997), *Okupada*, Barcelona, Alba.
— (1996), *Intemperie*, Alcalá de Henares, Fundación Colegio del Rey.
— (1995), *Cuentos cítricos*, Madrid, Libertarias.

Artículos, entrevistas y reseñas

BARBADILLO DE LA FUENTE, María Teresa (2000), «Las novelas juveniles», *Didáctica*, 12, págs. 55-66.
— (2000), «Claves narrativas de la obra de Care Santos», en Cristóbal Cuevas García y Enrique Baena (eds.), *Escribir mujer. Narradoras españolas hoy*, Málaga, Publicaciones del Congreso de Literatura Española Contemporánea, págs. 283-288.
ENCINAR, Ángeles (2003), «La excepcional maestría de Care Santos: los ciclos de cuentos», en Alicia Redondo (coord.), *Mujeres novelistas. Jóvenes narradoras de los 90*, Madrid, Narcea, págs. 131-147.
— (2000), «*Urraca y Trigal con cuervos*: entre la historia y la intrahistoria», *Ínsula*, 641, págs. 19-21.
GALÁN LORÉS, Carlos (2003), «*Aprender a huir*», *Quimera*, 226, págs. 69-70.
LÓPEZ-VEGA, Martín, «Entrevista a Care Santos», *El Cultural*, 22-IV-2004, pág. 66.

SILVA, Lorenzo (2004), *Carta blanca*, Madrid, Espasa Calpe.
— (2003), *El déspota adolescente*, Barcelona, Destino.
— (2002), *La niebla y la doncella*, Barcelona, Destino.
— y SABART, Jordi (2002), *Laura y el corazón de las cosas*, Barcelona, Destino.

SILVA, Lorenzo (2002), *Los amores lunáticos*, Madrid, Anaya.
— (2001), *Del Rif al Yebala*, Barcelona, Destino.
— (2001), *La isla del fin de la suerte*, Madrid, Círculo de Lectores.
— (2001), *El nombre de los nuestros*, Barcelona, Destino.
— (2001), *Noviembre sin violetas*, Barcelona, Destino.
— (2000), *El alquimista impaciente*, Barcelona, Destino.
— (2000), *La lluvia de París*, Madrid, Anaya.
— (2000), *Viajes escritos y escritos viajeros*, Madrid, Anaya.
— (1999), *El ángel oculto*, Barcelona, Destino.
— (1998), *El lejano país de los estanques*, Barcelona, Destino.
— (1998), *El cazador del desierto*, Madrid, Anaya.
— (1997), *La flaqueza del bolchevique*, Barcelona, Destino.
— (1997), *Algún día, cuando pueda llevarte a Varsovia*, Madrid, Anaya.
— (1996), *La sustancia interior*, Madrid, Huerga y Fierro.

Artículos, entrevistas y reseñas

AZANCOT, Nuria, «Entrevista a Lorenzo Silva», *El Cultural*, 8-IV-2004, pág. 50.
BASANTA, Ángel, «*El déspota adolescente*», *El Cultural*, 23-XI-2003, pág. 15.
ECHEVARRÍA, Ignacio «El taciturno novio de la muerte», *El País. Babelia*, 24-IV-2004.
GERLING, David Ross (2002), «An informal interview with Lorenzo Silva», *World Literature Today*, 76, págs. 92-97.
JOFRESA MARQUÉS, Silvia (1997), «*La flaqueza del bolchevique*», *Quimera*, 161, págs. 66-67.
SÁNCHEZ MAGRO, Andrés (2001), «*El nombre de los nuestros*», *Reseña*, 330, pág. 17.
— (1999), «*El ángel oculto*», *Reseña*, 307, pág. 9.
SENABRE, Ricardo, «*Carta blanca*», *El Cultural*, 22-IV-2004, pág. 21.

VALLVEY, Ángela (2003), *No lo llames amor*, Barcelona, Destino.
— (2002), *Los estados carenciales*, Barcelona, Destino.
— (2001), *Vías de extinción*, Barcelona, Salamandra.
— y MUNÁRRIZ, Jesús (2000), *Peaje para el alba*, Madrid, Hiperión.
— (1999), *A la caza del último hombre salvaje*, Barcelona, Salamandra.
— (1998), *El tamaño del universo*, Madrid, Hiperión.
— (1998), *En las ruinas del cielo de los dioses*, Madrid, Hiperión.
— (1997), *Donde todos somos John Wayne*, Madrid, Acento.

Artículos, entrevistas y reseñas

MARTÍN, Salustiano (1999), «*El tamaño del universo*», *Reseña*, 309, pág. 29.
SANTANA HOWARD, Mariela (2001), «*A la caza del último hombre salvaje:*
Un acercamiento al mundo femenino de Ángela Vallvey», *Explicación de Textos Literarios*, 29, 1, págs. 90-96.

Sanz Villanueva, Santos, «*No lo llames amor*», *El Cultural*, 22-V-2003, pág. 13.

Valls, Fernando (2002), «*Los estados carenciales*», *Quimera*, 214-215, págs. 89-90.

Wolfe, Roger (2002), *Oigo girar los motores de la muerte*, Barcelona, DVD.

— (2001), *El arte en la era del consumo*, Madrid, Sial.

— (2001), *El invento*, Málaga, Cuadernos de Trinacria.

— (2001), *¡Qué te follen, Nostradamus!*, Barcelona, DVD.

— (2000), *Fuera del tiempo*, Zaragoza, Las tres Sorores-Prames.

— (1999), *Enredado en el fango*, Oviedo, Colección línea de Fuego.

— (1998), *Cinco años de cama*, Zaragoza, Las tres Sorores-Prames.

— (1997), *Hay una guerra*, Madrid, Huerga & Fiergo.

— (1996), *Mensajes en botellas rotas*, Sevilla, Renacimiento.

— (1996), *Mi corazón es una casa helada en el fondo del infierno*, Alicante, Aguaclara.

— (1995), *Todos los monos del mundo*, Sevilla, Renacimiento.

— (1994), *Arde Babilonia*, Madrid, Visor.

— (1993), *El índice de Dios*, Madrid, Espasa Calpe.

— (1993), *Hablando de pintura con un ciego*, Sevilla, Renacimiento.

— (1993), *Quién no necesita algo en que apoyarse*, Alicante, Aguaclara.

— (1992), *Días perdidos en los transportes públicos*, Barcelona, Anthropos.

— (1991), *Máquina de sueños*, Plaquette.

Artículos, entrevistas y reseñas

Baena, Enrique (1996), «El mundo ha sustituido la poesía: *Arde Babilonia*, de Roger Wolfe», *Ínsula*, 593, págs. 23-24.

García-Posada, Miguel (1996), «Poesía española», *Crítica*, págs. 215-226.

Gullón, Germán (2000), «Metáforas del desaliento», en Francisco Rico (coord.), *Historia y crítica de la literatura española*, 9/1, Barcelona, Crítica, págs. 509-511.

Mañas, José A. (1999), «La guerra de Roger Wolfe», *Lateral*, 50, págs. 10-11.

Saldaña, Alfredo (1996), «Roger Wolfe, una sensibilidad otra», en Tyras (ed.), *Posmodernité et écriture narrative dans l'Espagne contemporaine*, Grenoble, Cerhius, N.º Hors Série de Tigre, págs. 261-271.

Villena, Luis Antonio (2000), «Del expresionismo al enigma: Jorge Riechmann, Roger Wolfe, Concha García y Vicente Valero», en Jordi Gracia, *Los nuevos nombres: 1975-2000. Primer suplemento*, Barcelona, Crítica, págs. 200-202.

COLECCIÓN ESTUDIOS CRÍTICOS DE LITERATURA

ÚLTIMOS TÍTULOS PUBLICADOS

4. *Hoffmann en España. Recepción e influencias*, DAVID ROAS DEUS.
5. *La pasión del desánimo. La renovación narrativa de 1902*, JORGE URRUTIA.
6. *El jardín interior de la burguesía. La novela moderna en España (1885-1902)*, GERMÁN GULLÓN.
7. *Idea de la estilística. Sobre la escuela lingüística española*, ROBERTO FERNÁNDEZ RETAMAR.
8. *La tradición áurea. Sobre la recepción del Siglo de Oro en poetas contemporáneos*, FRANCISCO J. DÍEZ DE REVENGA.
9. *Nuevos géneros discursivos: los textos electrónicos*, COVADONGA LÓPEZ ALONSO y ARLETTE SÉRÉ (eds.).
10. *Sobre el sentido de «La vida es sueño»*, ENRIQUE MORENO CASTILLO.
11. *Teorías del realismo literario*, DARÍO VILLANUEVA.
12. *La Numancia de Cervantes y la memoria de un mito*, FRANCISCO VIVAR.
13. *Un Lorca desconocido. Análisis de un teatro «irrepresentable»*, CARLOS JEREZ FARRÁN.
14. *Retorno al futuro: amor, muerte y desencanto en el Romanticismo español*, FRANCISCO LA RUBIA PRADO.
15. *Las luces del crepúsculo. El origen simbolista de la poesía española moderna*, JORGE URRUTIA.
16. *El humor en la obra de Julia Camba. Lengua, estilo e intertextualidad*, JOSÉ ANTONIO LLERA.
17. *El fantasma de la máquina de lenguaje. Por qué el lenguaje no es un autómata*, ÁNGEL ALONSO-CORTÉS.
18. *Cervantes y Pasamonte. La réplica cervantina al Quijote de Avellaneda*, ALFONSO MARTÍN.
19. *Quevedo: reescritura e intertextualidad*, SANTIAGO FERNÁNDEZ MOSQUERA.
20. *La pluralidad narrativa. Escritores españoles contemporáneos (1984-2004)*, ÁNGELES ENCINAR y KATHLEEN M. GLENN (EDS.)

[303]